홍익인간의 꿈,

소설 최영 장군

홍익인간의 꿈,

소설 최영 장군 1

초판 1쇄 인쇄 2020년 8월 10일
초판 1쇄 발행 2020년 8월 15일

지 은 이 정호일
펴 낸 이 정연호
편 집 인 정연호
디 자 인 이가민

펴 낸 곳 도서출판 우리겨레
주   소 서울시 은평구 통일로 71길 2-1 대조빌딩 5층 507호
문의전화 02.356.8410
F A X 02.356.8410
출판등록 2002년 12월 3일 제 2020-000037호
전자우편 urikor@hanmail.net
블 로 그 http://blog.naver.com/j5s5h5

ISBN 978-89-89888-18-5 04810
ISBN 978-89-89888-17-8 (전3권)

홍익인간의 꿈,

소설 최영 장군

정호일 지음

도서
출판 우리겨레

요동 수복을 꿈꾸며

이찬구(겨레얼살리기국민운동본부 사무총장)

　　정호일의 『홍익인간의 꿈, 소설 최영 장군(전3권)』은 요동을 잊고
사는 현대의 한국인들에게 잠에서 깨어날 것을 요구하는 것 같
다. 작가는 요동을 일깨우기 위해 우리 역사에서 패배자처럼 낙
인된 최영 장군을 등장시키고 있다. 패배의 역사에서 교훈을 얻
자는 것이다.

　　우리에게 요동은 왜 중요한가?

　　요동은 고구려, 발해 이후 우리 역사에서 사라진 땅이었다. 그
러나 고조선과 고구려 시대에 요동은 우리 민족사의 중심무대였
다. 고조선은 말할 것도 없고, 이를 이은 고구려는 요동을 되찾
고, 요동을 지키는 것을 국시(國是)로 삼았다. 다물(多勿)이란 말이

옛 땅을 회복하는 것이라면, 그 옛 땅은 고조선의 땅이었던 요동과 더 나아가 요서를 회복하는 것을 의미했을 것이다.

고구려의 요동 되찾기는 중국 및 북방민족들과 피눈물 나는 전투와 전쟁을 수반하였다. 중요한 쟁탈의 대상이었다. 요동은 인구와 물산이 풍부한 곳이었다. 고구려의 입장에서는 요하와 요택을 활용한 방어선을 구축하기도 용이하였다. 따라서 요동은 고구려로서는 국가 발전과 방위를 위해 반드시 차지해야 할 지역이었다. 고구려의 모본왕과 태조대왕 시기에는 요동을 넘어 우북평, 어양, 상곡, 태원 등을 공격하였으며, 광개토태왕 시대에는 동서남북의 주변에 있는 여러 나라들을 제압하여 사실상 고조선의 옛 영토를 수복하고 고구려 중심의 천하질서를 확립하는 데 성공하였다. 윤내현 교수는 이를 두고 "고구려가 건국 초부터 추구해온 다물 이념, 즉 고조선의 천하질서를 회복한다는 국가시책을 명분상으로 일단 달성한 것"으로 보았다. 이와 같이 고구려의 요동 수복은 고조선의 천하질서를 회복한다는 차원에서 진행된 것으로 이해할 수 있다.

정호일 작가는 요동의 역사 가운데서도 고려 말의 요동정벌에 주목하였다. 그것이 고조선과 고구려를 이으려는 민족의 마지막 꿈이었기 때문이다.

그러면 원·명(元·明) 교체기를 맞은 고려 말 민족의 운명은 어찌 될까?

요동정벌을 놓고 최영 장군과 우왕이 한편이 되고, 이성계와 유자 세력이 다른 한편이 되어 첨예하게 대립한다. 명이 흥기하는 상황 앞에서 이성계와 유자들은 사대(事大)하자는 주장이었고, 그게 선왕의 뜻이라고 하면서 명분을 찾았다. 고려의 유자(儒者)가 아니라 명의 유자로서의 처신이었다. 그러나 진정한 선왕의 뜻은 요동을 되찾는 것이고, 고려를 강국으로 중흥시키는 것이라고 최영은 이들을 설득해간다.

우왕14년(1388) 명나라는 고려의 북쪽 경계였던 지금의 심양 부근에 철령위(鐵嶺衛)를 설치하겠다고 통보했다. 위(衛)를 설치한다는 것은 5~6천 명의 군대를 주둔시켜 지배한다는 것을 의미한다. 철령 이북은 원래 원(元)의 것이니 이제 명(明)의 요동에 귀속시키겠다는 것이다.

명나라의 철령위 설치는 고려의 고토(故土) 회복에 가장 큰 장애물로 등장하였다. 고려는 전쟁도 불사하며 요동으로 군사를 출병시켰다. 5천 년 역사상 마지막 요동정벌이다.

정호일 작가는 요동정벌은 고조선과 고구려의 옛 땅을 되찾는 것이고, 요동을 통해 진정한 홍익인간의 꿈을 펼칠 수 있다고 보았다. 환웅, 단군의 이상을 구현할 수 있는 우리의 본토가 요동이라고 본 것이다. 심(心)과 토(土)가 둘이 아니었다. 전쟁을 해보지도 않고 우리의 땅을 스스로 내주는 것은 역사의 배반이며, 민족혼의 반역이었다. 최영이 요동 수복의 꿈을 포기할 수 없는 이유가 여기에 있었다. 독자들은 고려 말 최영 장군의 고뇌와 결단을 통해 민족의 이상과 꿈이 무엇인지를 새삼 발견할 것이다. 지금도 우리 귓가에 맴돌고 있지 아니한가?

"요동 앞으로!"

글에 들어가며

파란 하늘, 시원한 바람, 아름다운 꽃, 푸른 나무…….

이 얼마나 좋은가?

고마움을 느끼고 살지 못하다가 어느 날 하늘을 쳐다보다가 문득 이런 생각이 스치고 지나갔다. 그런데 과연 오늘날의 한국 사회는 정말 살만한 세상인가?

역사에 관심을 가진 지 참으로 오래되었다. 근·현대사도 공부하고, 우리 민족의 찬란한 단군조선과 고구려에 대해서도 연구했다. 그 결과로 단군 왕검과 고구려의 광개토호태왕을 소설로 쓰기도 하였다.

그런데 어느 때부턴가 최영 장군이 떠오르기 시작했다. 단군

왕검과 광개토호태왕은 승리의 역사였다. 우리 민족의 찬란한 시기로 활로를 열어주는 역사였다. 반면에 최영 장군은 한평생 고려 중흥을 꿈꿔오다 마침내 그 실현을 위해 칼을 뽑고 요동 정벌을 추진하였다가 이성계의 배신행위로 인해 좌절을 겪고 한 생을 마감한 장군이었다. 좌절이자 패배의 역사였다. 하지만 진정한 교훈은 패배와 좌절로부터 배우는 것이 아닐까?

21세기의 인류 사회는 격변기라고 할 수 있을 것 같다. 격변기에는 응축된 힘이 폭발하기 마련이다. 어디로 어떻게 폭발할지는 예측하기가 쉽지 않다.

하지만 분명한 사실은 21세기 인류 사회의 격변기의 중심에 한반도가 놓여 있고, 거기에 한국이 있다는 사실이다. 과연 21세기 인류 사회에 한국은 어떻게 헤쳐나가야 할까?

최영 장군은 원명 교체 시기의 격변기에 살았다. 무신정권 시기로부터 원의 속국이 되어 왕정이 복구되고, 다시 원으로부터 주권을 회복하는가 싶더니 신흥 강국으로 등장한 명의 압박을 받는 과정에서 고려 중흥을 내건 충신이었다. 하지만 자신의 꿈을 성공시키지 못하고 역사의 패배자가 되었다.

도대체 그토록 청렴결백하게 살고 홍익인간의 실현과 요동 수복을 위해 자신의 운명을 걸었던 분이 왜 실패하였을까? 이 실패의 역사적 교훈을 찾아낸다면 21세기 한국 사회의 격동기에 살고 있는 사람들에게 도움을 주지 않을까?

이 소설의 기본 맥락은 처음부터 끝까지 "고려사"와 "동국통감"의 사료에 의거해서 전개되었다.

"고려사"와 "동국통감"은 최영 장군을 배반하고 이성계 일당이 이씨 조선 왕조를 세운 후 조선의 유자들에 의해 쓰인 것이다. 그 때문에 사료를 이용해도 이 대목을 염두에 두지 않을 수 없었다.

유자들이 얼마나 역사를 왜곡했는지는 중국에서 역사서를 기록한 그 유자들이 얼마나 우리 민족의 역사를 왜곡했는가에서 잘 알 수 있다. 유학, 주자학이라는 것이 중화의 패권을 주장하는 사상이었으니 그에 저촉되는 것은 빼거나 왜곡을 시도하는 것은 당연하다 하겠다. 일본의 군국주의자들도 자신들의 침략을 정당화하기 위해 아직도 반성을 하지 않고 역사 왜곡을 일삼고 있지 않는가? 마찬가지로 조선의 유자들도 이 대목에서 크게 다를 바 없다.

단적으로 원명 교체기 상황에서 단군조선과 고구려의 정통을 이어받는 고려가 고려 중흥을 이룩하여 요동을 수복하자고 주장하는 것이 자연스럽지 친명사대정책을 추진하여 요동 땅을 명에게 내주자고 하는 것이 어떻게 합당하겠는가? 그런 주장을 펼치려면 명에 가서 살 것이지 고려에 있을 이유가 없지 않는가? 최영 장군을 소설로 그려내는 작가로서 그런 주장은 최소한 단죄해 주어야 하는 것이 예의 아니겠는가?

그 때문에 "고려사"와 "동국통감"의 사료를 이용하더라도 그 당시의 상황을 감안해 판단하였다.

21세기의 한국 사회는 과연 희망이 있는 것일까? 고려의 중흥을 이룩하여 단군조선과 고구려의 옛 영화를 구현하자고 외쳤던 최영이 친명사대 세력들의 배신행위에 의해 그 꿈이 좌절되고 죽음을 맞았듯이, 21세기의 한국 사회에서도 그와 비슷한 일이 또다시 벌어져야 할까? 이 역사적 소설이 한번쯤 고민하는 계기가 되었으면 한다.

2020년 서울에서
정호일

차 례

홍익인간의 꿈,

소설 최영 장군

1

황성에 부른 바람

공민왕 즉위 4년 무자일(1356년 5월 9일).

고려 황도 개경의 날씨는 이날따라 유난스레 짓궂었다. 바람이 아침부터 싱숭생숭 불어대더니 요동치는 바람에 점차 주위가 출렁거렸다. 하늘 또한 잔뜩 흐려지며 짙은 먹구름이 순식간에 몰려들었다. 금방이라도 거센 빗줄기가 몰아칠 듯한 기세였다. 사위도 분간하기 어려웠다.

허나 그것도 잠시, 언제 그랬냐는 듯 검은 먹구름이 물러나고, 태평스레 햇살까지 비춰댔다. 모든 상황이 종료되는가 싶더니, 또다시 하늘이 찌푸려지고 급기야 스산한 기운까지 끌어들여 황도의 이골목저골목을 휘감았다. 분명 사단이 일어날 것 같은 조짐이었다. 하지만 이내 바람은 잠잠해졌다. 도무지 그 향방을 가늠키 어려운 날씨였다.

뭔가 터질 것 같은 날씨의 변덕에 흉흉한 황도의 인심은 술렁거렸다. 변화무쌍한 날씨가 어떤 암시라도 예시해주듯 사람들의 눈길은 자연스레 황성으로 쏠렸다. 그만큼 황성이 위태롭게 여겨진 것이었다.

황성은 개경인이 황도 사람으로 대접받고 고려인으로서의 자긍심을 갖는 근원이었다. 황성이 무너지는 건 황도인으로서 부정당하는 것이자 고려인으로서의 뿌리가 뽑히는 격이었다. 그러나 황성은 우람한 자태를 드러내기는커녕 조금의 예기치 못한 날씨에도 그 자리조차 지키기 버거운지 납작 엎드린 모양새였다. 처량하고 애처로워 보이기까지 했다.

그래도 고려인이자 황도 사람으로서의 뿌리를 잃을 수 없다는 간절한 마음 때문인지 간혹 감히 거역할 수 없는 황성의 위세가 뿜어 나오기도 했다. 어쩌면 숱한 역경 속에서도 지금껏 황성이 면면이 지탱되어 왔던 근원은 이런 개경 사람들의 의기 때문인지도 몰랐다.

하긴 개경이 황도로 자리 잡은 연륜만 보아도 얼마나 긴 세월이었던가? 고려를 세운 태조 왕건이 919년 철원에서 개성으로 수도를 옮긴 이래 줄곧 그 자리를 지켜왔으니 반 천년을 치달아가고 있었다. 그 기나긴 세월 동안 얼마나 많은 파란만장한 사건들과 사고들을 겪었던가. 거란의 2차 침략에 함락 당하기도 했고, 묘청의 난 때에는 개경을 버리고 서경으로 천도하자는 주장까지 터져 나왔다. 무신의 난에 이르러서는 황도의 주인인 고려 국왕은 허수아비로 전락 당했다. 그래도 개경은 그 도전들을 거뜬히 물리치며 황도의 자리를 지켜왔다. 비록 이름뿐이라고 해도 감히 대놓고 황제의 자리를 넘보진 못했다.

그런 데에는 그만한 이유가 있었다. 개경 만월대의 터를 보면, 백두산의 정기를 이어받은 송악산(松嶽山)이 주산으로서 듬직하게 버텨주고, 좌청룡, 우백호 격인 자남산(子男山)과 오공산(蜈蚣山) 자락이 좌우로 감싸주며, 용수산(龍岫山)의 안산이 앞날개를 펼쳐주는 지형이었으니 가히 명당 중의 명당이었다. 지리적 이점도 한몫했다. 개경 주위의 예성강과 임진강, 북한강이 서로 연결되어 전국적인 물자 교류망이 형성될 수 있었고, 나아가 예성강의 하류에 위치한 벽란도는 국제무역항의 거점이 되는 곳이었다. 개경은 단순한 왕도가 아니라 황도로서의 국제적 위상을 차지했고, 실제로 고려는 당당하게 황제 칭호를 사용한 국가였다.

하지만 작금의 상황은 모든 게 달라져버렸다. 아무리 터가 좋고 지리적 이점이 있을지라도 그에 거주하는 주인이 황제로서의 위상이 거부당하는 꼴이라면 그런 것은 아무런 보탬이 되지 못했다. 황성은 황제가 거주하는 곳이었다. 터를 잡고 황도를 세우는 것은 사람이었다. 송악산을 부소산이라고 불렀는데, 그곳엔 원래 붉은 흙과 바위가 보일 정도로 나무가 없었기 때문이었다. 그래서 태조 왕건의 선대 조상인 강충이 소나무를 심어 울창하게 만들었다. 또 개경은 비가 많이 올 경우 흘러내린 세 줄기의 물줄기가 한곳으로 모여 흘러내릴 수밖에 없는 지형이어서 홍수가 잘 일어나는 취약점을 안고 있었다. 이에 고려에서는 비보책 등 여러 대책을 세워 황도로서 손색이 없는 도시를 건설해왔다. 이렇듯 황도가 되느냐, 안 되느냐는 사람에 의해 결정되고, 그것도 그곳에 거주하는 사람이 어떤 대접을 받느냐에 달려 있었다.

그런데 지금 고려 국왕의 지위는 제 발로 당당히 섰던 지난날의 역사를 뒤로하고 이젠 원의 무지막지한 요구에 하릴없이 굴복당해야 하는 처지였다. 무엇보다 원 황제와의 관계가 어떠하냐가 중요했다. 이는 곧 인척관계의 형성이자 피의 뒤섞임이었다. 고려 황실의 순수 혈통이 점점 밀려나고 원 황실의 피가 그 위치를 좌우하게 되었다. 고려 국왕은 처음엔 원 황제의 부마였다. 그 지위는 100년의 세월이 흘러가자 유지될 수 없었다. 원 황제는 장자상속이 아니라 자식들 중에서 가장 강한 자가 차지하는 방식이었다. 권력 쟁탈전의 결과에 따라 고려 국왕의 지위는 하루아침에 나락에 떨어질 수 있었다. 원종의 뒤를 이은 충렬왕과 충선왕은 원 세조(쿠빌라이)의 딸과 손녀를 각각 왕후로 맞아들였고, 또 세조가 오랫동안 집권했으니 원의 부마로서의 지위가 얼마간 튼튼했다. 그만큼 힘도 행사할 수 있었다. 엄밀히 보면 왕후로 맞이한 원의 공주로부터 기인했으니 고려 국왕은 왕비의 눈치를 봐야만 하는 딱한 처지였다. 하지만 두 왕 이후론 그마저 허락되지 않았고,

원의 권력 추이에 따라 고려 국왕의 지위는 날로 추락하였다.

　이건 따지고 보면 자기 올가미에 자신이 걸려든 격이기도 했다. 무신의 난 이후 고려 황실의 위상이 추락한 관계로 그 권위를 되찾으려고 하는 건 당연지사였다. 그런데 자신의 힘이 아니라 힘센 나라에 의지해 풀려고 시도했다. 원의 공주와 고려 태자를 혼인시켜 인척관계를 맺음으로써 원의 간섭을 받지 않을뿐더러 그 힘으로 추락된 황실의 위상도 회복할 수 있을 것으로 기대한 것이었다. 하지만 그건 허황된 꿈이었다. 아예 황실의 존속 자체를 호랑이의 아가리에 처넣은 처참한 결과를 가져왔다. 세계를 지배하려는 대국이 소국에게 인척관계를 요구하는 것은 약소국을 지켜주기 위해서가 아니라 더 쉽게 지배 조종하기 위해서라는 것은 세 살 먹은 어린애도 아는 이치였다. 비록 이름뿐이라고 해도 감히 황실의 존속을 부정하진 못했던 무신집권자들의 지배로부터 벗어난 듯했지만, 실상은 원의 속국으로 전락되어 황실이 왕실로 격하되고, 왕실의 존속까지도 유지하기 어려운 처지에 빠져들었다. 남의 힘에 의존해서 자리를 보존하려고 할 때 겪게 되는 필연적인 귀결이었다.

　더욱이 지금 원의 실력자는 기황후였다. 이게 문제였다. 기황후는 고려에서 원으로 끌려간 공녀 출신으로 고려인의 피가 흐르고 있었다. 원의 실력자가 누가 되는가에 따라 고려 국왕의 운명이 결정되는 상황에서 기황후와의 관계가 어떠하냐가 고려 권력의 저울추로 작용하게 되었다. 예전엔 원의 권력자는 혈연적으로 고려와 직접적으로 무관한 인물인데다 고려 왕실이 고려인의 어느 누구보다 그 권력자의 가계와 더 가까운 인척관계를 맺고 있었다. 하지만 이제는 고려인의 피가 흐른 기황후의 혈족이 존재한다면 꼭 우위에 선다고 단정할 수 없었다. 상황이 달라져 버렸다. 반 천 년 동안 이어온 고려 황실과 고려의 운명이 시시각각 존망의 처지에 놓이게 되었다고나 할까.

고려 황실과 고려의 운명이 위험에 처했다는 사실을 아무도 입 밖엔 꺼내진 않았지만 사람들은 황성의 변화에 생존 본능적으로 반응했다. 황성은 숨을 죽이는 듯 조용했다. 그에 따라 사람들의 관심은 자연스레 다른 곳으로 향했다. 황성으로부터 5리 정도 떨어진 서북쪽에 자리 잡은 정동행성이었다. 그 정식 명칭은 "정동행중서성"으로서 원래는 원이 일본을 동정하기 위해 중서성의 파견기관으로 설립된 것이었다. 그런데 일본 원정을 포기한 이후에도 여전히 존립하며 사실상의 고려의 통치기관으로 군림하고 있었다. 국혼이 성립되어 고려의 국호가 유지되었기에 고려 국왕이 정동행성의 수장이었고, 몇몇 관리도 임명하지만 그건 명목상에 지나지 않았다. 벌써 터의 위치부터가 황성을 좌측에서 압박하며 내리찍어 누르는 모양새였다.

변덕을 부린 날씨에도 정동행성은 황성과 대조적으로 수많은 사람들로 인산인해를 이루었다. 무슨 일이 터진다면 황실 쪽이 타격을 당할 것이라고 본 사람들이었다. 이미 원의 실력자로 자리 잡은 기황후는 아들 아유르시리다라를 원의 황태자 자리로 올려놓았고, 선친 기자오 또한 고려의 영안왕으로 추증시킨 상황이었다. 왕실과 기황후의 혈족이 서로 같은 왕으로 동급이 된다면 어느 쪽에 힘이 실릴지는 삼척동자도 판단할 수 있는 바였다. 태양은 하나이지 둘은 될 수 없는 것. 왕실과 기황후의 혈족! 이 두 세력은 서로 피할 수 없는 한판 승부를 겨뤄야 했다. 이 두 세력 중, 하나를 선택해야만 한다면 어디일까? 원의 국력이 예전만 못한 점은 잠시 선택을 머뭇거리게 하는 요인이었다. 중국 대륙에서 홍건적의 반란으로 시작된 대항 세력을 원은 쉽사리 제압하지 못하고 있었다. 그렇더라도 세계를 호령하고 있는 원이 금방 망할 리도 없었다. 대세는 기황후의 혈족 편에 있다고 본 것이었다.

이런 분위기를 조성한 자는 바로 기철이었다. 기자오에게는 기식과 기철, 기원, 기주, 기윤, 기황후 등의 자식이 있었다. 기철은 기황후의 오빠로서 장남인 기식이 일찍 죽어 기씨 집안의 실질적 기둥이 되는 자였다. 그가 어떻게 하느냐에 따라 그 일족의 운명이 결정될 판이었다. 지금껏 때를 보아온 그는 드디어 몸을 움직이기 시작했다.

기실 공민왕이 왕위에 오르기 전, 고려의 인질로 원에 들어가 숙위하고 있었던 강릉대군(공민왕)은 그 이전 왕인 충목왕과 충정왕의 세력들을 몰아내기 위해 기황후 세력과 연합하였다. 고려 내의 개혁 관료들과 연저수종공신(燕邸隨從功臣)들이 강릉대군을 지지하고 있었으나 그 세력만으로 역부족이었다. 가장 큰 약점은 원에서의 지지 세력이 부족한 점이었다. 강릉대군은 위왕의 딸인 노국대장공주와 결혼함과 동시에 기황후 세력과도 손을 잡았다. 기황후 세력도 원에서 자신의 힘을 키우기 위해 고려의 힘이 필요하였다. 둘 사이의 이해관계의 필요성에 따라 서로 손을 잡았으나 각자 자기 잇속을 차리자 이제 둘 사이의 힘 대결이 벌어지게 되었다. 강릉대군은 조카인 충정왕을 물러나게 하고 고려 국왕으로 등극하였고, 기황후는 원 나라의 조정 실권을 완전히 장악하고 선친 기자오를 왕으로까지 추증하였다. 기황후 일족은 이런 기황후의 위세를 믿고 안하무인격으로 처신하며 기고만장하였다. 이제 공민왕의 세력과 기황후 일족은 협력 관계가 아니라 누가 고려의 실력자인지를 가려야 하는 상황에 도달하지 않을 수 없었다.

먼저 움직인 쪽은 공민왕의 일파였다. 공민왕의 연저수종공신으로 강력한 힘을 행사하고 있었던 조일신은 사실상 공민왕의 묵인을 받고 기황후 세력을 척결하기 위해 난을 일으켰다. 그런데 기원 등의 몇몇 일파는 척살하였으나 기철 등은 몸을 피함으로써 제거하지 못했다. 기황후 일파의 반격이 개시되면 공민왕은 자신의 왕위까지 위협받는 상황이었다. 서둘러 공민왕은 그 모든 책임을 조일신 일파에게 뒤집어씌우며 자신과 무관하다고 주장하고, 아울러 기황후의 세력에게 아부하는 길로 나아갔다. 원에서는 경사가 있을 때 친족들을 불러다가 잔치를 여는 보르차라는 관례가 있는데, 기황후가 태자를 낳았으니 기자오 부인 영안왕대부인을 모셔다가 보르차라는 잔치를 열어줄 것을 원에 주청하고 나선 것이었다. 기황후 일족에게 추증된 왕위를 국가적 차원에서 인정해 주겠다는 의사표시였다. 위기를 모면코자 하는 공민왕의 속내를 기황후 일파는 모르지 않았으나 그들도 이 제안을 순순히 받아들였다. 기황후 일족은 아직 고려 조정에 자신의 세력을 크게 확장시키지 못하고 있었다. 기황후 일파가 다음을 기약함으로써 조일신 일파의 난으로 인한 파국은 무사히 넘어갔다. 허나 그 것은 추후의 벌어질 싸움을 지연시키는 것에 불과했다.

기철은 자신의 약점을 보강하기 위해 전력 질주하였다. 인척관계야말로 그의 믿음직한 보루였다. 원의 태자비를 고려의 대단한 문벌 세력으로 세우면 이 문제는 해결될 수 있었다. 그 대상은 권겸과 노책 등이었다. 권겸은 권보의 아들로 복안부원군이었다. 권보의 집안은 아들인 권준, 종정(출가 이름), 권고, 권후(왕후), 권겸 등 5명과 사위인 안유충, 이제현, 그리고 종실이기도 했던 왕숙, 왕순 등 4명이 다 봉군되어 9봉군 집안으로 불리는 대문벌이었다. 권겸은 그 가문을 믿고 과거 합포만호를 지냈기 때문에 충숙왕이 복위하자 여러 차례 만호 자리를 부탁했으나 왕이 허락하지 않자 원의 권세가의 힘을 빌려 순군만호가 된 자로서 권력과 부를 탐하는 자였다. 그런 권겸에게 기철은 접근했고, 권겸 또한 수락하여 원에 가서 딸을 황태자에 바치고 태부감의 태감으로 임명되었다. 노책은 조인규의 사위인 노영수의 아들이었다. 조인규는 원래 미미한 가문 출생이었으나 고려가 원의 속국이 되자 역관으로 출세해 충선왕 때에 이르러서는 국고가 되며 권문세가의 반열에 오른 사람이었다. 그의 아들들인 조서, 조련, 조연수, 조위 등도 모두 재상에 올랐다. 그런데 조인규의 딸 조비를 충선왕의 왕후이자 원 세조의 손녀인 계국대장공주가 질투한 나머지 조비무고사건이 발생했다. 이때 노책의 아버지 노영수 또한 조인규의 사위라는 이유 때문에 핍박을 받았다. 그런 집안 내력을 지니고 있던 노책은 평양공 왕현의 딸 경녕옹주와 결혼했는데, 충선왕이 왕현의 처를 순비로 삼는 바람에 갑자기 신분이 귀하게 바뀌게 된 자였다. 그렇다면 처신을 잘해야 하건만 자신의 비루한 신분이 아킬레스가 된 마냥 더욱 부와 권력을 탐했다. 이 자도 기철의 제안을 받아들여 자신의 딸을 태자비로 바치고는 집현전학사라는 벼슬까지 얻어낸 자였다.

태자비를 빌미로 기철이 문벌 세력을 하나둘 끌어들이자 고려의 조종신료들은 권력의 향배가 어디로 흘러갈지 대략 짐작하게 되었다. 자연스레 고려의 신료들은 기황후 일족과 좋은 관계를 맺기 위해 접근해 왔고, 이젠 고려 조정에도 만만치 않은 세력을 형성하기에 이르렀다. 다만 원의 힘이 예전만 못하다는 게 근심거리였다. 시간을 질질 끌어 원의 힘이 더욱 미약해진다면 자기에게 접근한 관료들도 어찌 움직일지 장담할 수 없었다.

기철은 자신의 권력을 확실히 다지기 위한 방법을 모색하였다. 그것은 고려라는 나라를 아예 없애버리고 원의 행성이 직접 통치하는 입성정책의 추진이었다. 그것 이외에는 다른 방법이 없었다. 입성책동은 이미 원과 결탁한 세력들이 여러 번에 걸쳐 추진했다가 실패한 방법이었다. 기황후의 아들이 태자에 오르지 못했을 때 그 자신이 직접 입성책동을 추진했다가 실패한 경험도 있었다. 기철은 그 이유를 고려 왕실보다 원과 인척관계를 가진 강력한 세력이 미비한 데에 있다고 보았다. 허나 이제 자신은 앞으로 원의 황제가 될 황태자의 외삼촌이 되는 사람이었다. 고려 왕실에 밀릴 이유가 없었다. 이제는 상황이 달라졌다고 본 것이었다. 그렇더라도 신중해야 했다. 기황후의 힘만 믿고 나섰다가 동생 기원뿐만이 아니라 그를 위해 충성 바쳤던 애들이 왕실의 공격을 받아 죽거나 죄를 받았다. 그런 일을 그 자신이 되풀이하면 안 되었다. 원 황실과의 혈연관계를 이용해 자신의 지위를 확고히 구축해야 했다. 그럼으로써 조정 대신들에게 자신의 위치를 각인시키며 그들을 확고히 자기편으로 인입시켜야 했다.

　그는 자기 누이동생인 기황후에게 은밀히 밀서를 보냈다. 선친을 왕으로 추증했지만 그것만으로는 부족하니 조상 삼대를 왕으로 추증해 달라는 청원이었다. 그러면 고려의 실권을 장악할 것이고, 그 힘으로 원에 적극적으로 군사 지원하여 중국 대륙의 반란군들을 제압함으로써 명실상부한 원의 제국을 건설하도록 모든 힘을 기울이겠다는 확약이었다. 기황후에게 귀가 번쩍 뜨이는 제안이었다. 원의 조정 실권을 장악한 기황후에게 가장 큰 골칫거리 문제를 해결해 주겠다고 하니 마다할 리 없었다. 기황후는 곧장 선대 조상 3대를 왕으로 추증하는 국서를 조카인 기완자불화 편에 보냈다. 기완자불화는 기철의 동생 기원의 아들로서 기황후의 후광으로 고려에서 판밀직사사를 제수받은 자였다.

기철은 이 국서를 바탕으로 선대 3대의 왕위 추증 행사와 연회를 대대적으로 거행하기로 작정했다. 그것도 대궐 같은 자기 집이 아니라 정동행성에서 행하기로 하였다. 고려라는 나라는 원의 속국이고, 이제 원의 지지는 자신에게 있다는 것을 명확히 드러내고자 함이었다. 조정 대신들에게 이제 고려 왕실과 자기 자신 중에서 누구를 간택할지를 잘 판단해서 처신하라는 통첩성의 성격도 띠고 있었다. 마침내 그날이 다가왔다.

변화무쌍한 날씨에도 화려한 복색을 차려 입은 관리들의 행차가 줄을 이었다. 그뿐만 아니라 재화와 물품을 가득 실은 수레도 연달아 정동행성으로 몰려들었다. 권력 꽤나 쓰는 사람들과 귀하디귀한 물품들이 죄다 정동행성으로 쌓이는 듯했다. 이들과 전혀 다른 차림의 사람들은 호기심어린 눈으로 그들의 모습을 지켜보며 구경하였다. 원래 정동행성 근처엔 대궐보다도 더 경계가 삼엄해서 쥐새끼 한 마리도 얼씬하지 못할 정도였다. 그런데 오늘은 특별히 허용할뿐더러 먹을 것도 나눠준다는 소식이 이미 주위에 파다하게 퍼진 탓이었다. 배고픈 시기에 무슨 잔치가 열린다는 소식이 들리면 거지들이 조금이라도 구걸하기 위해 우글우글 몰려드는 그런 꼴이었다. 한눈에 봐도 거지나 다름없는 그들의 모습과 정동행성으로 입성하는 관리들의 차림새는 천양지차였다. 그들은 알몸조차도 제대로 가리지 못할 정도로 다 해어진 옷에다가 얼마나 밥을 굶었는지 뼈가 앙상하게 드러나다 못해 피골이 상접해 있었다. 휑한 눈동자만이 이런 낯선 풍경 앞에서 어찌할지 몰라 멀뚱하게 희번덕거렸다. 그런 가운데 그들과는 전혀 달리 제법 기운깨나 써 보이는 사내들이 주위 사람들 들으라는 듯 은근히 소리 내어 떠들어댔다.

"이제, 고려를 이끌어나갈 곳은 저 황성이 아니라 이곳 정동행성이구먼."

"두말하면 잔소리이제. 기황후의 왕자가 태자가 되었으니 기씨 세력이 권세를 잡는 건 당연한 것 아니겠어?"

"그래도 고려에는 아직 황실이 엄연히 존재하고 있는데, 그게 그리 쉽게 될까?"

"지금 여기 이 모양을 보고도 그리 상황 판단이 안 선단 말이여. 우리 같은 무지렁이가 뭐 알겠는가마는 벌써 고관대작들이 저리 줄을 서고 있잖은가. 이제 이 고려의 모든 실권은 기황후의 오빠 덕성부원군에 달려 있는 것이여."

"그렇다고 그런 말을 함부로 입 밖으로 꺼내서야 되겠는가? 잘못하면 사지가 성치 못할 수도 있는데. 아무튼 우리야 고려의 백성 아닌가? 그 백성으로서 어찌 고려가 망할 수도 있다는 말을 감히 입에 올릴 수 있단 말인가?"

"허허, 충신 하나 나왔구먼. 헌데 말이여, 도대체 이놈의 나라가 우리한테 해준 게 뭐가 있는가? 제 놈들은 다 잇속 차리고……. 저리 때깔 좋은 옷을 차려입은 것을 보면 지금까지 어찌했겠는지 다 알만하지 않아? 그러면서도 우리한테 먹다 남은 뼈다귀라도 던져준 적이 있었던가? 그런데 덕성부원군을 보소? 오늘 우리에게 잔칫상을 차려준다고 하잖아. 피죽도 먹고 살기 힘든 판국에 말이여. 덕성부원군이야말로 우리한테 구세주가 아닌가?"

"맞는 말이여. 헌데 이건 기황후가 원 나라의 실권을 잡고 있으니까 가능한 거라고 하대. 기황후가 고려인이어서 그런지 우리 고려를 끔찍이도 생각해주는구먼. 이제 우리 고려에도 숨통이 좀 트일 모양이여."

"그런 얘기는 저기 저 사람들끼리 하라고 하게. 우리한테는 누가 북 치고 장구 치고 하는가가 중요한 게 아니어. 암만해도 잘해주는 사람이 최고제. 맛있는 음식 주면 배부르게 잘 먹기나 하면 되는 것이고."

정동행성 주위에 수많은 인파들이 운집하면서 이런저런 소리가 나돌았으나 결국 대세의 귀결이 어디인지를 확인해주는 말들이었다.

기철은 자기 아들인 찬성사 기유걸로부터 이런 보고를 전해 받고 회심의 미소를 지었다. 여기로 찾아온 대신들이야말로 그가 사실상 고려의 실권자라는 것을 눈으로 확인시켜 주고 있었다. 그들이 보내온 재물은 앞으로 그의 든든한 재정적 밑천으로 쓰이게 될 것이었다. 허나 그 이유 때문에만 그가 흡족해한 것은 아니었다. 그보다는 자기 때문에 맛있는 것 먹게 되었다면서 그를 지지하는 백성들의 움직임이 자연스레 일어나고 있다는 점이었다.

　지금껏 기씨 일족은 기황후의 후광을 믿고 오만방자하게 굴며 엄청난 권세를 자랑하였다. 온갖 짓을 다 벌이며 재물을 끌어모았다. 기철은 공민왕에게 축하시를 올리면서도 신하라고 칭하지 않았고, 기원은 감히 국왕인 공민왕에게 동급인 양 말머리를 나란히 하며 얘기를 나누려고 하였다. 기윤은 충혜왕 때 전마파와 함께 내료의 등촉을 관리하는 사람들을 구타할 정도였고, 기주는 얼마나 불법적으로 해 처먹었는지 충목왕 때 정치를 개혁하고자 정치도감을 설치하자 그 죄를 스스로 알고 도망쳤다가 체포되어 장형을 받을 정도였다. 기황후의 친오빠들만 그런 것이 아니었다. 이들의 일족 자체가 그러했다. 기철의 매제인 염돈소의 집 종은 그 주인의 권세를 믿고 왕명이라고 속이고는 남의 처를 강제로 납치했다가 발각되어 먼 섬으로 유배당했고, 기철의 족제인 기삼만도 불법을 자행하며 남의 토지를 강제로 빼앗았다가 정치도감에서 장형을 받고 순군에 수감되었다. 그런데 문제는 20여 일만에 옥사하고 말았던 점이었다. 이를 기씨 일파가 문제 삼음으로써 정치개혁을 이루고자 했던 정치도감은 해체되기에 이르렀다. 이처럼 기씨 일파는 자신들의 탐욕을 채우기 위해서라면 고려의 자체 개혁까지도 끝까지 방해하며 불법무도하게 약탈을 자행하던 세력이었다.

기씨 세력의 중심에 있던 기철이 거지무지렁이 같은 백성들에게 잔칫상을 열어주기로 한 것은 지금까지의 그의 행적과는 배치되는 행위였다. 그가 마음을 바꾸게 된 것은 이번에 국서를 가지고 온 조카 기완자불화의 책략 때문이었다. 기완자불화는 자기 아버지 기원이 조일신 일당에게 살해되었지만 실질적 배후는 공민왕이라고 여기고 있었다. 공민왕에 대한 원한이 사무쳤고, 그럴수록 복수의 칼날을 갈았다. 허나 그런 마음을 겉으로 드러내지는 않았다. 공민왕은 만만찮은 상대였고, 미꾸라지처럼 잘도 빠져나가는 자였다. 치밀하게 대응하여 하나씩 하나씩 압박하여 그 권좌를 빼앗아야 했다. 여기서 그는 그의 조상 3대가 왕으로 추증이 되면 사실상 고려의 국왕과 동급이 되는 상황에서 왕위 찬탈은 결국 백성들의 지지에 달려 있게 된다는 것에 착안했다. 그래서 백성들에게 원의 백성이 되면 더 잘살 수 있다는 것을 보이면서 선심을 베풀자고 주장했다. 자기 사람들을 몰래 동원해 자연스레 그런 방향으로 유도하자는 것이었다. 기철은 기완자불화의 의견을 좇아 대대적으로 소문을 내도록 하면서 일을 진행시켰다. 벌써 자신의 계획이 차질 없이 착착 진행되어 왕위에 오른 것만 같아 얼굴엔 연신 웃음꽃이 피워났다.

기철은 다시 한번 기유걸에게 빈틈없이 일을 추진하라고 지시했다. 그러는 동안 추증행사를 진행하기 위한 모든 준비가 완료되었다는 소식이 전달되었다. 그는 몽골 황실들이 차려 입는 의복으로 몸을 다시금 꾸몄다. 몽골식 단발에다가 복장까지 갖추니 영락

없는 몽골인의 전사 모습 그대로였다. 서슬 퍼런 칼날을 휘두르며 복종하면 살려주나 반항하면 아예 살아있는 모든 것을 다 초토화시켜 버리는 몽골인의 잔인성이 드러나는 기세라고나 할까.

그는 칼을 찬 수하들을 대동하며 기세등등하게 나섰다. 황태자의 외숙부 바얀부카(伯顔不花, 기철의 몽골 이름)께서 나신다는 소리에 먼저 자리를 잡고 앉아 있던 모든 사람들이 질로 일어나 예를 갖췄다. 그는 고려의 실질적 권력가답게 그냥 살짝 고개만 끄덕이며 앞으로 나아갔다.

그가 자리를 잡자 3대를 왕위로 추증한다는 추증식이 진행되면서 국서가 낭독되었다. 그 내용은 태자를 낳은 대제국 원의 모후이자 황후는 실로 원에 큰 공적을 남겼으니, 그 조상은 응당 성대히 대접받고 받들어 모셔야 할 터, 황후의 아비 영안왕을 경왕으로 책봉함과 동시에 그 조상 3대를 왕으로 추증한다는 것이었다. 중요한 건 그 일을 기씨 집안의 기둥인 기철이 주관하고, 고려는 이를 물심양면으로 지원하라는 것이었다.

기철이 원 황제 폐하의 성은에 황공해하며 국서를 받아들자 하나같이 고관대작들이 충성경쟁이나 하듯 기철을 향해 축원의 인사를 올렸다. 기철은 기세등등하게 참석한 사람들을 하나둘 훑어보았다. 그리고는 오늘 이 자리를 빛내어 준 여러 대신 관료들의 공을 잊지 않겠다고 인사말을 건넸다. 자신에 잘 보이면 앞으로 긴히 등용할 것이니 그 뜻을 잘 알고 처신하라는 투였다. 그리고는 오늘의 이 경사를 모두 축원하자고 하면서 연회의 분위기를 이끌었다.

　연회의 자리 배치는 오늘 이 자리가 어떤 자리인지를 극명하게 보여주었다. 원 황실과 관계있는 사람들은 황실의 일원인 양 좌우와 아래를 내려다볼 수 있는 상석에 차려져 있었고, 그 반면에 몽골식의 복장을 한 관리들은 동쪽에, 고려의 복장을 한 관리들은 서쪽에 배치되어 있었다. 이것은 공민왕이 기황후에게 보르차 잔치를 청하여 영안왕대부인(이씨, 기황후 어머니)에게 연경궁에서 연회를 베풀 때 그 자리 배치가 이러했다. 원의 만만태자와 노국대장공주가 북쪽에서 남쪽을 바라보며 앉았고, 공민왕이 서쪽에, 영안왕대부인 등이 동쪽에 앉는 식이었다. 이때 공민왕이 무릎을 꿇고 만만태자에게 술을 바치자, 태자가 서서 술을 마시고는 먼저 이씨에게 술을 바친 다음에서야 공민왕과 노국공주에게 술을 주었다. 그때를 본 따 자리 배치를 한 것인데, 만만태자와 공주가 앉았던 자리를 오늘은 기철이 딱 버티고 앉는 것이었다. 게다가 변발과 호복 차림은 밀직사 겸 감찰대부 이연종이 공민왕에게 간하여 폐지되기에 이른 것인데, 기황후 일파라고 하는 세력들은 몽골식의 변발과 호복차림을 다시금 하고 나타난 것이었다. 그 대표적인 사람들이 권겸과 노책 등이었다. 이들은 이미 태자에게 딸을 바침으로써 원 황실의 계보에 속한다고 자부한 사람들이었다.

　이들을 필두로 금녕군 김보, 밀직부사 이에센테무르, 행성원외 조만통, 동첨 홍익, 찬성사 황하연, 평리 이수산, 밀직 왕중귀, 대

34

언 황하연, 호군 황하식, 전 대언 홍개도, 전 우윤 전림, 선공령 김의렬, 환관 대호군 정용장, 전 밀직 임군보, 전 광흥창사 임인기, 전 호군 김남득, 전 낭장 노지경 등도 똑같이 변발과 호복 차림을 하며 이들과 함께한다는 입장을 명확히 표시하였다. 그 반대편엔 변발과 호복을 하지 않았지만 기철이 새로운 권력자로 등극할 것으로 예상하고 그 비위를 맞추고자 하는 세력들이었다. 전 충목왕과 충정왕의 세력들인 전 정승 손수경, 전 밀직 홍준, 감찰대부 손용, 황숙경, 전교령 정세공, 이대년, 강부카, 전 판사 홍계, 김성, 호군 임중보, 찬성사 강윤충, 한양윤 홍준원 등이 그들이었다.

실상 변발과 호복 차림은 황실이나 권력층 및 원에 아부하고자 하는 사람들을 제외하고는 백성들은 거의 따르지 않았다. 고려의 민족 감정에 어울리지 않았기 때문이었다. 원종 때 세자로 있던 충렬왕이 원에 갔다가 맨 처음 변발과 호복 차림을 하고 고려에 나타나자 온 백성이 해괴하게 여기며 눈물을 흘리기까지 하였다. 그렇기 때문에 백성들은 여전히 고려의 의상을 지키는 사람들이 많았고, 공민왕이 변발과 호복 제도를 폐지하자 많은 사람들이 이에 찬성하고 따랐다. 그런데 이제 다시 그런 변발과 호복 차림이 직접 등장하기에 이르렀으니 그들의 눈치를 보지 않을 수 없었다. 이런 위축된 분위기에 공민왕이 자신을 대표해서 보낸 판밀직사사 홍의와 재신 배천경을 비롯해 노국공주가 자신을 대신해서 보낸 대호군 신소봉 등이 한쪽 자리를 차지하였다.

이곳에 참석한 주요 세력은 기철 일파와 전 왕들인 충혜왕과 충목왕, 충정왕의 폐신들이었다. 그렇다고 공민왕의 세력들이 모두 외면한 것은 아니었다. 공민왕과 노국공주가 직접 참석하지는 않았지만 축하 사절을 보낸 건 적대관계를 형성하지 않겠다는 뜻이었다. 그 때문인지 연저수종공신(燕邸隨從功臣)으로서 공민왕의 최측근이라고 할 수 있는 밀직 강중경도 자리를 잡고 있었다. 그렇지만 공민왕의 지지 세력은 대체로 참석하지 않는 편이었다. 허나 세력 관계의 저울추는 기울기 시작했다. 그것은 전 왕들의 잔당들이 기철 일파와 손을 잡기 시작했다는 점에서 드러났다. 지금껏 그들끼리는 거의 반목하며 대립해왔다. 이건 공민왕의 등극에 기씨 일파가 적극 가담했다는 사실에 기인했다. 반면에 공민왕은 그들을 철저히 징계하지 않고 가급적 포용하려 들었다. 이문 배전 같은 이는 공민왕이 고려에 들어오기 전 이제현이 권성으로서 행성에 하옥시켰으나 석방시켜 주었고, 전윤장이나 조익청 등도 감찰사에서 죄를 물어야 한다고 주청했지만 계속 등용했다. 공민왕이 원에 볼모로 끌려가 있었을 때 수종했던 인연도 있었으나 그 이전 왕들의 잔당들을 일정하게 제어하고자 하는 이유 때문이었다. 그런데 이제 그 일파가 기철 세력의 움직임에 가담하려 한다는 것은 대세를 누가 장악하고 있는가를 상징적으로 보여주는 격이었다.

하지만 아직까진 공민왕이 고려의 왕이었다. 그런 이상 이들 두 세력이 아예 드러내놓고 서로 협잡한다는 것은 공민왕에게 직접 선전포고 하는 격이나 다름없었다. 서로 피할 수 없는 일전을 벌일 수밖에 없다는 의미였다.

이를 정확히 알고 있었던 기철 세력은 이번 조상 3대에 걸친 왕의 추증을 계기로 해서 자신들의 권력 장악력을 더욱 끌어올리기 위한 수순을 밟아가려고 했다. 칼을 빼든 이상 확실하게 휘둘러야 했다. 여러 대신들 앞에서 공민왕보다 더 자신이 우위에 있다는 것을 눈으로 확인시켜 주고자 했다. 기철은 공민왕과 노국공주가 보낸 홍의와 배천경, 그리고 신소봉을 비롯해 강중경을 힐끗 내려다보며 입을 열었다.

"이렇게 축하 사절까지 보내주시니 정말 고맙기 그지없구면. 감사의 인사를 꼭 전해주기 바라네."

"그리 전하겠습니다. 주상 전하께서 직접 행차하려고 하였으나 옥체가 편치 않으신지라 오지 못하게 된 것을 매우 안타까워하셨습니다. 몸이 나아지시면 직접 축하연을 열어주시겠다고 말씀하셨습니다."

홍의가 공민왕의 뜻을 전하자 다시 기철이 말을 받았다.

"그리 말씀하셨다니 정말 감사하구면. 그 축하연에 내 꼭 응하겠다고 잘 말씀드리게. 그나저나 고려 왕이 편찮다고 하니 빨리 쾌차해야 할 텐데. 고려 왕이 무탈해야 고려가 안정을 누릴 것이고, 그만큼 앞으로 우리 황태자가 이끌어 가실 원 나라에도 보탬이 될 것 아닌가? 이 얼마나 중한 일인가. 하긴 노국대장공주도 우리 황태자의 고모뻘 되니 우리와는 서로 혈족이라고 할 수 있겠구먼."

기철의 말에 분위기가 순식간에 사늘하게 변했다. 공민왕을 고려 왕이라고 칭하고, 노국대장공주를 황태자의 고모뻘 되는 관계라고 밝히는 것은 철저히 원의 입장에서의 설명이었다. 곧 자신은 원의 신하이지 고려의 신하는 아니라는 의미였다. 불손한 태도로 여긴 홍의와 배천경이 동시에 반박하려고 하자 기철은 단호한 손짓으로 그들을 제지했다. 그리고는 다시 말을 이었다.

"아아~, 그만 두시게. 무슨 말을 하려는지 내 모르지 않네. 고려 사람이 어찌 고려를 버릴 수 있겠냐는 말이겠지. 허나 섭섭하게 생각하지는 말게. 진정으로 고려를 위하는 것이 무엇이겠나? 고려 사람이 행복하고 편안한 삶을 살면 되는 것 아닌가? 이보다 더 중요한 게 뭐가 있겠는가? 그런데 지금 세상은 원의 세상이지 않는가? 원으로부터 더 많은 지원과 도움을 받으면 그게 바로 고려의 이익이지. 고려 왕도 그걸 타산하고 황제 폐하의 혈족이 된 것이고, 어찌 보면 황태자의 고모뻘 되는 노국대장공주와도 혼인한 것 아닌가? 무엇보다 원의 실세와 긴밀한 관계를 가진 사람일수록 우리 고려에 더 좋은 결과를 가져올 것이라는 거네."

지금 시기에 고려를 위해 이 나라를 이끌고 가야 할 가장 적합한 사람은 황태자의 황숙이 되는 자기 자신이라는 주장이었다. 이는 곧 공민왕을 왕위에서 끌어 내려야 한다는 선동과도 같았다. 도저히 못 들어주겠다는 듯 공민왕의 측근으로 알려진 강중경이 일어났다.

"거, 참 말씀을 요상하게 하시네. 지금 우리보고 우리 왕을 몰아내라는 말씀인가요? 그럼 지금 반역을 모의하시는 겁니까?"

"말이 지나치구먼. 반역이라니? 우리 고려가 원을 섬겨왔던 것이야말로 지금까지의 예가 아니었나? 우리 고려가 잘 되는 길은 어떻게 하든지 원과의 관계를 원만하게 잘 이끌어 가는 데에 있다는 것이야. 이거야말로 삼척동자도 다 아는 사실인데. 그럼 지금껏 섬겨왔던 원을 배반하자는 건가? 이거야말로 반역 행위가 아니고 뭔가? 정말 그런 뜻인가?"

고려를 위한 길이 반역으로 된다는 기철의 반격에 강중경은 잠시 주춤했다. 속국인 나라에서 속국에서 벗어나자는 주장은 당연히 반역행위에 해당했다. 하지만 도저히 기철의 행위를 받아들일 수 없었는지 단호한 목소리로 외쳤다.

"우리 대소 신료들은 무엇보다 고려의 신하라고 말하고 싶소이다. 이것은 하늘이 알고 땅이 아는 바외다."

그 말을 끝으로 강중경은 그 자리를 박차고 나가 버렸다. 그러자 그 자리가 거북했음인지 공민왕과 노국공주를 대신해서 참석한 배천경과 신소봉 또한 곧장 일어나 그 자리를 떠나버렸다. 반면에 홍의는 엉거주춤하며 계속 그 자리에 머물렀다.

연회의 분위기는 삽시에 얼어붙는 것 같았다. 이곳에 참석한 사람들이야 일찍이 기철의 탐욕과 야심을 눈치 채고는 있었지만 이렇게까지 아예 대놓고 나올 줄은 예상치 못한 것이었다. 기철이 이리 뱃심을 보일 수 있는 것은 기황후의 뒷배가 있는 한 자

39

신들은 먼저 칼을 들고 나설 수 있지만 공민왕은 쉽사리 그렇지 못할 것이라는 판단 때문이었다. 이를 알았음인지 자기 딸을 원에 바친 권겸이 입을 열고 나섰다.

"잘 판단해야 해요. 무엇이 정말 고려를 위한 것인지를 말입니다. 그저 알량한 자존심 따위로 판단해서는 안 되지요, 암암! 만약 그리하면 다시 또 환란을 겪을 수도 있어요. 지난날 고려 왕들이 걸핏하면 유배 가거나 죽고, 감금되다시피 하는 게 다 무엇 때문이었습니까? 원 나라의 권력 실세와의 관계가 끈끈치 못해서 그런 것 아닙니까?"

원의 황족과 혼인하여 고려라는 국호를 유지하고 있기는 했지만 속국이나 하등 다름없었다. 언제든지 원의 요구에 따라야 하고, 원 제국의 권력관계의 변동에 따라 고려 왕들은 부침을 겪어왔다. 충렬왕과 충선왕, 충숙왕, 충혜왕이 왕위에서 물러났다가 다시 왕위로 복위하는 중조 현상이 벌어진 것도 이 때문이었다. 그 과정에서 심지어 충선왕은 유배에 처해졌고, 충숙왕은 국왕인을 뺏기고 원에 억류되었으며, 충혜왕은 죄인인 양 원에 강제로 압송되어 유배지로 끌려가는 도중 객사하였다.

"두말하면 잔소리이지요. 우리 고려가 살 길은 원과의 관계를 돈독히 하는 데 있지요. 이거야 삼척동자도 다 아는 사실이지만, 말이 나온 김에 솔직히 얘기해 봅시다. 지금 원을 사실상 이끌고 계신 분이 누구시고, 또 앞으로 이끌어나가실 분이 누구십니까? 여기 있는 분들도 모두 아시다시피 기황후 마마이시고, 황태자가 아닙니까? 더군다나 이번에 원에서는 여기 있는 덕성부원군의 3대 선대에 걸쳐 왕위를 추증해주셨습니다. 이거야말로 원의 뜻이 어디에 있는지를 잘 보여주는 것 아닙니까? 바로 저기 계신 덕성부원군께 거는 기대가 크다는 겁니다. 이 점을 유념해서 우리 고려가 어찌해야 할지 판단해야 할 것입니다. 참으로 고려를 위한 길이 무엇인지를 말입니다. 그러면 우리가 어찌할지 그 길이 명확히 보이지 않습니까?"

노책이 아예 쐐기를 박자는 투로 모두를 향해 되물었다. 처음엔 모두들 화들짝 놀라는 기색이었으나, 곧장 듣고 보니 그러하다는 듯 하나같이 맞장구치듯 고개를 끄덕였다. 그런 분위기에 기철이 다시 말을 이었다.

"이렇게 모두들 무엇이 고려를 위한 참된 길인지 염려하며 구국적 결단들을 내려주시니 참으로 감개가 무량하오. 이제야 짙은 먹구름이 걷히고 고려의 앞날이 환하게 밝아오는 것 같소이다. 난 오늘 이 자리가 그런 전환의 계기가 될 것이라고 믿습니다. 자, 그러면 모두들 그날을 위해 축배의 잔을 들도록 합시다."

벌써 왕이 된 듯한 기철의 제안에 권겸과 노책이 화답하듯 자리에서 일어나 "덕성부원군 만세"를 외쳤다. 그러자 다른 사람들도 그 두 사람을 따라 자리에서 일어나 큰소리로 따라 외쳤다. 그리고는 흔쾌히 축배의 잔을 들고 마셨다. 이를 시작으로 연회의 분위기는 본격적으로 무르익어 나갔다.

2

부원배들을 척결하라!

정동행성에서 치러진 기황후 조상의 선대 3대 왕호 추증식을 계기로 황성의 분위기는 완전히 달라졌다. 기씨 일파는 처음엔 황궁의 눈치를 보는 듯했으나 공민왕 측으로부터 아무런 대응 조치가 없자 더욱 기세등등했다. 기철은 백성들 보란 듯 행차 시에 국왕에 버금갈 정도의 시위 행렬을 이끌었다. 그게 신호탄이 되어 그 일파들의 행동 또한 기고만장했다. 아예 대놓고 이제 기씨 천하의 세상이 되었다는 식의 행동을 일삼았다. 이건 공민왕보고 어서 양위하라는 압박이었다. 그게 통해서인지 마침내 황궁으로 부터 소식이 날아들었다. 추증식 때에 몸이 아파 참석하지 못해 애석해했는데, 이제 황궁에서 여러 재추들과 함께 그 축하연을 열어주고자 하니 참석해 달라는 것이었다.

그 소식이 퍼지자 황성의 분위기는 이상야릇했다. 한쪽에선 공민왕이 사실상 항복을 선언한 꼴로 이제 언제 양위가 이뤄지느냐만 남았다는 식이고, 다른 한편에선 황궁으로 초대하는 걸 보면 필시 속임수가 있을 것이라는 주장이었다. 하지만 공개적으로 축하연을 열어주겠다고 하는 걸 보면 음모를 꾸미지는 않을 것이라는 게 대다수의 예상이었다. 이미 공민왕은 기자오 부인 이씨를 위해 보르차를 열어준 선례도 있었다. 아무튼 지켜보면 알 수 있는 일이었다.

마침내 5월 정유일(18일), 황궁에서 축하연을 열어주겠다고 하는 날짜가 다가왔다. 하늘은 아무 일도 없다는 듯 맑고 평화로웠다. 대신에 몇몇 사람들만이 오늘 이 하루가 고려의 앞날을 결정할 날로 알고 소리 없이 지켜볼 뿐이었다. 황궁은 벌써 연회 준비로 부산했다. 축제의 분위기가 물신 풍겼다. 먹는 즐거움 앞에서 자연스레 이는 흥이었다. 허나 준비하는 사람들의 모습은 딱히 그런 표정이 아니었다. 자신들이 모시는 왕이 아니라 그 왕을 겁박하는 놈을 위한 잔치이니 맘이 편할 수가 없었다. 우울하고 슬픈 분위기가 한 결에서 가만가만 새어 나왔다. 축제이기는 하나 슬프기도 한 묘한 어울림이었다.

어느덧 연회 시간이 다 되어서인지 우정승 이제현, 좌정승 홍언박을 필두로 하나둘 궁궐로 입성하더니 원호, 윤환 등 수십 명의 사람들이 대거 모여들기 시작했다. 재추들이 그만큼 많은 것이었다. 하긴 재추가 이렇게 많은 것 자체가 국가 체계가 비정상적으로 작동하고 있다는 표징이었다. 고려 정권이 무신들에 의해 통치되거나 원의 속국으로 되지 않았다면 재추들이 이리 많지 않았을 것이었다. 허나 왕이 허수아비가 되기 시작하니 그 통치체계도 문란해지고 바뀌기 시작했다. 원래 재추라고 하면 양부라고 해서 2품 이상의 관원인 중서문하성의 재신(재상으로 문하시중, 평장사(문하시랑평장사·중서시랑평장사·문하평장사·중서평장사), 참지정사, 정당문학, 지문하성사 등) 5(8)명과 중추원의 추신(판원사. 원사 2명, 지원사, 동지원사 등) 5명의 성원으로 구성되어 국가의 중대사를 합의하여 결정하였다. 하지만 무신집권 하에서 도방과 정방, 교정도감 등에 의해 통치가 이뤄진 것처럼 원의 속국이 되어서는 그 앞잡이들에 의해 통치가 이뤄질 수 있는 구도가 되다 보니 삼사의 관원까지 포함시키기에 이르러 그 수가 기하급수적으로 늘어나게 되었다.

일단 사람들이 모여들어 자리를 잡고 서로 수인사를 나누니 어느 덧 황궁은 연회의 분위기가 연출되었다. 그런데 연회의 주연인 기철과 권겸, 노책 등은 아직 도착하지 않고 있었다.

공민왕은 어느 때보다 차분하게 자리에 앉아 눈동자를 예리하게 돌리고 있었다. 기철 일당이 자신이 놓아준 미끼를 과연 물겠는가 하는 물음이었다. 그는 기철 일당을 제거하기로 마음먹고 있었지만 지금껏 행동에 옮기지 못하고 있었다. 하긴 먼저 하기는 했었다. 조일신의 난이 그것이었다.

'조일신 이놈이 그때 일을 잘못 처리해서 다 이 모양 이 꼴이 된 것이야. 그때에 일을 제대로만 처리했어도.'

공민왕의 묵인 아래 진행된 조일신의 난이 실패하면서 벌집을
쑤셔 놓은 꼴이 되었다. 어쩔 수 없이 조일신을 제거해야 했고,
기씨 일당의 비유를 맞추기 위해 꼴사납게 고개를 숙여야 했다.
또 정치 개혁에는 관심이 없고 불교에 흠뻑 빠진 척하기 위해 보
우 선사를 불러 왕사로 봉하고는 법회를 하루가 멀다 하고 열었
다. 그러면서도 불교에 대해 영향력을 행사할 생각이 없다는 것
을 보여주기 위해 선종이든 교종이든 왕사인 보우에게 위임한다
고까지 선언했다. 기씨 일당이 기황후의 힘에 의지해 관리 책봉
에까지 손을 뻗쳐 요구했을 때도 그대로 다 들어주었다. 그리했
으니 관료들은 물론이고 무지렁이들 또한 고려의 실권이 어디에
있는지를 다 아는 바가 되었다. 고려 국왕의 체통이 서지 못했다.
결국 조정에 세력을 뻗친 기씨 일당은 무지렁이 백성들에게 떡고
물까지 흘리더니 마침내 이 고려를 위해서는 황태자의 외숙뻘 되
는 기철이 권좌에 올라야 한다는 식의 주장까지 펼치게 되었다.
권력을 내놓으라는 선전포고를 당한 것이나 다름없었다. 지난번
에는 기황후가 원에서 실권을 완전히 장악하지 못한 관계로 조일
신에게 뒤집어씌워 살아남을 수 있었지만 이번에는 상황이 달랐
다. 어설프게 잘못 움직였다간 뼈도 못 추릴 것이었다.
 그렇더라도 그에겐 다른 선택의 여지가 없었다. 기철을 제거하
지 않는다면 쫓겨날 판이었다. 그것도 그냥 쫓겨 나는 정도가 아
니라 지금껏 명목상이나마 유지되어 왔던 고려 황실의 몰락이었
다. 그가 왕위에 올랐을 때 가장 경계한 측은 형인 충혜왕과 조카

들인 충목왕, 충정왕들과 연관된 왕족들이었다. 어차피 고려의 국왕이 되자면 왕족이 되어야 했기 때문이었다. 그만큼 왕위를 이을 수 있는 순위는 왕족들에게 달려 있었고, 그것은 매우 당연시 되었다. 그래서 강화로 쫓겨 나 있던 자기 조카이기도 한 충정왕을 끝내 사약을 내려 죽인 것이었다.

하지만 기철의 권력 장악은 이런 황실 내부 싸움이 아니었다. 고려의 황실과 종묘사직을 지켜내느냐 그렇지 못하느냐의 싸움이었다. 기철을 제거하지 못한다면 고려 황실이 몰락하고 기씨 천하의 세상이 될 것이었다. 한 가지 위안인 것은 기철 일당뿐만이 아니라 그 어떤 세력도 자신이 감히 원에 대항하지 못할 것이라고 타산하고 있다는 점이었다. 허나 공민왕으로서는 그건 따질 계제가 못 되었다. 어차피 권력싸움은 생사가 왔다 갔다 하는 판가름이고, 지는 경우엔 비참한 파멸밖에 없다는 것을 지금껏 누누이 보아온 바였다. 그의 형인 충혜왕이 원에 끌려와 어떻게 비참하게 죽었는가를 그는 누구보다 잘 알고 있었다. 기철 일당이 미끼를 물어야 했다. 연회에 찾아오게 만들어야 했다.

"원호 대신과 함께 온 종자가 막 궁궐을 떠났다 하옵니다."

환관 안도치가 연회에 참석한 재추들의 동태를 면밀히 주시하고 온 환관 이강달로부터 소식을 전달받고 공민왕에게 보고하는 소리였다.

공민왕은 침착하게 고개를 끄덕였다. 이 황궁에도 기철 일파의 눈이 사방에서 번뜩이고 있었다. 그들은 참석 여부를 결정하기 전에 이곳 움직임을 정탐할 것이었다. 그래서 그는 정말로 연회를 떠들썩하게 준비시킨 것이었다. 벌써 권겸이 기철의 집으로 갔다는 보고를 받은 바였다. 연회의 참석 여부를 논의하고 있을 것이 분명했다. 그곳으로 원호의 종자가 보고할 것이 틀림없었다. 원호는 기철의 아들 기유걸의 장인이 되는 자였다.

공민왕은 그들이 미끼를 물었다고 확신하는 듯 천천히 자리에서 일어나 홍의와 배천경에게 명을 내렸다. 기철과 권겸, 노책 등 기씨 일당을 연회에 참석시키기 위해 호종해 오라는 것이었다. 이들을 선택한 것은 지난번 추증식 때에 보낸 사람들이었으니 의심을 사지 않기 위함이었다. 더욱이 홍의는 기철의 기고만장한 행세에 강중경이 화가 나 논박할 때 배천경과 신소봉 등은 함께 그 자리를 곧바로 떴으나 계속 그 자리에 머무른 자였다. 실상 홍의는 공민왕이 김용과 정세운, 유숙 등과 함께 매일 궁궐에 들어와 대소사를 막론하고 모든 일을 계품하도록 할 만큼 신임을 준 자였다. 그런 자를 믿고 있었다는 것에 공민왕은 화가 치밀었다. 허나 그가 자신의 계책을 수행하는 데 도움이 된다는 것에 속마음을 꾹 참았다.

홍의와 배천경이 명을 받고 떠나자 공민왕의 주위에 밀직 경천흥과 황석기, 판사 신청이 은밀히 모여들었다. 이들은 공민왕이 이번 거사를 위해 신중하게 선택한 사람들이었다.

47

공민왕의 권력 기반은 원에 볼모로 끌어가 있었던 시기 그를 수종했던 연저수종공신과 충목왕과 충정왕 시기의 개혁적 인사, 그리고 외척 세력이라고 할 수 있었다. 허나 왕위에 올랐을 시기 기황후 세력과 손을 잡았던 상황에다가 연저수종공신들의 위세가 거센 관계로 그 기반은 탄탄하지 못했다. 연저수종공신의 대표적 주자였던 조일신이 왕위에 오르게 한 공로가 자기에게 있다고 하면서 국정을 농락하며 겁박한 것도 한두 번이 아니었다. 하긴 조일신은 역관으로 나아가 당당하게 권문세가로 성장한 조인규의 손자였으니 원과의 교류 관계가 밀접한 것은 사실이었고, 공민왕은 그의 도움을 많이 받았다.

　그렇지만 그때는 그때이고, 지금은 한 나라의 왕으로서 그 권위와 체통을 세워야 했다. 공민왕은 자신의 약한 권력 지반 때문에 충목왕과 충정왕 시기의 세력들도 가급적 포용하려는 자세를 견지했다. 이번 거사에 참석 시킨 경천흥은 아버지 경사만이 명덕태후의 조카딸에게 장가간 관계로 경천흥 어머니의 이모가 명덕태후가 되니 공민왕과는 인척관계였고, 황석기는 충혜왕비인 덕령공주를 따라온 이후 계속해서 고려왕을 섬긴 사람이었지만, 그의 아들 황상과 공민왕은 원에 있을 때 각별하게 친분을 쌓아온 관계였다. 신청은 원래 역리였는데, 원에 들어가 심왕 왕고의 종자가 되어 총애를 받다가 충숙왕을 만나 계속 승진한 이후 충숙왕이 정치에 싫증을 느낀 것을 기화로 왕의 권위를 빌어 권력을 행사한 자였다. 그 위세가 대단해 박청, 이청과 함께 삼청이라고 불릴 정도였다. 하지만 충혜왕이 왕이 되면서 가산도 다 빼앗기도 권력에 밀려났지만 공민왕이 왕위에 오르면서 재기에 성공한 사람이었다.

이들 세 사람을 그가 이번 거사에 적극 나서도록 끌어들인 것은 기철 일파에 대항할 모든 세력을 망라하기 위한 그의 포석이었다. 여기서 거사 성공을 가늠할 수 있는 가장 중요한 자는 신청이었다. 연저수종공신이나 외척은 공민왕과 함께할 수밖에 없는 운명이었지만 신청은 꼭 그럴 이유가 없었다. 그가 그 전 왕들의 폐신이나 대신들에 대해 포용하는 정책을 폈다고 해도 이미 그들 대다수는 권력의 저울추가 기울었다고 여기고 기철에게 달라붙고 있는 형국이었다. 그런데 신청은 공민왕의 제안을 받자 잠시 머뭇거리는 듯하더니 흔쾌히 응해주었다. 그의 도움을 받았다고는 하나 산전수전 다 겪은 신청이 실패할 거사에 가담하지를 않을 것이었다. 신청의 결정은 공민왕에게 거사의 성패를 가늠하는 표징이었다. 공민왕은 그걸 예민하게 파악하고 단호하게 이번 거사를 일으키기로 결단을 내린 것이었다.

공민왕과 세 사람은 말없이 서로 눈짓을 이어받았다. 모든 준비가 다 되었다는 것의 확인이었다. 기철 일당이 도착하기만을 고대했다. 그들을 한꺼번에 척살할 요량이었다. 마침내 그들에 대한 소식이 전달되었다. 홍의의 안내를 받고 기철과 권겸 두 사람만이 먼저 도착했고, 기유걸은 배천경의 안내 하에 오고 있는 중이라는 것이었다. 난감한 상황이었다. 일당들을 한꺼번에 처치하지 못하면 그 잔당이 도망쳐 원의 군사를 끌고 올 것이 분명한데, 이를 어찌하면 좋겠느냐는 물음이었다. 산전수전 다 겪고 살아온 권세가 출신답게 신청이 먼저 입을 열었다.

"두 놈은 먼저 왔고, 그 나머지 아들과 조카, 그리고 노책 부자는 아직 오지 않았다고는 하나 그 일당의 핵심인 기철과 권겸이 왔으니 그 두 놈 대가리부터 빨리 해치우는 게 좋겠사옵니다. 만약 시간을 늦췄다가 일이 누설될 경우 불의의 변이 일어날 수도 있사옵니다."

경천흥과 황석기도 그리하는 게 좋겠다는 뜻으로 고개를 끄덕였다. 공민왕도 화급을 다투는 일인지라 옳은 말이라 여기고 즉시 판단을 내렸다. 그만큼 그는 결단을 내릴 때 우물쭈물하지 않고 결정을 내릴 줄 아는 냉철한 상황 판단의 소유자였다.

공민왕의 지시에 밀직 강중경과 대호군 목인길, 우다치 이몽고대 등이 바쁘게 움직였다. 그들은 이미 기철과 권겸이 들어서는 문에 장사들을 매복시켜 놓은 상태였다. 그들에게 행동을 개시하라는 명이 떨어졌다.

기철과 권겸은 전혀 상황을 파악하지 못한 듯 종자들의 수행을 받으며 황궁의 문안으로 들어섰다. 이 황궁도 자신들이 접수할 날이 멀지 않았다는 듯 거들먹거리는 행세였다. 그러다가 자신들이 한참 들어왔는데도 마중 나온 사람이 없는 것에 무슨 이상한 낌새를 차린 듯 급히 돌아서려고 하였다. 허나 이미 그 앞에는 강중경과 목인길, 이몽고대 등을 비롯해 수십여 명의 장사들이 그를 향해 달려들고 있었다.

"아니, 이놈들이! 내가 누군 줄 알고 그러느냐? 나는 원 황태자의 외삼촌이 되는 사람이니라. 너희들이 이러고도 살아남을 성싶으냐?"

"뭐 황태자의 외삼촌, 웃기는 소리 하고 자빠졌네. 네가 황태자의 외삼촌이라면 우리는 다 천손의 아들이니라, 이놈아! 그런 얘기는 지옥에 가서나 지껄이거라. 자, 저놈의 목을 쳐라!"

강중경의 말이 떨어짐과 동시에 수십 개의 칼날이 기철의 얼굴을 향해 직접 날아들었다. 기철을 따른 종자들이 다급히 그 앞을 가로막으며 나섰다. 그 틈을 이용해 기철은 달아나려고 하였다. 하지만 어느 누군가가 뒤쪽에서 휘두른 철퇴가 그의 머리를 강타했다. 그 순간 머리가 으깨어지면서 피가 솟구쳤고, 기철은 비명 한번 지르지 못하고 그 자리에서 쓰려졌다. 권겸은 기철과 그의 종자들이 서로 싸우는 틈을 타 곧장 자문 앞에까지 달아났다. 그러나 그 또한 뒤쫓아 온 장사들에게 가로막혀 곧장 목이 두 동강이 나고 말았다. 솟구치는 피는 궐문을 흥건히 적시고도 남았다.

기철과 권겸의 부하들은 그 주인이 죽었는데도 아직 상황 파악이 안 되었는지 계속 항거하였다. 군사들은 기철의 종자들도 죽여 주교에 던져버렸다. 그러는 와중에 기철과 권겸을 호종해왔던 홍의도 살해되었다. 허망한 죽음이었다. 조일신 난 때에는 그를 죽이려고 달려든 자객에게 그의 부인이 칼을 맞고 죽으면서까지 몸으로 막아주어 가까스로 도망쳐 살아남았건만, 이번엔 기철과 권겸을 죽이는 과정에서 목숨을 잃게 된 것이었다. 허나 어느 누구도 그의 죽음을 슬퍼하지 않았다. 기철 일파와 가까워지려고 했던 처신이 그를 사지로 끌고 간 요인이었기 때문이었다.

홍의까지 살해되어 버리자 기철과 권겸 휘하의 부하들은 자신들이 처한 상황을 직감하고 사방으로 흩어져 도망치기 시작했다.

한편 기철과 권겸을 성공적으로 제거했다는 보고를 받는 공민왕은 즉각 명을 내렸다. 그의 잔당들을 즉각 체포하고 척결하라는 명이었다. 금위 사번의 군사까지 동원하라는 지시도 덧붙였다. 공민왕의 명이 떨어지자 대기해 있던 군사들이 잔당들을 찾아 나섰다. 황성은 군사들의 창검으로 번뜩이기 시작했다.

강중경은 아직 우두머리 중 하나인 노책이 건재하다는 것을 파악하고 군사들을 이끌고 곧바로 노책 집으로 향했다. 노책은 변고가 발생했다는 소식을 듣자마자 귀중품을 챙겨 달아나다가 바로 집 대문 앞에서 이들과 마주쳤다. 강중경이 잘 만났다는 듯 소리쳤다.

"흥, 쥐새끼처럼 빠져나가려고? 안 되지. 어디를 도망가려고?"

"한번만 살려주게. 이런다고 해서 해결될 일이 아니지 않는가? 이후에 원의 대군이 몰려올 경우를 생각해야지. 고려가 그 많은 원의 군사를 어찌 감당해 낼 수 있겠는가? 오늘 한번만 눈감아주면 내 그때 가서 그 공을 절대 잊지 않을 것일세. 내 그래도 원 황실의 외척이 되지 않는가? 내 자네의 공을 잊지 않고 꼭 그리해줌세."

"그놈의 주둥이들은 입만 놀렸다고 하면 원 황실의 친척 타령이구먼. 나한테는 씨도 먹히지 않으니까 어디 저승에 가서나 그놈의 황숙인지 외척인지 그게 도움이 되는가 알아보거라."

강중경은 애걸복걸하는 노책을 대꾸할 가치도 없다는 듯 단칼에 베어버렸다. 그리고는 그의 시체를 북천동의 노상에다가 던져버렸다. 하지만 기철의 아들인 찬성사 기유걸은 배천경과 함께 황궁으로 오는 도중에 도망쳐오는 기철의 수하들로부터 사건 소식을 전해 듣고는 곧장 몸을 피해 버렸다. 기철의 조카 기완자불화, 권겸의 아들 만호 권항과 사인 권화상, 노책의 아들 행성낭중 노제 등 그 잔당들도 벌써 달아나 숨어버린 상태였다.

공민왕의 대응은 즉각적이었다. 먼저 그는 거사의 정당성을 설파하였다. 자신은 기철 일파가 원 황실과 인척임을 감안해 모든 요구 사항을 들어주었다. 그런데 그들이 도리어 원 세조가 고려의 옛 풍속을 그대로 유지하며 왕통을 계속 잇게 해준 법도를 어기고 그 무슨 입성 책동이니 뭐니 하면서 반역을 도모하였다. 이에 어쩔 수 없이 대응하여 기철 일당을 처형할 수밖에 없었다는 것이었다. 그러니 도망친 기철 일파의 일족과 그 잔당들을 전국에 명해 수색하고 체포하도록 했으며, 아울러 기철과 권겸, 노책 세 집의 노비들을 몰수해 왕실의 재정 기관이라고 할 수 있는 의성창과 덕천창, 그리고 유비창 등에 예속시켰다. 물론 무단으로 점탈했던 노비들과 토지는 본래의 주인으로 돌려주도록 했다.

왕실로 다 가져간다면 아무래도 백성들의 호응을 얻기가 좀 어려 웠기 때문이었다. 기철 일파를 제거한 공신들에게 나눠주지 않고 왕실의 재정 기관으로 이속시키는 것은 왕실의 재정적 기반을 쌓 기 위한 공민왕의 조치였다. 그래 놓고서도 마음이 놓이지 않았 는지 궁성을 숙위하도록 계엄령을 내리고는 곧장 정지상을 석방 했다. 그리고는 순군제공으로 임명해 그대로 시위케 하였다.

공민왕이 정지상을 다시 등용한 것을 보면 그가 얼마나 이번 사건을 치밀하게 준비했고, 인물까지 세심하게 배려해 두었는지 를 알 수 있었다. 다름 아닌 정지상은 그가 투옥시킨 인물이었다. 정지상은 원 나라를 오가다가 우연히 황제를 시현하러 온 공민왕 을 만나서 시종한 공으로 발탁된 인물이었다. 그는 성품이 고지식 하고 냉혹할 정도로 엄격했다. 그가 1355년 전라도 안렴사가 되 어 나갔을 때 온 마을이 벌벌 떨 정도였다. 마침 고려 출신인 예스 부카가 원 순제의 총애를 받아 어향사가 되어 마을을 돌아다니면 서 제멋대로 횡포를 부렸다. 다른 나라의 완장을 차고 고국에 돌 아오면 꼭 동족을 핍박해야 자기 위세를 과시하는 것으로 여기는 꼴이었다. 하긴 그의 형 서신계는 육재인 판형부사가 되었고, 동 생 서응려는 상호군이 되었으니 권세가 막강하기도 했다.

정지상도 처음엔 정중하게 대했다. 하지만 접반사 홍원철이 자 기 청을 들어주지 않자 정지상이 천자의 사신을 업신여긴다고 고 자질하며 이간질시켰다. 정지상은 포박당한 채 예스부카 앞에 끌려나와 신문을 받게 되었다. 그러자 그는 이미 나라에서는 기씨 일당을 다 죽이고, 원나라를 섬기지 않기로 하였으며, 김경직을 원수로 삼아 압록강을 지키게 하고 있다. 이 따위 사신쯤은 아무 것도 아닌데, 왜 나를 구하지 않느냐? 계속 이러고 있으면 나중에 이 주를 현으로 강등시켜 버리겠다고 거짓으로 협박하자 주리들이 그 말을 곧이듣고 풀어주었다. 그러자 정시상은 예스부카와 홍원철을 잡아 가두고서는 예스부카가 차고 있던 금패마저 빼앗아 서울로 올라가서 공민왕에게 이 일을 고했다. 올라가는 중엔 공주에서 서응려마저 사로잡아 쇠몽치로 때려죽이기까지 하였다. 이 보고를 들은 공민왕은 즉각 그를 순군에 하옥시키고 그 전주목사와 읍리마저 체포하게 하고는 예스부카에게 금패를 돌려주고 위로하였다. 원 나라에 자기 속내를 숨기기 위해 가차 없이 투옥시켜 놓고는 이제 기철 일당을 제거하자 거기에 앞장서서 왕을 시위할 인물로 정지상을 다시 등용한 것이었다.

공민왕은 아울러 대신들의 관직을 새로이 재편하였다. 우정승과 좌정승으로 홍언박과 윤환을, 그리고 원호를 판삼사사로, 허백과 황석기를 찬성사로, 전보문과 한가귀를 삼사 좌·우사로, 김일봉과 김용, 인당을 첨의평리로 각각 임명하였다. 기철 일파를 조정에서 몰아내기 위한 정비체계였다. 이들은 다 공민왕의 직계 세력이자 우호 세력이었다. 홍언박은 공민왕의 모후가 고모가 되니 외척 관계이고, 황석기와 전보문, 한가귀, 김일봉, 김용 등은 연저수종공신과 관계되어 있으며, 윤환과 허백, 인당 또한 기씨 일파와 가깝지 않고 공민왕의 뜻을 따르는 편이었다. 다만 원호는 그의 딸이 기유걸과 혼인한 관계로 그들과 인척관계로 얽혀 있었다는 점이 특이했다. 하여튼 새로운 관직 임명은 공민왕이 자기 주도로 국정을 장악하고자 하는 시도였다.

정지상이 순군제공이 되면서 공민왕의 명이 엄격히 시행되자 기철 일당의 잔당들이 속속 체포되었다. 기철과 권겸, 노책의 일족으로 체포된 사람은 거의 대부분 처형되었으며, 노항만은 권세를 부린 일이 없다는 관계로 제주로 유배되었다. 상호군 기세걸과 평장 기샤인테무르도 당시 원에 있었던 관계로 체포되지 않아 죽음을 면했다. 기황후의 모친 이씨도 살아남았다. 허나 자기 자식들이 거의 다 죽었는데, 온전할 리 없었고, 화병이 나 몸이 쇠약해졌다. 반면에 기씨 일당의 잔당으로 가담했던 자들은 대부분 유배 보내거나 장형으로 처리했다. 단지 기씨 일당에 적극 가담한 자로 파악된 정용장과 홍익, 황하연만은 처형하고 재산마저 몰수했다. 기황후 세력에 의지해 왕위를 넘볼 수 있는 세력에 대해서는 3족을 멸할 만큼 그 일족을 철저히 처벌하는 수순으로 진행되었다. 그만큼 공민왕에 있어서는 왕권 유지가 다른 무엇보다 중요했다.

그런데 기씨 일당을 체포하고 처벌하는 동안 새롭게 재편된 조정에서 볼썽사나운 일이 벌어졌다. 화근은 원호가 한가귀와 면성군 구영검을 왕에게 참소한 것에서 비롯되었다. 기씨 일당의 잔당들을 쫓아가서 체포하지 않아 결과적으로 도주할 수 있도록 하였으니 나라의 법령을 어겼다는 비방이었다. 공민왕은 원호의 행위가 미웠다. 분명 그 종자의 덕으로 이번 거사가 성공하기는 했다. 하지만 기유걸의 장인으로 인척관계이면 조신하고 있어야 할 것인데, 남을 헐뜯고 나오니 꼴사나웠다. 지난날 공민왕이 신임하고 있는 홍언박마저 다른 뜻을 품고 있다고 참소하기도 한 자였다. 자신의 출세를 위해서는 남을 모략하는 것쯤은 아무것도 아니라고 본 자였다. 공민왕은 이들을 서로 대질시키겠다고 하면서 모두 하옥시켰고, 이몽고대를 불러 원호마저 살해해 버렸다. 그런데 안타까운 사실은 한가귀와 구영검이 참소 된 내막은 구영검의 처 장씨에 의한 모략 때문이었다는 점이었다.

구영검은 두 번째 부인과도 사별한 상태였는데, 장씨에 의해 간통당한 후 다시 아내로 맞이하게 되었다. 그런데 처 장씨는 행실이 문란한 여자였다. 원래 대신이었던 조석견의 처였는데, 그가 죽자 강윤충에게 꼬리를 치고 자기 집 종을 세 번이나 보내어 마침내 잠자리를 갖기에 이르렀다. 하지만 이상한 소문이 나돌기 시작하자 강윤충이 관계를 끊어버리자 이제는 둘째 아내와 사별한 구영검을 꼬시어 지아비로 모신 것이었다. 그러나 구영검은 원이 장사성과 홍건적을 토벌하기 위해 고려에게 지원군을 요청한 결과 어쩔 수 없이 고려를 떠나 있게 되었다. 그 사이 장씨는 또 난잡한 짓을 저질렀다. 고국으로 돌아와 그 사실을 안 구영검은 장씨와의 관계를 끊었다. 이에 장씨는 원한을 품고 그의 외삼촌인 판사 김성을 이용해 죽이기 위한 모략을 꾸민 것이었다. 반역이 아니라 사적 감정에서 비롯되었다는 사실을 파악한 공민왕은 사형을 중지시켰으나 이미 처형이 끝난 버린지라 두 사람의 시신을 거두어 장사지내게 하고 재산도 돌려주도록 하는 조치를 취했다. 장씨는 그 이후에도 그 짓을 버리지 못하고 대호군 이구축과 간통하다가 들통 나 어사대의 국문까지 받기에 이르렀다. 하여튼 원호가 가만히 있었으면 될 것을 도적이 제 발 절인 양 기철 일파와 한통속이 아님을 증명하고자 그 자신은 물론이고 다른 애매한 사람까지 죽임을 당하도록 만든 사건이었다.

몇몇 불미스러운 일이 벌어지긴 하였으나 공민왕은 자신의 계획을 착착 밀고 나갔다. 이번엔 정동행성이문소를 폐지해버렸다. 정동행성의 소속 기구인 이문소는 원의 내정 간섭 기구이자 부원 세력의 양성소였다. 정동행성이문소의 혁파는 원의 영향력을 배제하고 지금껏 빼앗겼던 국권을 되찾기 위한 조치였다.

공민왕의 조치는 여기서 멈추지 않았다. 그는 이런 행위들이 군사적 힘에 의해 담보되지 않으면 아무런 소용이 없다는 것을 잘 알았다. 원이 대군으로 침략해오고 그것을 막아내지 못한다면 어쩔 수 없이 그 또한 끌려갈 것이 뻔했다. 지금은 중국 대륙에서 일어난 홍건적의 반란군마저 제대로 제압하지 못한 원이 고려로 대군을 보낼 수 없다는 것쯤은 대륙의 정세를 통해 파악하고 있는 바였다. 그 판단 아래 기철 일당을 제거하기로 결단을 내린 것이었다. 허나 아직 쌍성총관부도 원의 지배하에 놓여 있었고, 고려로 들어오는 길목이자 고구려의 옛 강토인 요동 땅이 비록 원의 세력이 약화되었다고 해도 여전히 그 지배하에 있었다. 이들 세력을 당장 막아내기 위한 대책을 세워야만 했다.

마침내 공민왕은 고려의 서북면과 동북면의 원을 동시에 치기로 하고 그것을 수행할 지휘 장수를 임명하였다. 서북면병마사로는 평리 인당과 동지밀직사사 강중경, 그 부사로 사윤 신순과 유홍, 전 대호군 최영, 전 부정 최부개를 각각 임명했다. 또 동북면병마사로는 밀직부사 유인우, 그 부사로는 전 대호군 공천보와 전 종부령 김원봉을 발탁했다.

임명장을 제수한 공민왕은 그들을 황궁으로 친히 불러들였다. 제장들은 비상시국 상황인지라 스스로들 알아서 무장 차림을 하고 나타났다. 까딱 처신을 잘못하면 언제 무슨 일이 벌어질지 모르는 형국이었다. 원호와 한가귀, 구영검이 가차 없이 목이 잘려나간 것이 그런 예였다. 상다리가 푸짐하게 차려 있어도 어느 누구도 감히 그것에 손대려고 하지 않았다. 서로들 간단히 수인사를 나누고 긴장된 얼굴로 공민왕이 들어오기를 기다렸다. 허나 강중경만은 달랐다. 아주 자신만만하고 당당한 표정이었다.

"왜들 이렇게 낯짝들이 굳어 있소? 죽으러 가는 것도 아닌데."

딱딱한 표정의 얼굴들이 맘에 안 든다는 듯 강중경이 분위기 전환용으로 꺼낸 말이었다.

"그거야 그렇지요."

언제 어디서든 처세술이 능한 유인우가 대꾸했다. 다시 강중경이 의기를 내세우며 입을 열었다.

"솔직히 기철 일당을 제거해 버리니 얼마나 속이 시원하오? 그놈들이 얼마나 우리 전하를 핍박했으며 국정을 농락했소? 썩은 이를 도려냈으니 이제야말로 우리 고려의 앞날이 활짝 열린 것이오. 우리 전하께서 국정을 잘 이끌어나가도록 우리가 잘 보좌해 드려야 할 것이오. 이것이 충심이 아니겠소이까?"

"맞는 말씀이오. 그러고 보면 이번에 공의 공이 컸소이다."

유인우가 강중경에게 맞장구치며 말했다. 이번 거사에서 군사적 힘을 동원해 직접 일을 처리한 주된 당사자는 강중경이었다. 그만큼 공민왕의 신임이 두텁다는 증거였다. 밉게 보여서 좋을 턱이 없으니 잘 보여주자는 심사였다.

이들의 대화가 오가는 중에도 다른 사람들은 그저 묵묵히 들으며 고개만 끄덕일 뿐이었다. 최영도 말없이 지켜보기만 했다. 다른 사람들의 의중이 어떠한지 알고 싶었다. 아니 그보다는 공민왕의 의중이 어디에 있는가가 더 궁금했다. 거사를 한 이상 원과 일전을 불사해야 할 텐데, 그런 배짱과 담력이 있느냐는 것이었다. 그런 의문이 드는 것은 기씨 일당을 처형하고 제거하면서도 고려가 자주국임을 선포하지 않고 그 무슨 원의 세조가 고려국은 옛 전통을 따르고 왕통을 이으라고 했는데, 이를 무시하고 입성책동을 하고 반역을 도모했기에 처벌했다고 공포했기 때문이었다. 그렇다고 공민왕이 국권을 회복하려는 의도를 가지고 있지 않다고 단정할 수도 없었다. 공민왕이 동북면병마사와 서북면병마사의 지휘관을 임명하고, 이 자리에 제장들을 불러냈기 때문이었다. 최영이 이리저리 생각하며 헤아려보는 와중에 공민왕이 들어왔다.

"모두들 그냥 자리에 편히 앉으세요?"

제장들이 예를 취하는 태도에 공민왕이 스스럼없이 손을 내저으며 말했다.

"이거 늦은 모양인데, 먼저 드시지 않고……. 어서 드시지요."

공민왕이 앉으면서 말했고, 그에 따라 제장들은 각기 음식을 입에 넣었다. 그러면서도 공민왕의 얼굴을 주시하였다.

"오늘 제장들을 뵙자고 한 것은, 오늘 여기 계신 분들의 임무가 막중하기 때문이오."

공민왕의 단도직입적인 말에 모두의 표정엔 긴장이 어리었다.

"모두들 아시다시피 우리 고려의 암적 존재인 기철 일당을 제거했소. 허나 원의 실세인 기황후가 가만히 있지 않을 것은 불을 보듯 뻔하오. 우리 고려도 대응책을 마련해야지요."

"그러면 전하께서는 원과 전면전을 치르자는 말씀이옵니까?"

인당이 조심스럽게 물었다. 고려가 일전을 치를 수 있는 군력이 있느냐는 반문이었다. 국정을 농락한 기철 일파를 제거하는 것이야 백번 천번 옳은 일이지만, 그렇다고 감당 못 할 전쟁으로 나라가 피폐하게 된다면 어찌할 것이냐는 물음이기도 했다.

"그걸 말씀이라고 물으시는 겁니까? 제 놈들이 그리 나오면 우리도 맞붙어야지, 그렇지 않고 그들에게 잘못했다고 빌면서 선처를 바래야 한다는 말씀입니까? 가만히 앉아서 당하자는 말씀이냐 말입니다."

강중경이 인당의 태도가 맘에 들지 않는 듯 반박하고 나섰다. 그러자 공민왕이 강중경의 말을 제지하며 다시 말했다.

"우리 고려의 운명이 걸린 이상 신중에 신중을 기하자는 말씀으로 알아듣겠습니다. 허나 우리가 가만히 있어도 원은 필시 이 사태를 맞아 또다시 우리 고려에 압력을 행사하고자 나올 것입니다. 이치가 그런 이상 우리가 먼저 주동적으로 대응해야지요. 더욱이 원의 국세는 예전만 같지 못합니다. 석성부원군(인당)께서도 지난날 홍건적을 토벌하기 위해 원의 지원군으로 장사성에 나가 봤으니 그 실정을 누구보다 잘 아실 것입니다. 우리가 먼저 선수를 쳐서 고려에 침공할 길을 차단한다면 그들은 우리 고려에 군대를 파견할 수도 없고, 우리의 요구대로 응하게 될 것입니다."

공민왕의 이치에 따른 설명에 모두들 고개를 끄덕였다. 그의 말이 계속 이어졌다.

"그러면 우리가 선공을 해서 과연 효과를 얻을 수 있겠느냐 하는 것이지요. 그 가능성은 매우 높습니다. 원은 지금 중국 대륙의 반란 때문에 이쪽에 거의 방비를 하고 있지 않아요. 설마 하니 고려가 반발하리라고 여기고 있지 않다는 것이지요. 아니 그들은 중국 대륙에 화력을 집중하기 위해 고려를 계속 이용하고자 할 것입니다. 그러자면 고려를 직접 관할하는 것이 더 낫다고 판단하겠지요. 기철 일당의 입성책동은 단순히 기철의 머리에서 나온 것이 아니라 원의 실세인 기황후의 뜻이라는 겁니다. 그 환란을 미연에 막기 위해서는 고려가 먼저 나서야 합니다. 아직 이곳 상황을 알고 있지 못한 상태에서 우리 고려가 선공한다면 승산이 있는 것이지요. 게다가 지금 쌍성총관부는 내분이 일고 있습니다. 원의 세력이 예전만 같지 못하니 그들만 믿었다가는 개밥에 도토리 신세가 될 수 있다는 말들이 나오고 있다는 겁니다. 그런 그들과 협력한다면 우리는 잃어 버렸던 쌍성총관부의 땅도 되찾을 수 있습니다."

모두들 놀라워하며 공민왕의 얼굴을 계속 주시했다. 단순한 감정적 대응이 아니라 치밀한 계산에 따라 추진하고 있음을 실감했기 때문이었다. 하긴 기철 일당을 제거하는 사태 전개를 보더라도 미리 준비했다는 듯 즉각적이고 과감하게 밀어붙이는 모습이었다. 공민왕의 말이 계속 이어졌다.

"지금껏 얘기하는 것이야 여기 있는 제장들이라면 어느 정도는 파악하고 있을 것입니다. 지금 고려를 둘러싼 대륙의 정세가 그러하니 말입니다. 허나 우리가 이리 결정하는 것은 단순히 대륙의 정세 때문만이 아닙니다."

또 다른 이유가 있다는 공민왕의 말에 모두들 숨을 죽었다. 생각지 못한 뒤통수를 한 대 얻어맞은 꼴이었다.

"우리 고려가 어떤 나라입니까? 바로 황제국의 나라입니다. 언제까지 계속 원의 간섭을 받고 살아야 하겠습니까? 속국에서 벗어나야 합니다. 우리 고려는 고구려를 이어받는 당당한 나라입니다. 저 광활한 만주 벌판과 대륙을 호령했던 나라 말입니다. 우리는 먼저 국권을 회복해야 합니다. 기필코 고구려의 옛 영토를 되찾아야 합니다. 그래서 동북면과 서북면에서 원의 세력을 몰아내고 그 땅을 되찾는 것은 고려가 고구려를 이은 나라이자 황제국의 나라로 우뚝 서는 그 첫걸음이 된다는 것입니다."

"황제 폐하!"

강중경이 절로 감격에 겨운 듯 소리쳤고, 나머지 제장들도 "황제 폐하!"를 연거푸 따라 외쳤다. 지금껏 보아왔던 공민왕의 얼굴이 전혀 달리 보이기 시작했다. 30대 중반에 접어든 공민왕은 그야말로 원대한 포부를 실현할 패기와 담력, 열정이 넘친 모습이었다. 누가 저런 왕을 지금껏 일개 신하에 불과한 조일신이나 기철에게 기가 죽어 말도 제대로 못한 비루한 왕이었다고 여기겠는가? 오늘을 위해 공민왕은 왕위에 오른 이래 자신의 진짜 모습을 숨겨온 모양이었다.

최영은 저런 왕이라고 한다면 자기 한 몸 바쳐도 결코 아깝지 않을 것이라고 여겼다. 자기가 상상했던 것 이상의 포부를 가진 왕이라는 것을 확인했기 때문이었다. 그러나 한 번 더 확인할 요량으로 공민왕에게 단도직입적으로 물었다.

"황제 폐하! 소신 좀 걱정스러운 게 있어 여쭤보겠사옵니다. 지금 왜구들의 침입이 도를 넘고 있사옵니다. 원과의 대결을 위해 군사를 북쪽으로 빼버린다면 그 대비책은 있사옵니까?"

"어떤 장수보다 전장에서 호랑이처럼 용맹스럽기 그지없다는 최 부사께서 그런 말씀을 하시다니 그건 의외입니다. 허나 어떡합니까? 어떻게든지 막아내야겠지요. 하지만 분명한 사실은 왜구의 침입에 대한 대책을 세우기 위해서라도 이번 원정을 성공시켜야 한다는 겁니다. 국권을 농락당하니 왜구에 대한 대책을 제대로 수립할 수가 있었습니까? 홍건적 토벌을 위해 우리 군대가, 그것도 고려에서 가장 믿음직스럽고 용맹스러운 군사가 왜 파견되어 나갔어야 했습니까? 왜구의 침입을 막아야 할 군사가 말입니다. 물자도 부족하고 백성들도 살기 힘든데, 왜 수많은 물품들을 원에 공물로 바쳐야만 합니까? 이러니 왜구 대책은 고사하고 나라가 제대로 운영이 되겠습니까? 모든 일의 시작은 국권의 회복에서 비롯됩니다. 이번 원정은 이를 추진하기 위해서 거행하는 것입니다. 다만 바람이 있다면 속전속결로 끝내야 한다는 점입니다. 그래야 승산이 있습니다. 이 점을 제장들은 유념해주셨으면 합니다."

"명심하겠사옵니다. 폐하!"

새로운 제왕의 탄생을 맞이하는 듯 제장들은 목청소리 높였다.

이날 이후 공민왕의 명을 받은 동북면과 서북면의 군사들은 각기 방향을 향해 달렸다. 그러나 서북면의 상황은 처음부터 일이 비틀어지기 시작했다. 인당과 강중경 두 병마사 간의 불협화음이었다. 강중경이 술에 취해 골아 떨어져 늦게 온 것이 그 출발이었다. 단순히 그 실책만이 문제라면 아무것도 아닐 수 있었다. 허나 병마사가 둘인 가운데에서 지휘 체계가 바로 서지 않아 두 사람 간의 주도권 다툼이 벌어졌다. 급기야 인당은 부사 신순 등을 동원해 강중경을 살해해 버렸다. 그리고는 강중경이 역심을 품었기에 군법에 따라 처치했다고 공민왕에게 보고했다.

최영은 이 소식을 듣고 아연실색했다.

"적과 전투를 치르기도 전에 어찌 아군끼리 분열 행동을 벌일 수 있단 말인가?"

"형님, 일에는 순서가 있고, 다 조짐이 있는 법입니다. 너무 상심하지 마시지오."

최영의 믿음직한 동지인 고군기는 터질 일이 벌어졌다는 듯 담담한 표정으로 대답하였다. 하긴 최영의 소중한 동지이자 스승인 한단 선사도 서북면으로 떠나올 때 예상치 못한 사건이 발생할 수 있음을 넌지시 암시한 바가 있었다. 비록 최영보다는 나이가 어리지만 군사 책략에 있어서는 스승이나 다름없는 고군기도 한단 선사의 의견에 동조하며, 이 원정길에 최영을 따라 나서려고 하지 않았다. 최영이 요동 땅을 수복하는데, 군사책략가가 가지 않는다면 그걸 어떻게 써먹겠느냐고 하면서 억지를 부려 마지못해 응한 고군기였다. 고군기가 옆에 있는 것만으로도 최영은 든든하기 그지없었다. 그러나 고군기는 옛 땅을 되찾는다는 흥분된 모습이라기보다는 그냥 서북면의 정세를 한번 눈으로 직접 살펴

66

보자는 심사 같았다. 그 때문인지 최영에게 별다른 군사 책략을 밝히지도 않았다. 고군기가 다시 말을 이었다.

"염려스러운 것은 이게 또 다른 불행의 징조일 수도 있다는 것입니다."

앞으로 더 큰 파고가 몰려올지도 모르니 신중하게 처신하라는 고군기의 주문이었다. 하긴 이런 사단이 벌어진 건 공민왕이 서북면병마사로 두 사람을 임명한 것 자체로부터 비롯된 일이었다. 허나 공민왕으로서는 원과 대항해 싸우기 위해서는 반원적 입장이 분명한 강중경 같은 장수가 있어야 했고, 다른 한편으론 그 전 왕들의 통치 속에서 권력을 행사했던 인당 같은 장수도 필요했다. 기철 일파에 반대하는 모든 세력을 한데 모아 원에 대항해야 했기 때문이었다. 공민왕의 의도는 좋았지만 상황을 너무 낙관적으로 오판한 것이었다. 지금 고려를 이끌어가고 있는 신료들 대다수는 확고한 정책이나 입장이 없었다. 서로간의 인맥과 파벌 및 자신들의 이익에 따라 움직일 뿐이었다. 강중경과 인당은 서로 다른 인맥과 파벌의 수장들이었다. 인당은 기철 일파 제거에 공이 큰 강중경이 벌써부터 새로운 권력계의 인물로 등장할 것을 경계하다가 트집을 잡아 살해해 버린 것이었다.

최영은 막중대사를 앞두고 이런 일이 벌어졌지만 지체할 수 없다고 판단하고 곧장 진격할 것을 주장했다. 인당도 자신이 무리수를 두었다는 것을 알았기에 최영의 의견에 동조했다.

최영은 선봉을 자처하며 군사를 이끌고 말을 달렸다. 그 옆에는 고군기가 붙어 있었다. 무방비 상태였던 원의 군사는 고려의 기습적 공격에 변변히 대항하지 못하고 손쉽게 격파되었다. 그렇지만 최영과 고군기는 말을 멈추지 않았다. 그 진격 속도는 놀라웠다. 6월경에 이르러 압록강을 건너 원에서 고려로 오는 통로인 요동반도의 파사부를 비롯한 팔 참을 공격하여 점령하였다. 그리고 이곳까지 고려의 영토임을 선언하였다.

전황은 모두 고려군에게 유리하게 돌아가고 있었다. 동북방면에서도 고려 군사가 승리를 거두어 쌍성총관부를 격파하였다는 소식이 전달되었다. 이것 또한 쌍방 간의 치열한 전투를 통해 이뤄진 것은 아니었다. 적이 서로 분열하여 이룬 승리였다.

당시 쌍성총관부의 실질적 통치자는 총관 조소생과 천호 탁도경이었다. 쌍성총관부는 1358년 몽골이 고려를 침략하여 전쟁을 벌이고 있을 때 조휘와 탁청이 고려를 배반하고 동북면병마사 신집평과 등주부사 박인기, 화주부사 김선보 등을 죽이고는 화주 이북의 땅을 몽골에 바침으로써 설치되었다. 이때 몽골은 화주에 쌍성총관부를 설치하고 조휘를 총관, 탁청을 천호로 삼았는데, 이들은 대대로 그 직을 이어받은 그 후손들이었다.

그런데 원의 국세가 약화되자 조소생의 숙부인 조돈은 고려와의 화친을 주장했다. 그들 간에 알력이 발생했고, 조돈은 당시 천호이자 사돈지간이던 이자춘 등을 고려 조정에 보내어 기철 일당과 손잡고 반역을 도모하려는 쌍성총관부의 움직임을 은밀히 전했다. 그런데 고려에서 쌍성총관부를 공격하기 위해 동북면에 군사를 몰고 오자 조소생은 조돈을 사실상 감금 조치하여 버렸다.

동북면도통사 유인우는 할 수 없이 쌍성총관부를 공격하고자 하였으나 강릉도 존무사인 이인임이 고려의 왕명으로 조돈을 회유하면 될 것이라고 주장하여 몰래 납봉한 서찰을 조돈에게 전달했다. 이에 따라 조돈은 당시 조소생의 실질적인 참모이자 자기 조카인 조도적을 설득하여 고려 편으로 돌아서게 만들었다.

조도적이 조정에 입회하자 공민왕은 그에게 쌍성지면관군천호라는 관직을 내리고 고려 군사와 호응하도록 하였다. 조돈 또한 유인우 진영에 합류하여 자기 아들이자 당시 인심이 두터운 별장 조인벽을 보내어 쌍성 땅을 돌며 설득하게 하니 모두들 고려 편으로 합류하였다. 공민왕으로부터 소부윤을 제수받은 이자춘 또한 고려군에 합류하여 싸우자 조소생과 탁도경은 대항은커녕 처자까지 버리고 이판령 북쪽 입석 지역으로 황급히 도망치기에 급급했다. 이에 따라 고종 무오년(1258년)부터 원에 빼앗겼던 쌍성 12성을 99년 만에 되찾게 되었다.

전선에서의 승전보가 전해지자 공민왕은 드디어 원의 지정 연호를 폐지해 버렸다. 고려가 주권국임을 선언한 것이었다. 관제도 황제국가의 위상으로 회복시켜 좌정승 홍언박을 문하시중으로, 우정승 윤환을 수문하시중 등 고려의 옛 관제에 따라 임명했다.

최영은 이에 맞춰 요동방면 일대로 더욱 진격해 나갈 것을 강력하게 주장했다. 헌데 서북방면에서 요상한 사건이 터져 버렸다. 원이 사신 직성사인 편에 기철을 태사도에 임명한다는 황명서와 인장을 가지고 고려로 들어오다가 서북면 병마부사 신순과 맞닥뜨리게 되었다. 이때 신순은 그 사인을 붙잡아서 황명서와 인장을 빼앗고 겸종들을 다 죽여 버린 다음 가두었는데, 그만 경계가 느슨한 틈을 타 그 사인이 도주해버린 것이었다. 아직껏 고려의 민첩한 행동 때문에 원은 고려의 움직임을 눈치 채지 못하고 있었는데, 이로써 그 사실이 알려지게 된 것이었다. 그렇기 때문에 최영은 원이 대비하기 전에 더 신속히 진격할 것을 거듭 요구했으나 서북면병마사 인당은 원도 상황을 직시했으니 진격을 중지하고 원의 공격에 대비해야 한다는 입장을 견지했다.

　참으로 답답하기 짝이 없었다. 고군기가 왜 책략에 대해 일언반구하지 않는지 그 이유를 알만했다. 난감한 일은 그것만이 아니었다. 모든 것을 원과의 전쟁에 집중해야 할 판국에 공민왕은 자기 왕권을 안정화시키기 위한 계책을 전개시켰다. 다름 아닌 호군 임중보가 충혜왕의 서자인 석기를 왕으로 옹립하기 위해 반역 음모를 꾸몄다고 하면서 그에 관련된 자들을 체포하여 하옥시키더니 석기는 외지로 추방하고 전 정승 손수경, 임중보, 전 판사 김성, 홍계 등을 참살해 버린 것이었다. 이들은 그 전 왕들인 충혜왕과 충목왕, 충정왕과 주로 관련된 인물이었는데, 자신의 왕권 안정에 도움이 되지 않는다고 본 모양이었다.

왕이 전쟁을 개시해놓고, 그 시기에 자기 실속을 차리고 있으니 동북방면에서도 요상한 일이 벌어졌다. 동북면병마사 유인우가 북쪽 지역의 사람들과 여진인들을 고려로 복속시키기 위해 공민왕이 쌍성지면관군천호로 임명한 조도적을 살해해 버린 것이었다. 쌍성총관부 산하의 재물 처리를 놓고 마찰이 빚어진 것인데, 그 재물이 욕심이 나 걸림돌이 된 조도적을 제거한 것이었다. 그리고는 자기 부하 장천핵과 함께 맘 놓고 소와 말 등 온갖 재산을 약탈하고 처첩을 빼앗는 등 갖은 만행을 저질렀다. 이러니 더 이상 북쪽 지역의 어느 누구도 고려로 귀순하려고 맘을 먹은 자가 없게 되었다.

고려 내부가 이렇게 복잡하게 돌아가고 있을 때 마침내 원은 고려에서 보낸 절일사 김구년을 요양성에 수감하고 80만 대군으로 토벌하겠다고 협박해왔다. 서북면병마사 인당은 급히 조정에 파발을 보내 수비군의 증원을 요청했다.

최영은 선봉장을 맡아 제일선에 서서 경계 태세를 더욱 강화했다. 그러면서도 더욱 진격했어야 했는데, 우물쭈물하다가 원의 반격을 받게 된 것이 못내 아쉬웠다. 원이 대군을 보낼 수 없다는 것쯤은 원의 실정을 아는 자라면 당연히 예측 가능한 판단이었다. 그냥 고려의 대응을 떠보기 위해 위협한 소리에 불과할 것이었다. 진격했어야만 협상을 하더라도 더 유리한 조건에서 할 수 있었다. 허나 지금 상황은 경계를 늦출 수 없었다. 만일의 사태를 대비하기 위해선 증원군도 절실했다. 그런데 도성에서 들려온 소식은 이런 호응과는 전혀 딴판이었다. 판서운관사 진영서로 하여금 남경의 지세를 살펴보라는 공민왕의 지시가 내려지자 민심이 흉흉해져 남부여대하여 남쪽으로 떠나려는 사람으로 인산인해를 이루고 있는 형국이라는 것이었다.

최영은 공민왕의 행동에 고개가 갸우뚱거려졌다. 제장들에게 원과 일전을 불사할 것처럼 말해놓고 자기만 살겠다고 피난 가겠다는 것인가? 자신이 직접 무장을 하고 일전불사를 독려해야 할 판에 제 스스로 전의를 상실하게 만들고 있다니. 제장들에게 출정을 당부할 때의 모습과 너무나 다른 행동이었다. 뭔가 잘못된 것일 거라고 여기며 최영은 더 기다려보면 좋은 소식이 당도할 것이라고 자신의 마음을 안위했다.

드디어 원은 중서성 단사관 사데이칸과 상의봉어 도타이를 압록강까지 보내 황제의 조서를 정식으로 전달했다. 그 내용은, 원과 고려는 서로 혼인관계까지 맺어 우호를 유지해 왔는데, 근자에 원의 영토에 넘어와 침탈하는 사태가 벌어졌다. 만약 진위를 따지지 않고 군사를 동원하게 된다면 옥석이 구분되지 않고 다 섬멸될 것인바, 고려는 딴 마음을 먹지 말고 변란을 일으킨 자들을 투항시키거나 체포하든지, 그렇지 않으면 원의 군대와 협공해서 물리치도록 하는 조치를 취하도록 하고, 그것을 상세히 보고하라는 것이었다. 한마디로 군대를 동원할 수 없는 원의 처지에서 고려가 원과 우호적인 관계를 계속 가져가겠다는 의사를 보이면 어쩔 수 없이 지금의 행위를 묵인하겠다는 뜻이었다. 적당히 기철 일당에게 덮어씌우고 이번에 회복한 땅은 원래부터 고려의 영토라고 주장하면 되는 것이었다.

최영은 일단 사태가 일단락될 것이고, 지금 회복한 영역을 토대로 저 만주와 요동 땅을 되찾을 방안을 강구하고자 하였다. 그런데 공민왕이 취한 대책은 최영을 너무도 어리둥절하게 만들었다. 아연실색할 정도였다. 갑자기 황명이 도착했다고 하면서 서북면병마사 인당을 불러놓고는 다짜고짜 목을 베 버린 것이었다. 그리고는 원의 사데이칸 편에 기철 일당이 반역 행위를 해온지라 보고 드릴 겨를도 없이 그 도당을 의법 처단할 수밖에 없었으며, 이 사태를 맞아 변방의 백성들이 경거망동하거나 간특한 자들의 흉계를 꾸밀까 봐 관방을 설치해 출입을 통제한 것뿐인데, 그 소속관리와 군사가 명을 따르지 않고 일을 저지른 것이어서 그들을 발본색원해 처단했으니 부디 진노를 거두시고 목숨을 보전해달라는 것이었다. 그러면 4천리 고려 강토가 영원히 상국으로 받들어 모시겠다는 것이었다.

이건 완전히 고려를 위해 목숨을 바친 장수와 군사들에게 모든 책임을 덮어씌우면서 자신의 책임을 모면하고자 하는 배신 행위였다. 여기 있는 장수와 군사들이 자기 왕권의 안정을 위한 한낱 노리개에 불과했단 말인가? 하긴 인당이 강중경을 살해할 때에 공민왕은 벌써 서북면병마사에 정희, 서북면병마부사에 홍거원과 이사경, 평양도순문사에 신청 등을 임명해 두고 있었다. 전투

73

중이어서 이들로 직접 대체하기까진 않았지만 그때부터 인당을 제거하려고 마음먹고 있었던 것일까? 인당이 부원배 최유와 처남 관계이고, 또 자기 충복인 강중경을 죽였다 할지라도 고려를 위해 현장에서 전투를 지휘하고 있는 총지휘관을 그런 얼토당토 않는 죄명으로 어떻게 죽여 버릴 수 있단 말인가? 원과 내통할 것 같고 믿을 수 없었다면 처음부터 총지휘관으로 등용하지 말았어야지, 자신이 임명했다면 믿어주고 가야 하지 않는가? 이거야말로 공민왕이 왕 중심으로 신하들을 하나로 뭉치게 만들기는커녕 도리어 파당적인 행동을 보이는 꼴이 아니고 뭔가? 도대체 공민왕의 진짜 속셈이 뭐란 말인가? 이런 것을 벌써 내다보고 있었기에 한단 선사와 고군기는 별반 기대를 걸지 않았던 것일까?

최영은 고려의 앞날이 한없이 어둡게만 느껴졌다. 그럴수록 저 멀리 광활하게 펼쳐 보이는 만주와 요동 대륙은 그의 눈에 선연히 다가왔다. 최영은 깊은 회한에 잠겼다.

3

신인의 뜻을 이으라는 태몽

최영이 무장의 길을 가기로 결심한 것은 어쩌면 그의 운명 때문인지로 몰랐다. 그의 영혼에는 천손 민족이라는 자부심이 자연스레 체화되어 있었다. 당시 고려의 처지는 참으로 비참하였다. 원의 속국으로 전락하여 천손 민족이라는 명맥마저 끊어지는 형국이었다. 고려가 처한 현실만 생각하면 심장이 터질 것만 같았다. 이를 바로잡고 말겠다는 일념으로 문신의 길에서 과감히 무장의 길을 택한 것이었다. 우선 군력이 강해야 한다는 것이 그의 지론이었다. 상무정신은 천손족이 예로부터 견지해온 나라의 중심 기둥이었다. 허나 그 길은 쉽지 않았다.

최영은 원래 문신 계통 집안의 아들이었다. 평장사를 지낸 최유청의 5대손이었다. 최유청은 무신정변인 정중부의 난이 일어났을 때 많은 문신들이 살해되었으나 해코지 당하지 않는 몇몇 문신들 중의 한 사람이었다. 장수들이 최유청의 집에는 난입하지 말라고 주의를 줄 정도로 무신들에게조차 덕망으로 존중받았다. 그의 조상은 최유청의 6세조 최준옹이 태조 왕건을 도운 공신이었다. 가세의 확장은 최유청의 아버지 최석과 최유청이 문한직과 청요직을 거치면서부터였다. 최유청의 손자이자 최영의 할아버지 최옹 또한 학문을 무척 좋아했다. 젊었을 시기 뜻을 같이하는 친구 10명과 10년 동안 책을 읽기로 약속하였고, 모두들 중도에 떠났으나 혼자 끝끝내 10년 동안 정진한 결과 읽지 않는 책이 없을 정도였다. 모두들 그를 박학 통달한 사람이라고 불렀다. 충렬왕은 태손 시절부터 그를 스승으로 맞아들였다. 그의 아들이자 최영의 아버지인 최원직 또한 사헌규정의 벼슬을 한 사람이었다. 이처럼 최영의 가계는 문신 집안의 핏줄이 면면히 흐르고 있었다.

허나 무신정변과 원의 속국 하에서 권력을 누리자면 무장으로서 그 실력을 보여주거나 그렇지 않으면 원의 권세가에 빌붙거나 인척관계를 형성해야 했다. 최영의 집안은 이와 거리가 멀었다.

최영이 1316년에 태어날 무렵엔 가세가 많이 기울어진 상황이었다. 당시 아버지 최원직은 홍주 판관으로 있었다.

사람들은 어린 최영의 관상과 골격을 한번 보면 일대 영웅호걸다운 기상을 느꼈다. 그래서 이 애는 앞으로 나라의 큰 동량이 될 것이라고 한마디씩 거들었다.

부모로서 그런 말이 듣기 싫지는 않았지만 최원직은 그게 내심 걱정이 되었다. 최원직이 그리 생각하는 데에는 그만한 이유가 있었다. 지금껏 어느 누구에게도 입 밖에 꺼내지 않았지만 최영이 태어났을 때 꾸었던 꿈을 잊을 수가 없었다.

드넓은 광활한 대륙의 벌판이 쭉 펼쳐져 있었다. 저 광활한 땅이 우리 옛 땅이었던가? 그런 생각이 들며 감정이 북받쳐 오르는 순간 어디선가 우렁찬 포효 소리가 들려왔다. 산과 들판이 쩌렁 쩌렁 울릴 정도였다. 소리가 나는 곳으로 고개를 돌리니 마늘과 쑥을 먹던 집채만 한 곰 한 마리가 기지개를 펴더니 그의 품으로 푹 안겨들었다. 그리고는 곰이 다짜고짜 그를 어디론가 끌고 나아갔다. 전혀 가 본 적이 없는 깊은 산골이었다. 곰의 목소리인지, 사람의 목소리인지 분간할 수 없었지만, 그곳이 태백산이자 백두산이라고 분명히 일러 주었다. 곰이 앞장서서 나간 곳에는 커다란 신단수가 심어져 있었다. 왜 이 곰이 이런 곳으로 나를 데려왔을까?

곰은 성큼성큼 앞으로 나아가며 그를 안내했다. 그들이 다다른 곳 주위에는 수많은 무궁화 꽃이 활짝 피어 있었다. 저 멀리 대웅전 같은 전당에서는 불빛이 새어 나왔다. 아니 불빛이라기보다는 태양 같은 광채였다. 하늘의 기운이 그곳으로 죽 이어지고 있었다. 문이 열리며 안쪽의 모습이 보였다. 불덩이인 줄 알았는데 사람이었다. 원광에 휩싸인 선인의 모습이었다. 한 사람 같기도 하고, 여러 사람 같기도 하고, 도무지 종잡을 수 없었다. 단군 같기도 하고 해모수 같기도 하고 추모 같기도 했다.

'저분들은 하나같이 신이를 일으켜 나라를 세웠다고 하는 분들이시다. 지금껏 믿을 수 없는 황당한 얘기라고 여겨 왔는데, 어찌해서 저분들이 저렇게 멀쩡한 사람일 수 있을까? 예로부터 구전되어 온 것이 진짜 사실이란 말인가? 왜 저분들이 나타났을까?'

의문이 꼬리를 무는 가운데 선인의 음성이 조용하게, 그러면서도 너무도 선명하게 들려왔다.

"저 광활한 대륙이 보이는가? 저곳은 다 우리 천손족이 활동했던 무대일세."

최원직은 선인이 왜 자신에게 이런 말을 하는지 영문을 알 수 없었다. 세상은 원의 천하가 되어 있었다. 원에 반역이라고 하라는 말인가?

"무슨 말씀이신지?"

"우리가 생활하고 활동했던 영토를 되찾아야 할 것 아닌가? 이 아이가 해야 할 일이 막중하네."

"아이라니요?"

최원직이 물음과 동시에 지금껏 자신을 안내했던 곰은 온데간데없었다. 대신에 포대기에 둘러싸인 사내아이가 그의 손에 안겨 있었다.

"아주 오랜 세월이 흐른 후에 우리 천손족이 다시 그 영화를 회복하는 날 이 아이의 행동은 그 바탕이 될 것일세. 이 아이를 잘 키워주게. 내 자네를 보고자 한 것은 이를 부탁하고자 함이네."

그 말을 끝으로 선인은 순식간에 사라져 버렸다. 다시 불러 봤지만 대답이 없었다. 최원직이 아이를 내려다보자 사내애가 방긋 웃고 있었다. 그 모습을 보고 화들짝 꿈에서 깨어났는데, 그때 그의 부인 봉산 지씨가 최영을 낳은 것이었다. 그 얼굴도 꿈에서 본 영락없는 바로 그 애였다.

최원직은 아들의 태몽을 곰곰이 되씹어 보았지만 그건 반역하라는 소리로밖에 들리지 않았다. 저 아이의 앞날이 이만저만 걱정되는 게 아니었다. 허나 애비로서 어쩌겠는가? 자식을 고발할 수도 없고. 대신에 그가 해줘야 하는 건 유자로서 정계에 진출해 아이가 성장할 수 있는 기반을 마련해주는 것이었다. 나머지는 그저 아이의 행동을 유심히 지켜보는 것이었다. 그때로부터 최원직은 더욱 학문에 정진하였다.

최영은 집채만 한 곰의 화신으로 태어나서 그런지 기골이 장대하고 완력이 대단했다. 남이 견디지 못한 것도 거뜬히 버텨내는 끈기와 인내도 상상을 초월했다. 성장하면서부터 그런 모습은 확연하게 드러났다. 7살 정도에 이르러서는 청년들도 고개를 절레절레 흔든 바윗돌도 거뜬히 들어 올리는 괴력을 발휘했다. 애들과 어울려 놀 때는 꼭 대장노릇을 하고 다녔다. 동년 또래의 애들과는 비교할 수 없을 정도로 힘이 장사였기 때문에 그에게 대든다는 것은 언감생심 꿈도 꾸지 못했다.

최영의 행동은 갈수록 무인의 기질이 도드라지게 드러났다. 그렇다고 해서 학문과 아예 담은 쌓은 것은 아니었다. 비록 지금 가세가 기울었다고 해도 그의 가계는 선대 때부터 문한직과 청요직을 대대로 거쳐 온 집안이었다. 그 자부심은 대단했다. 저 멀리 대륙의 땅을 찾아야 한다고 하더니 무인의 상이던가?

최원직은 근심스러운 마음에 남몰래 아들의 행동을 꼼꼼히 지켜보고 있었다. 그러면서도 계속 학문에 정진했다. 그 결과 그 실력이 인정되어 1321년부터는 홍주 판관으로부터 사헌부의 정7품인 주부로 근무하게 되었다.

충숙왕은 충선왕의 폐신들에 의한 권력 농단을 더 이상 두고 볼 수 없다고 보고, 언젠가 이들을 척결하려고 벼르고 있었다. 자연스레 새로운 인사의 등용이 요청되었고, 이때에 이르러 최원직도 중앙 정계로 발탁되었다. 실상 충숙왕은 1313년부터 충선왕을 이어 왕위에 올랐으나 실권이 하나도 없었다. 헌데 충선왕이 1320년 12월 토번에 유배되기에 이르자 드디어 칼을 빼든 것이었다.

충선왕은 세자 시기 1296년 원 세조 쿠빌라이의 손녀 계국대장공주와 결혼하였고, 그 후원을 바탕으로 그 위세가 대단했다. 어느 정도냐면, 1297년 자기 부친 충렬왕의 왕비이자 자기 모친인 제국대장공주가 죽자 그 원인이 충렬왕이 궁인 무비만 총애한 결과 그 질투심 때문이라고 여기고, 궁인 무비와 충렬왕의 측근들을 가차 없이 죽여 버린 사람이었다. 일개 세자가 감히 국왕이자 아비인 사람의 여자와 측근들을, 그것도 장례식 날에 도륙해버린 그런 폐륜적인 짓거리를 감히 저질렀고, 양위라고 하지만 사실상 자기 아비를 몰아내고 1298년에 즉위한 왕이었다. 허나 그 자신도 왕위에 오른 지 채 1년도 되지 못해 왕비인 계국대장공주가 그가 총애하는 조비를 질투하여 무고한, 일명 조비무고 사건으로 인해 자신의 측근들이 탄압받음으로써 왕위에서 쫓겨 나고 다시 아비인 충렬왕이 복위하는 중조현상이 발생하게 되었다.

자기 아들에게 그토록 무참히 짓밟혔으니 다시 복위한 충렬왕이 충선왕을 그대로 놔둘 리 없었다. 충선왕의 힘이 계국대장공주로부터 기인하는지라 그 둘을 이혼시키려고 들었다. 그래서 원종의 손자이자 충선왕과 사촌형제지간인 서흥후 전을 계국대장공주와 재가 시키려고 획책했다. 참으로 부자지간에 해서는 안 될 짓거리를 고려 국왕이라고 하는 사람들이 버젓이 저지르고 있었다. 계국대장공주를 재가시키려는 음모는 성공하지 못했다. 도리어 충선왕은 그 음모에 가담했다고 하여 서흥후 전과 왕유소, 송방영, 한신, 송인, 송의 등을 주살하였다. 아버지 충렬왕을 경수사에 유폐시키고 자기 세력을 조정 대신으로 임명하여 충렬왕이 국인만 찍게 하였다. 충선왕이 원의 권력 향배에서 중요한 역할을 담당하여 새로운 권력자로 등장하였기 때문이었다. 1307년 3월에 원의 성종이 죽은 후 권력 쟁탈전이 벌어졌을 때, 원의 문종과 인종이 황제로 오르는데 지대한 공을 세운 것이었다. 또다시 원의 강력한 후원을 얻게 되었다. 이후 고려 국왕 자리만이 아니라 심양왕의 자리까지 수여받았다. 이렇게 안정적으로 권력을 차지하였으면 고려에 좋은 정책을 일관성 있게 끌고 갈 수 있는 여건이 좋았다고 할 수 있었다.

하지만 충선왕은 왕위에 오른 이후 원에 머무르다시피 하면서 고려로 돌아오지 않으려고 했다. 그러면서도 자신의 권력을 탐하는 자는 그 누구든 용서치 않았다. 1310년 1월에 세자에게 왕위를 물려주겠다고 하면서 권력을 탐하는지 떠보았다가 세자가 강력히 사양하지 않고 왕위를 이어받으려고 하자 자기 아들이자 세자인 감을 죽여 버렸다. 자신이 아비 충렬왕에게 했던 짓으로 보아 자기 아들이 그렇게 할까 봐 걱정된 모양이었다.

충선왕이 고려로 귀국하지 않으려고 하자 밀직사 김심과 화평군 이사온은 그 이유가 권한공과 최성지, 박경량 등의 폐신 때문이라고 여기고 이들을 처벌하려고 하였다. 그러나 충선왕에게 제지되어 도리어 하옥되어 버렸다. 이런 일이 있게 되니 원에서도 충선왕에게 고려로 돌아가라고 명하기에 이르렀다. 충선왕은 어떻게 해서든지 연경에서 돌아가지 않으려고 국왕의 자리를 1313년 6월에 충숙왕에게 물러주었다. 당연히 실질적인 권력을 내놓지 않았다. 관리 임명도 충선왕에 의해 행사되었다. 그뿐 아니라 강양공 자의 아들인 조카 연안군 왕고를 심양왕의 세자로 임명하더니, 1316년에는 심왕으로 승격된 왕위를 아예 물러주기까지 했다. 실질적인 국왕의 권한도 행사하지 못하게 해 놓고선 이제 두

82

세력을 서로 대립시켜 이이제이 방식으로 제어하고자 하는 속셈이었다. 이로써 고려는 두 세력으로 분립하여 싸우게 되었다.

이렇게 충선왕은 여전히 실질적인 권력을 행사하면서도 고려에는 거의 있지 않고 원의 연경에서 머물렀다. 그리고서는 만권당을 지어놓고 고려와 원의 학자들 간의 교류니 학문 토론이니 한다면서 시구나 논하거나 그렇지 않으면 강소성, 절강성 보타산 등의 유람이나 하고 다녔다. 고려의 국정은 충선왕의 폐신인 권한공과 최성지, 박경량 등에 의해 농간되었다.

그토록 영원할 것 같았던 충선왕의 권력도 원의 권력 변동에 따라 달라져 버렸다. 원의 3대 무종과 4대 인종은 서로 형제지간이었다. 이들은 무종에 이어 인종이 먼저 왕위에 오르고 그 다음엔 무종의 아들에게 왕위를 계승시키기로 서로 언약하였다. 그런데 인종이 죽은 이후 황태후가 그 약속을 어기고 무종의 세력을 몰아내고는 인종의 아들 영종 시데바라를 황제에 앉혔다. 충선왕의 후원자였던 무종과 황태후가 죽게 되자 강력한 권한을 행사하게 된 이가 고려 출신 환자 백안독고사였다. 그는 충선왕에게 박해를 받았던 자였다. 충선왕은 백안독고사의 참소로 거의 목숨을 잃을 지경에 이르렀다가 원의 승상 배주에 의해 간신히 목숨만 부지하고 토번으로 유배되었다. 이때 재상 최성지 등은 다 도망가 버리고 직보문각 박인간, 전 대호군 장원지 등 18인만이 충선왕을 호송하였을 뿐이었다.

충숙왕은 이때에 이르러 상왕 충선왕이 고려에 돌아오지 않았던 이유가 충선왕의 폐신들에게 원인이 있다고 여기고 그들을 처벌하기로 맘을 먹은 것이었다. 충숙왕은 1321년 1월 찬성사 권한공, 평리 김정미, 평강군 채홍철 등을 순군옥에 가두었다. 이런 충숙왕의 행동은 지금껏 부친 충선왕의 눈치를 보며 납작 엎드려 있었던 모습과 비교하면 의외였다. 실상 충숙왕은 왕위를 물려받은 이래 국정에 적극 임할 수도 없었지만, 그러려고 하지도 않았기 때문이었다. 폐신인 윤석과 손기, 최안도, 이의풍 등과 어울려 사냥과 주색을 즐겼을 뿐이었다. 폐신들도 상왕인 충선왕의 명에 따라 멀리해야 했다. 상왕 충선왕이 윤석이 간사하다는 이유로 김해로 폄출시켜도 그대로 시행할 수밖에 없었다. 어느 것 하나 자기 뜻대로 할 수 없었다. 1319년 12월에 염승익의 외손인 허경과 염승익의 첩의 사위인 조적이 서로 재물을 가지고 다투게 되었을 때도 그랬다. 폐신인 최안도와 이의풍이 허경의 편을 들었는데도 충숙왕은 조적이 충선왕의 총애를 받는다고 해서 조적의 편을 들 수밖에 없었다. 자기 폐신 최안도에게 장형을 내리고 유배 보내야만 했다. 자기 뜻을 펼칠 수 없으니 밤마다 연회를 열고 주색잡기 놀음에 빠져들었다. 이런 충숙왕이 갑자기 국정을 쇄신하려고 나선 것이었다. 그만큼 충선왕의 폐신들에 대한 불만이 유자들 속에서 팽배해 있었다. 이 즈음 주부로 임명된 최원직 또한 이런 충숙왕의 행동에 가담하여 국정을 새롭게 쇄신하고자 적극 나섰다.

허나 그 바람은 순식간에 깨져 버렸다. 충선왕이 자신의 권력 안배를 위해 심왕과 고려 국왕의 자리를 서로 다른 이에게 물려 준 결과 이들 간의 대립이 본격화되면서 권력 쟁탈전이 벌어졌기 때문이었다. 충숙왕이 원에 입조하였을 때, 왕을 따라 입조한 신하들 거의 대부분이 심왕 왕고에게 달려 붙어 버렸다. 충숙왕은 원으로부터 1319년에 죽었던 왕비 복국장 공주의 사인이 왕의 구타 때문이라는 의심까지 받았다. 복국장 공주가 덕비(명덕태후)를 만난다고 질투하자 왕이 때려서 그로 인해 죽게 되었다는 것이었다. 자신의 힘이 되어 주어야 하는 왕비여야 하건만, 도리어 그 왕비를 죽였다는 혐의를 받았다. 충숙왕의 모친은 몽골 여인이기는 하나 황실 출신이 아니었다. 원 조정에 튼튼한 지지 기반이 없다 보니, 충숙왕은 자기 부친 충선왕을 죽이려다가 못 죽이고 토번으로 유배 가게 만든 장본인이자 원수인 백안독거사의 집에 머물러야 했을 정도였다. 그러니 그 누구도 충숙왕을 위해 나서 주지 않았다. 국왕의 인장까지 빼앗기고 환국도 못하고 원에 억류되어 버렸다.

이런 때를 맞아 심왕 왕고는 고려의 왕위를 찬탈하고자 획책하였다. 이건 고려의 일대 위기였다. 허나 최원직을 비롯한 고려의 유신들은 단지 왕의 복위와 환국을 원에 요청하자는 주장 외에 달리 할 것이 없었다. 그것을 들어주고 안 들어주고는 원에 달린 것이었다. 조정에 출사하여 유자로서 꿈을 펼치려고 하였으나 왕이 원에 억류되어 버렸으니 어찌할 도리가 없었다. 그냥 가슴에 울화통만 터져 나왔다. 군신의 도리가 분명히 있건만 신하라고 하는 작자들이 왕을 모시고 가서는 자기만 살겠다고 왕을 내팽개치고 심왕 왕고에게 달라붙은 것을 보니 역겹기 그지없었다.

최원직은 자괴감에 휩싸였다. 더 이상 자신이 할 일이 없음에 일단 며칠간 짬을 내어 홍주로 향했다. 최원직은 중앙 정계에 진출함에 따라 개성으로 이사하려 했으나 정국이 돌아가는 낌새가 별로 좋지 않아 자신만 개성에 머무르고 있었다. 마을 어귀에 들어서자 시끄러운 소리가 들려왔다. 최영 또래의 애들이 패를 지어 전쟁놀이를 하는 모양이었다. 최원직은 요즘 아이들이 어찌 노는지 살펴볼 요량으로 유심히 지켜보았다. 한 패의 우두머리인 듯한 애가 나서서 말했다.

"나는 이 천하를 호령하고 있는 대몽골 제국의 칸이다. 일찍이 우리의 앞길을 막는 자는 없었다. 모두들 항복하라! 그러면 목숨을 보전할 것이지만, 그렇지 않으면 어린아이 할 것 없이 살아있는 생물은 모조리 도륙을 면치 못할 것이다."

"무엄하구나! 하늘의 아들이자 하백의 외손인 해모수가 여기 있느니라. 감히 하늘의 자손 앞에서 못 하는 말이 없구나. 일찍이 단군 할아버지께서는 말씀하셨다. '홍익인간' 하라고 말이다. 그런데 너희들은 어찌하여 사람의 생명을 그리 하찮게 여기고 살상을 밥 먹듯이 저지른단 말이냐? 내 오늘에야 너희들의 버릇을 똑똑히 고쳐주고야 말겠다."

최원직은 깜짝 놀랐다. 해모수를 자처하고 나선 이가 최영이었다. 지금 고려가 어떤 상황에 처해 있는가? 아무리 철이 없기로서는 아들놈이 제 명에 살지 못하려고 저리 날뛰고 있다고 생각하니 눈앞이 깜깜했다. 최원직은 최영을 불러 데려가고자 했다. 그런데 아이들은 벌써 막대기를 휘두르며 전투에 돌입하였다. 애들의 시끄러운 소리를 뒤로하고 최원직은 집으로 향했다. 뇌리에는 수많은 생각들이 교차되었다.

무엇보다 걱정되는 것은 최영이 자라나면서 보인 그 행동들이 무인의 자질과 기질을 도드라지게 드러내 보인다는 점이었다. 대륙의 영토를 되찾아야 한다더니 그 때문에 이 애가 무장의 길을 가야 한단 말인가? 그게 운명일까?

그는 쉽사리 받아들일 수 없었다. 고려가 겪고 있는 환란의 근원적 원인은 원의 속국으로 전락했기 때문이었다. 거기에서 벗어나자면 군사적 힘이 필요했다. 자연 특출한 영웅호걸 같은 무장이 요구될 것이었다. 허나 눈에 보이는 세상천지가 다 원의 땅인 세상에서 어떻게 저들의 군사를 당해 내겠는가?

그는 고개를 절레절레 저었다. 고려가 결코 원의 군사력을 이겨낼 수 없다거나 유자들이 보통 무인을 멸시하는 풍조에 휩쓸려서 그런 것은 아니었다. 고려만 해도 거란과 여진의 침략을 당당하게 막아내었다. 고려가 계승한 고구려 시대에는 수백만의 군사를 이끌고 침략한 수와 당의 대군도 단호히 격퇴하였다. 이리하자면 국가적 차원의 대항이 필요했다. 헌데 지금은 그 모든 것이

뒤틀어져 버렸다.

　그 원인의 근저에는 무신들의 정변이 가로놓여 있었다. 의종이 온갖 사치와 향락적인 생활을 즐기며 무신들을 멸시했던 것이 옳다고 생각하지는 않았다. 무신 또한 나라를 방위하는 역할을 하는 이상 존중받아야 했다. 하지만 나라의 운영은 치국의 도를 아는 유자들이 담당해야 했다. 그런데 무신들은 1170년 무신정변을 일으키면서 몇몇 문신들을 제외하고는 무참히 도륙해버렸다. 살아남는 문신들은 산속으로 숨어 은신하거나 무신정권의 참여를 거부하며 무위자연의 삶을 사는 방식으로 나타났다. 일부의 문신들만이 유자는 세상의 경영에 무관심할 수 없다며 무신정권에 참여했다. 성인인 공자도 정치를 통해 세상을 바로잡기 위해 세상을 주유하지 않았느냐는 것이었다.

　허나 문신들의 무신정권에 대한 참여는 커다란 도움이 되지 못했다. 무신세력은 권력을 사적인 용도로 전락시켜 버리고, 이전투구의 장으로 만들어 버렸기 때문이었다.

　무신정변으로 인해 무신 천하의 세상이 펼쳐졌다. 무력이 최고였다. 정중부의 난이 일어난 이후 무력 앞에서 권력은 수시로 바꿔졌다. 정중부, 이의방, 이고, 경대승, 이의민 등이 권력자로 나서는가 싶더니 그들 사이에 칼부림이 일어나고 마침내 최충헌이 권력을 장악하기에 이르렀다. 그 최씨 정권 또한 최우(최이), 최항, 최의에 이르러 몰락하고 다시 김준과 임연, 임유무 등으로 교체

되었다. 언제 어디서든 칼날 하나에 의해 반역이 일어나고 그 칼날에 목이 잘려지면 권력이 바뀌지는 식이었다. 체계적인 통치 질서에 따라 국가가 운영되지 못하고 측근들과 인척들의 이해관계에 의해 결정되었다. 이들도 권력을 안정적으로 유지하기 위해 통치 기구들을 설치하기는 하였다.

무신들이 권력을 장악하였으니 우선 무신들의 회의 체계가 중시되었다. 무신들의 최고위 합좌기구는 중방이었다. 그 성원은 2군 6위의 지휘관들로 정3품직의 상장군과 종3품직의 대장군을 구성원으로 하여 대략 16명 정도였다. 무신의 난 이전엔 문신 우위의 정치가 실시된 관계로 최고사령관인 병마사의 자리는 항상 문신 몫이었다. 하지만 무신들의 천하가 되니 중방이 고려의 운명을 결정짓게 되었다. 허나 중방만 가지고는 권력의 안정은커녕 그들의 신변조차 지킬 수 없었다. 그 해결 방식이 도방의 설치였다. 국가 조직체계에서 나라의 방위와 군사는 필수적으로 제기되는 문제로서 고려에서는 중추원에서 담당하고 있었다. 이 중추원의 기능을 빼앗아 자신들의 안위를 위한 사병조직으로 변질시켜 버렸다. 이로써 군대는 나라의 방위가 아니라 무신들의 사병조직에 불과하게 되었다. 나라의 안보보다는 무신집권자의 안위가 더 중요했다. 허나 나라는 그런 사병조직이나 군대만 가지고 운영될 수 없었다. 나라의 최고 정책을 심의하고 의결하는 곳이 있어야 했다. 국정을 안정적이면서 체계적으로 이끌어가기 위해서였다. 고려에서는 경륜이 풍부한 재상과 추밀원의 양부모임인 재추회의에서 결정되었다. 그런데 최충헌은 교정도감을 설치하여 그런 재추회의의 권한을 빼앗아버렸다. 나라의 최고 이익이 아니라 권력자와 그 측근들의 이익에 따라 정책이 좌우되는 현상이 발생하게 되었다. 최씨 정권은 여기서 멈추지 않았다. 자신들의 권력을 더욱 안정적으로 유지하기 위해 정방까지 설치하기에 이르렀다. 정방은 이부나 병부에서 관리를 임명하는 인사 추천권까지 빼앗아 자기 맘에 드는 자를 임용하는 방식이었다. 거기서 등용되는 자는 권력자의 측근이거나 아첨꾼이 다반사였다. 칼을 든 권력자가 자기 측근들을 모아놓고 맘대로 나라를 주무르는 형국이었으니 국가 운영 체계가 완전히 마비된 꼴이었다.

무신 세력이 패거리를 지어 권력을 농단하니 그에 항거하는 것은 당연했다. 먼저 병부상서 겸 서경유수 조위총은 이런 무신정권에 반기를 들었다. 처음엔 절령 이북의 40여 성이 호응하는 것처럼 보였지만 결국 당해내지 못하고 진압되었다. 무신들이 나라의 군사권을 장악하여 사병으로 도용하고 있는데, 일개 성에서 반란을 일으켜 성공시킨다는 것은 사실상 어려운 일이었다. 허나 문제는 그 다음이었다. 나라의 기강이 허물어져 버렸는데, 도대체 무엇으로 나라를 다스리겠는가? 전국 도처에서 하루가 멀다 하고 반란이 우후죽순 격으로 터져 나왔다. 심지어 천노출신까지도 권력을 장악하려고 들고 일어났다. 최충헌의 노비 만적은 왕후장상이 따로 있냐고 하면서 노비들을 한데 모아 봉기를 일으키려 하다가 발각되어 처형되기까지 하였다. 무신정변 이후 그들이 벌인 작태를 보면 만적의 말이 틀린 것도 아니었다. 이의민은 천노 출신이었지만 한때 당당히 실권을 장악하기도 하였다. 그러니 노비들이 왜 끝까지 노비라는 운명을 받아들이며 살라고 하느냐고 되묻는 건 당연한 질문이었다.

나라 운영의 근본 기강이 허물어져 버린 가운데, 무신들의 사병으로 전락한 군사는 백성들의 반란을 진압하는 일에 질질 끌려다니는 꼴이었다. 군대라면 마땅히 외세의 침입을 막아야 하건만, 자기 백성들의 반란이나 진압하고 있으니 거기서 군대의 위용을 찾아본다는 것 자체가 어불성설이었다.

이것은 몽골의 침략을 받게 되자 확연히 드러났다. 외세의 침입을 받으면 나라를 이끌어가는 실권자라면 응당 자기 목숨을 걸고 싸워야 했다. 특히나 자신이 무장이라면 그 자신이 전면에 나서야 했다. 그런데 무신 집권자들은 자신들의 안위만 걱정했다.

고려와 몽골과의 관계는 1218년 거란병이 양주를 침략할 때 몽골이 고려에 협공을 요청하면서 시작되었다. 이때 양 군이 협력하여 거란군을 무찔렀는데, 이를 계기로 서로 외교관계를 맺게 되었다. 그런데 몽골은 고려에 계속해서 과도한 조공을 요구했고, 이로부터 불협화음이 발생하기 시작했다. 급기야 1225년 1월 몽골의 사신 저고여 등이 돌아가다가 압록강 유역에서 피살된 사건이 터져 나왔다. 몽골은 이를 고려의 소행이라고 트집 잡아 침략하기 시작했다. 1231년 1차 침입 과정에서 안북성 전투에서 패한 이후 개경이 포위당하자 집권자들은 더 이상 싸울 생각은 하지 않고 항복문서에 도장을 찍어버렸다. 그리고는 몽골군의 공격을 완강하게 방어하고 있는 장수에게 나라의 명이라고 하면서 항복을 강요하였다.

귀주성만 해도 몽골군은 무려 30여 일 동안이나 온갖 공격을 했지만 함락시키지 못했다. 그 때문에 몽골군이 고려를 적극적으로 공략할 수 없었다. 후방으로부터 협공 당할 우려가 있었기 때문이었다. 그 전투를 결정적 승리로 이끌었던 이가 정주 분도장군 김경손이었다. 허나 항복하라는 나라의 명을 거역할 수 없어 어쩔 수 없이 그리할 수밖에 없었다. 어찌나 그 전투가 격렬하고 치열했는지 몽골 장수도 혀를 내두를 정도였다. 지금껏 수많은 전투를 해봤지만 이런 장수는 내 일찍이 본 적이 없다고 하면서 김경손에 대해 존경을 표하기까지 했다. 허나 그런 김경손 장군도 최씨 정권의 3대를 이어 권력을 잡았던 최항에 의해 1251년 3월 바다에 빠뜨려져 죽임을 당했다. 최항이 싫어하는 계모 대씨의 인척 관계가 된다는 것이 그 이유였다. 나라의 명이 있다고 하여 모두가 다 항복한 것은 아니었다. 자주 부사 최춘명도 몽골군의 공격을 기꺼이 막아내었다. 몽골군은 어떻게 해도 함락시키지 못하자 고려의 왕명을 통해 항복을 요구하였다. 하지만 그 권유마저 수용하지 않고 끝까지 항거하였다. 결국 고려가 몽골에 충성 서약하는 국서를 바치고 화해하기에 이르자 권력자들과 그 아부꾼들은 자기들은 실상 몽골 군사와 직접 목숨 바쳐 싸우지도 않고선 나라의 명을 따르지 않았다고 하여 참형에 처하려고 하였다. 그를 살린 것은 몽골군의 관인이었다. 충신은 죽이지 않는다는 이유에서였다.

나라를 위해 한목숨 바쳐 싸우는 것을 장려하기는커녕 항복하라고 명하고, 도리어 그 명을 따르지 않았다고 죽이려 해놓고는 그 다음에 취한 행동은 가관이었다.

당장 몽골군과 대적할 수 없어 형편상 굴욕적 화해를 청했다고 한다면 응당 몽골군이 돌아간 다음에 그 대책을 강구해야 했다. 전열을 정비해서 싸울 것인가, 아니면 협상할 것인가? 협상한다면 몽골군의 요구 조건이 무엇인지 면밀히 따져 보아야 했다. 나라의 장래를 놓고 고심에 고심을 거듭해야 했다. 허나 무신집권자들이 취한 태도라는 것은 몽골군이 수전에 약하다는 것을 알고는 자기들만 살겠다고 강화도로 숨어드는 것이었다. 백성을 버리고 영토를 포기하고서 도대체 뭘 위해 싸우겠다는 것인지?

그들에게 백성은 안중에 없었다. 섬이나 산성으로 피신해 스스로 방어하라는 파발이 거의 전부였다. 6차에 걸친 몽골의 침략군은 고려군의 주력이 강화도에 주둔하고 있다는 것을 알고서는 내륙을 사정없이 짓밟았다. 어린아이와 여자, 노인 할 것 없이 살아 있는 생물은 모조리 살생하는 악귀나 다름없었다. 포로로 잡은 수많은 사람들을 노예로 끌고 갔다. 고려가 일찍이 거란과 여진의 침략을 받았지만 이런 참상을 겪지 못한 바였다. 백성들의 통곡과 피눈물은 멈출 줄을 몰랐다. 인간 생지옥 바로 그것이었다.

백성들은 몽골군의 만행에 치를 떨면서 일어났다. 오로지 생존

하기 위한 처절한 몸부림이었다. 더 이상 물러설 수 없는 처지에서 무기를 들고 일어선 백성들의 싸움은 몽골군이 파죽지세로 몰아친 진격을 저지시켜 나갔다. 승려 김윤휴가 2차 침략 때 처인성 전투에서 몽골 원수 살리타이를 활로 쏴서 죽인 것이나 5차 침입 때 충주성을 방어한 것은 다 백성들이 자체로 무장한 힘이었다.

백성들은 몽골군의 말발굽 아래 짓밟히며 살육과 약탈, 방화 등으로 전 국토가 황폐화되며 삶이 피폐한 상황에서도 결전의 의지를 불태우며 싸우고 있는데, 무신집권자들은 무엇을 했던가? 섬으로 피신하여서는 여전히 호화스럽게 집을 지어놓고 향락적인 생활을 즐기기 위해 지속적으로 조세를 거둬들이고 물자 수송을 강박했다. 그들의 곳간에는 온갖 사치스런 물건과 재물이 가득하였다. 김준에 의해 최씨 정권의 마지막 실권자 최의가 살해된 후 창고를 열어보니, 그곳에는 김준 패거리들이 자기들끼리 나눠먹고도 흉년이 들었다고 관료와 백성들에게 나눠줄 정도로 재물이 엄청나게 쌓여 있었다. 그만큼 그들은 섬으로 피신해 놓고도 자기들 패거리의 안위만 생각하고서 예전의 사치스런 행각을 버리지 못했다.

그들에게는 인재등용의 원칙과 기준도 없었다. 오로지 자기 패거리에게 아부하고 아첨하는 수족들을 요구했다. 임연은 원래 말이나 땔감을 구하는 병졸이었는데, 몽골군과의 전투에서 공을 세워 대정에 임명된 자였다. 그런데 그놈은 간통하여 죄를 받아야 하는 자였다. 하지만 김준이 최의에게 힘이 센 자라고 천거하여 사면시켜 등용했다. 그 때문에 임연은 김준을 아버지라고 부를 정도였다. 하지만 김준이 최씨 정권을 배신하고 살해한 것처럼 임연 또한 그 김준을 살해하고 실권을 장악하였다. 신의도 없고 오로지 자기 패거리를 지어 권력을 농단하다가 그 이해관계가 뒤틀어지면 살해하는 식의 일들이 벌어졌다. 시정잡배들의 이전투구도 이런 정도는 아니었다.

자기 패거리들의 탐욕을 채우려고 서로 싸우고 죽이는 것이 만연되자 자기 욕심과 탐욕을 위해서라면 못할 짓이 없다는 생각이 자연스레 스며들었다. 급기야 나라의 영토를 외세에 팔아먹고 그 앞잡이 행각을 벌이는 놈이 나타나게 되었다. 1233년 5월 서경 낭장 홍복원은 반란을 일으켰다가 몽골로 도망가 몽골군의 앞잡이 동경총관이 되어서는 고려를 침략하는데 선봉에 섰고, 1258년 12월에 조휘와 탁청은 몽골군을 끌고 와서는 죽도로 이주하여 몽골군과 싸우려고 하는 장수들을 죽이고 화주, 정주 등의 땅을 몽골에 바쳐 쌍성총관부가 설치되도록 만들었다.

상황이 이렇게 돌아가는데도 무신집권자들은 몽골군의 침략을 맞아 적극 전선에 나서서 싸우지도 않고 협상도 적극 벌이지도 않았다. 그때그때의 임시방편으로 뇌물을 안겨줘 위기를 모면하려 들었다. 그런데 어떤 침략자가 뇌물이나 받아쳐먹고 물러가겠는가? 결국 그들은 1259년 태자(원종)가 입조하면서 사실상 항복 문서에 도장을 찍었다. 고종이 죽고 1260년 원종이 즉위한 이후 또 태자(충렬왕)가 볼모로 원에 가게 되었고, 1264년에는 원종의 입

95

조 요구에 왕이 자기 영토 밖으로 하례하러 떠나는 사상 초유의 사건도 겪게 되었다. 이렇게 할 것 같으면 40여 년 동안이나 침략자들에게 전 국토가 유린당하고 백성들이 도륙 당하지나 않게 했어야 할 것 아닌가?

무신 집권자들이 국정을 이전투구의 장으로 전락시켜 버리니 원종 또한 1268년 12월에 환관 최은, 김경, 김자정으로 하여금 임연 등을 움직여 김준을 살해하였다. 임연은 1269년 6월 그들 사이의 알력 투쟁에 불안을 느끼고 또다시 최은과 김경을 죽였다. 그리고는 원종을 별궁에 유폐시키고 안경공 창을 왕으로 내세웠다. 그러자 원에서 고려로 돌아오던 세자(충렬왕)는 다시 원으로 돌아가 원의 군사를 서경까지 끌고 와서는 그 힘에 기대여 원종을 다시 복위시켰다. 이때에 최탄은 임연을 토벌한다는 핑계로 반란을 일으켰다. 원종이 복위되었는데도 그놈은 원의 앞잡이가 되어 원이 동녕부를 설치하여 고구려 계승 정신의 상징인 서경 지방을 원의 영토에 귀속하게 만들었다. 임연은 원 세조(쿠빌라이)의 입조 요구에 불안에 떨다가 죽었고, 그 아들 임유무가 그 뒤를 이었다. 그러나 그 또한 1270년 5월 원종의 밀명을 따른 이분성과 홍문계, 송송례 등에 의해 척살되었다. 그리고는 개경으로 환도하게 되었다. 헌데 문제는 삼별초의 장부까지 가져간 것이었다.

삼별초는 원래 도적 등 치안을 유지하기 위해 만든 야별초로부터 출발했다. 그런데 그 수가 많아져 좌별초, 우별초로 나뉘게 되었다. 그러다가 몽골과의 항쟁 속에서 포로로 붙잡혔다가 도망쳐

온 군사와 장정을 새로 별초로 편성, 즉 신의군을 창설해 삼별초가 되었다. 이들은 몽골과의 항쟁에서 강화도를 지켜낸 주력이자 몽골군에 대한 원한이 깊은 사람들이었다. 몽골군에게 항쟁을 포기하고 항복하는 것도 원통한데, 그 명부를 가져간다는 건 원 앞에 자신들을 내다 바치는 꼴과 다름이 없었다. 자신들의 안위만을 위해 내륙에 나가 적극적 방어 정책을 펴지 않아 백성들이 도륙 당하게 만들었으면서 이제는 항복했으니 쓸모없다고 버리는 형국이었다. 이에 삼별초는 배중손과 노중희를 지휘관으로 삼아 승화후 왕온을 왕으로 삼아 몽골과의 결사항쟁을 선포했다. 삼별초는 근거지를 진도, 완도로 옮겼다가 다시 제주도로 옮겨가며 끝까지 항전했지만 1273년 4월에 진압되었다.

삼별초의 난이 진압되어 이제 무신세력의 간섭으로부터 벗어나 왕정이 복구되었다. 하지만 이건 나라꼴이 아니었다. 고려의 국권을 지키기 위해 몽골군과 싸우자고 하는데, 왕이 침략군을 끌어들여 자기 백성들을 진압하였으니 그 어떤 명분이 있을 수 없었다. 원종의 행위는 거기서 끝나지 않았다. 원의 세조에게 공주와 세자의 결혼을 청한 것이었다. 고려 국왕이 다음 왕위를 이어야 할 세자에게 누구보다 고려 왕족의 혈통을 지키게 하여야 하건만 스스로 그것을 허물어 버린 것이었다. 급기야 세자(충렬왕)는 원에 있더니만 고려 복장을 벗어던지며 정수리에서 이마까지 가운데 머리털만 모나게 남겨두고 나머지는 다 깎아버리는 겁구라는 변발과 몽골풍의 호복차림을 하고서 고려로 돌아왔다. 이

걸 보고 고려 백성들은 눈물을 흘리며 통곡하였다. 왕과 세자가 앞서거니 뒤서거니 하며 고려의 왕과 세자이기를 거부하는 꼴이었다. 왕정이 복구된 것이 아니라 무신집권세력의 간섭으로부터 이제는 원의 속국으로 바뀐 꼴이었다. 대의명분도 없고, 오직 자기 권력의 안위만이 중시되는 세상이 되어 버렸다.

고려가 이렇게 원의 속국으로 전락되게 만든 것만이 아니라 국가의 기강을 무너뜨리고 패거리 정치와 폐신 정치가 조정에 뿌리를 틀게 만든 그 근원은 바로 오랜 기간에 걸친 무신집권자들의 국정 농단이었다. 최원직은 이 점을 결코 묵과할 수 없었다. 그 때문에 그는 무장의 길보다는 치국의 도를 아는 것이 더 중요하다고 여겼다. 최영이 무인의 자질을 드러내는 것을 탐탁지 않게 여긴 것도 그런 이유에서였다.

최영이 집으로 돌아오자 최원직은 아들을 불렀다. 몇 달 만에 아비를 보아서인지 최영은 아버지께 기쁨에 넘쳐 인사했다. 아직 일곱 살의 나이지만 그 나위 또래보다 훨씬 더 성숙해 보이는 애였다.

"밖에 나갔다 온 모양이구나. 그래, 오늘은 벗들하고 뭘 하고 놀았느냐?"

"병정놀이를 했사옵니다."

조용한 음성으로 물어오는 아버지의 질문에 최영은 뚜렷하게 대답했다. 그러면서 아버지의 얼굴을 조심스레 쳐다보았다. 지금껏 자신이 하는 것에 대해 거의 간섭하지 않고 말씀도 하지 않으셨던 분이었다. 그런데 오늘따라 물어오니 의아해서였다.

"병정놀이가 재미있었던 모양이구나. 그런데 너는 장차 무엇이 되고 싶은 거냐?"

최영은 대답하지 못하고 멈칫거렸다. 아버지야 유자라고 자부하고 있으니 당연히 자식 또한 유자가 되기를 바란다는 것을 어린 최영도 익히 아는 바였다. 허나 아버지께 자신의 솔직한 생각을 말씀드리지 않는 것도 도리가 아니라고 이내 판단했다.

"소자는 장수가 되고 싶사옵니다. 수나라와 당나라가 수백만의 대군을 이끌고 침략했지만 단호히 응징하고 격퇴시켰던 고구려의 을지문덕 장군이나 연개소문 같은 사람이 되고 싶사옵니다."

최원직은 최영의 얼굴을 지긋이 바라보았다. 자랄수록 무인의 기질이 드러난다는 것은 익히 아는 바였지만 어린 아들놈의 머릿속에까지 그것이 버젓이 자리 잡고 있으리라고는 생각지 못했다. 운명은 어찌할 수 없는 것인가?

"그래~, 그런 사람이 되었다고 치자. 그러면 이 고려에서는 무엇을 하고 싶은 것이냐?"

"지금 상왕 전하는 저 먼 이국땅에 유배당하셨고, 주상 전하께서는 원에 억류되셨다고 들었사옵니다. 상왕 전하와 주상 전하를 지켜드릴 것이옵니다."

조정의 실상이 어린아이들에게까지 퍼진 모양이었다. 조정의 관리로서 이런 현상이 벌어지게 된 게 참으로 민망하기 짝이 없었다. 허나 최원직은 아들의 진의를 알고 싶은 마음에 다시 입을 열었다.

"참으로 뜻이 가상하구나!"

"그러면 아버님께서는 소자가 무인이 되는 것을 허락하시옵니까?"

아버지의 칭찬에 최영이 들뜬 목소리로 되물었다. 최영은 어림짐작으로 아버지가 무인에 대해 별로 좋아하지 않는다고 느끼고 있었던 것이었다.

"나라에 충을 하겠다고 하는데 이 애비가 어찌 그것을 반대하겠느냐? 허나 그리하자면 나라의 운영과 치국의 도도 알아야 하느니라."

"장수가 전쟁을 하는데, 병법서가 가장 중요하지 않사옵니까?"

"병법서도 중요하다. 군사 작전을 잘 세워야 하니 말이다. 허나 전쟁이라는 것은 장수나 군사들만 싸우는 것이 아니다. 을지문덕 장군이나 연개소문 대막리지도 혼자 싸운 게 아니란다. 장수나 군사들이 전투에 지면 그들만의 죽음으로 끝나는 것이 아니라 온 백성이 도륙 당한단다. 그래서 외적이 침입하면 온 백성이 나서는 것이란다. 군대가 가장 앞장서는 것이긴 하지만."

최영은 아버지의 말이 알 듯 모를 듯 묘하게 다가왔다. 의아스럽기도 했다. 탐탁지 않게 여기는 무인의 길을 오늘따라 직접 거론하니 그 의도가 궁금했다.

"전쟁에 승리하기 위해서는 전투 기술이 뛰어나야 할 뿐만이 아니라 군대의 사기, 명분, 결사항전의 정신, 군사 장비, 보급 등 등 이 모든 것이 다 중요하단다. 전쟁에 이기는 것을 보고 그저 싸움만 잘해서 이기는 것이라고 단순히 보아서는 안 된다는 것이다. 평소부터 그 대비를 잘해야 하는 것이고, 그러자면 국가를 어떻게 운영하고 다스려야 하는지 그 이치도 잘 알아야 한다는 것이다."

최영의 고개가 조용히 숙여졌다. 아버지는 학문에 정진하라는 말씀을 하고 싶은 것이었다.

"네가 되고 싶다는 을지문덕 장군이나 대막리지 연개소문이 어떤 분인지는 아느냐? 그분들은 선인의 경지에 이르신 분이란다. 인간 세상사의 이치는 물론이고 하늘의 이치까지 꿰뚫어보는 분들이시다. 그런 경지에 이르렀기에 을지문덕 장군은 수백만의 수나라 침략군을 맞이하여서도 때를 보아가며 기다렸다가 그 시기에 이르자 수나라 우중문에게

'귀신같은 책략은 하늘의 이치를 다했고(신책구천문(神策究天文)이요)

오묘한 꾀는 땅의 이치를 깨우쳤네(묘산궁지리(妙算窮地理)라)

싸움에서 이긴 공이 이미 높으니(전승공기고(戰勝功旣高)니)

만족함을 알고 그만두기를 이르노라(지족원운지(知足願云止)라)'고 조롱하는 시를 보내고서 단호하게 응징하셨단다."

최영의 눈이 다시 반짝였다. 그런 아들을 보면서 최원직이 다시 말을 이었다.

"내가 이런 말을 하는 이유는 무장이 되어도 훌륭한 장수가 되

기를 바람이다. 단순히 수박희나 싸움만 잘한다고 해서 훌륭한 장수가 되는 것도 아니고 군대를 강성하게 키우는 것도 아니란 다. 그럴 것 같으면 무신세력이 권력을 잡았으니 더 싸움도 잘하 고, 몽골군의 침략도 막았어야 할 것 아니냐? 허나 그들은 그렇 지 못했다. 도리어 그들은 자기들 욕심만 차리고 고려 사회를 썩 어 문드러지게 만들었다. 이 모든 게 치국의 도를 잘 몰라서 그렇 다는 것이다. 나는 네가 장수가 되더라도 이런 우를 범하지 않았 으면 한다. 그래서 내 너에게 하늘의 이치를 통달할 때까지 학문 에 전념하기를 바란다. 알겠느냐?"

최영은 절로 고개를 끄덕였다. 아버지가 무엇을 원하는지를 명 확하게 이해할 수 있었다. 그의 뇌리에는 선인이라는 말이 계속 가 슴 깊숙한 곳으로 스며들었다. 진정한 장수의 길을 찾아 나서야 한 다는 것이 그의 의지이자 결심이었다. 우선 아버지가 말씀하신 대 로 두루 학문을 섭렵하여야 했다. 그날 이후로 최영은 넓고 넓은, 깊고 깊은 학문의 세계로 빠져들었다.

4

무장의 길을 선택하다

1331년 여름, 최원직은 중앙 정계로 진출한 지 거의 10년여에
이르고 있었다. 그는 깊은 회한에 빠져들었다. 지금껏 도대체 뭘
위해 살아왔는가? 춘추전국시대에 공자는 유자로서 혼란스러운
세상을 구제하겠다고 13년 동안이나 순유하고 다녔다. 하지만 그
어떤 나라도 그를 등용하지 않았다. 서로 패자가 되어 세상을 호
령하려고 하는 조건에서 도리를 세워 명분에 맞게 세상을 바로잡
겠다는 주장을 받아줄 왕은 없었다. 패자 경쟁이 벌어지면 무엇
보다 군대가 강성해야 했다. 어떻게 군대를 강력하게 육성할 것
인가가 중시되고, 그건 곧 약육강식의 법칙의 통용이니 예가 적
용될 수 없었다. 심신이 지친 상태로 고향에 돌아온 공자는 제자
들을 육성하는 길로 들어섰다. 그것이 유가가 세상에 퍼지는 데

지대한 역할을 하였다. 군사력이 중시되는 사회에서는 그저 제자를 키우는 것이 최선이었던 것인가? 무엇을 해야 할까? 앞으로 뭘 할 수 있을까? 심신이 지쳐버리고, 몸까지 병들어 버렸으니 답답하고 무력감만 엄습해왔다.

최원직은 상왕(충선왕)이 토번에 유배되고 주상(충숙왕) 전하가 원에 억류된 상황에서 심왕 왕고의 세력이 고려의 국왕 자리를 넘보는 절대 위기 상황을 맞이하여 적극 움직였다. 비록 고려의 요청에도 원이 결정하는 바이지만 고려 신하의 의견을 상신하는 것은 그 판단에 얼마간 영향을 미칠 것이었다. 그는 먼저 왕의 복위와 환국을 요청하는 청원 사업에 적극 가담했다. 그 노력의 결과로 대언 경사만과 대령군 최유엄 등은 충숙왕의 복위와 환국을 요청하는 고려 관리의 입장을 원에 전달했다.

허나 심왕 왕고의 세력은 집요했다. 전 찬성사 권한공, 전 평리 이광봉, 여흥군 민지, 영양군 이호 등을 내세워 고려 관리들에게 서명을 받아내어 이게 고려 신료들의 뜻인 양 원에 전달하려 했다. 조적, 채하중, 조연, 조연수, 김원상 등도 이에 가세했다. 그러나 윤선좌는 어찌 신하가 왕을 폐위시키는 일에 서명할 수 있겠느냐면서 침을 내뱉고 나가 버렸다. 언양군 김륜이나 그 아우 김우 등도 끝내 서명을 거부하였다. 그런데도 심왕 왕고의 세력은 또다시 백관들을 모아놓고 강제로 서명을 받아내어 원에 제출했다. 하지만 중서성과 한림원은 다른 한편에서 여전히 고려 신료들의 반대 움직임이 있는지라 받아들이지 않았다. 그러자 이번에는 오잠과 유청신 등이 새로운 행성 설치를 주장하고 나섰다. 고려라는 나라를 아예 없애버리고 행성을 통해 직접 통치를 하도록 하자는 것이었다. 그들은 삼한행성이라는 명칭까지 지으며 그 논의를 진척시켜 나갔다.

심왕 왕고 세력의 집요한 왕위 찬탈 행위와 입성책동은 고려의 생사존망을 위협하기에 충분했다. 심왕 왕고는 상왕인 충선왕이 유배에 처한 조건에서 원의 후원을 가장 강력히 받는 세력이었다. 반면에 충숙왕은 원의 후원 세력이 거의 없었다. 오로지 군신 관계의 도리를 생각하고 고려를 지키려는 고려 신하들의 충성심 밖에 없었다.

충숙왕을 다시 복위시키기 위해서라도 상왕인 충선왕을 하루 빨리 유배에서 벗어나도록 해야 했다. 유자로서 이름 높은 이제현은 최성지와 김이 등을 동원하여 상왕인 충선왕의 소환을 요청하는 소장을 원에 제출하였다. 허나 원은 고려 신하들의 요구에 응하지 않았다. 그런데 이 모든 것이 한꺼번에 해결되는 사건이 벌어졌다.

원 조정에서 권력 쟁탈전이 벌어지면서 권력 변동이 발생한 것이었다. 원의 5대 황제 영종은 1322년 그의 할머니 황태후와 테무데르가 죽자 친정 체제를 구축하기 위해 배주를 승상으로 임명하고는 황태후와 테무데르의 세력을 척결하여 나갔다. 그런데 1323년 영종이 상도(카라코룸)에서 대도(연경)로 귀환하는 도중 남파

역참에서 테무데르의 양자 테그시에게 승상 배주와 함께 시해되어 버렸다. 테그시는 태정제를 원의 6대 황제로 추대하였는데, 태정제는 황제로 즉위하기 전에 먼저 테그시파를 숙청하여 버렸다. 이렇게 권력 변동이 생기자 상왕 충선왕을 토번에 보낸 백안독거사가 복주되었다. 상왕 충선왕은 유배에서 풀려나 다시 연경으로 돌아올 수가 있었다. 상왕 충선왕은 입성책동의 소식을 듣고 김이와 최성지, 이제현 등으로 하여금 그 부당성의 글을 원의 조정에 올리도록 하였다.

행성 설치의 논의가 이번에 처음 제기된 것은 아니었다. 1309년에 고려 침략의 앞잡이였던 홍복원의 손자 홍중희에 의해 먼저 제기되었다. 홍복원의 아들 홍다구도 계속 고려를 무척 못살게 굴었는데 홍다구의 아들 홍중희도 마찬가지였다. 홍중희는 충선왕이 심왕에 봉해지고 고려 국왕까지 자리를 차지하자 자신들의 권한이 축소되는 것에 불안을 느꼈다. 그래서 고려에 행성을 설치하여 직접 통치해야 한다는 주장을 펴고 나온 것이었다. 당시에 충선왕이 무종과 인종의 왕위 등극에 공을 세워 큰 지지를 받고 있는 상태였기에 그 부당성을 주장함에 행성 설치의 논의가 중단되었다. 그런데 이제 상왕 충선왕이 토번에 유배되고 충숙왕이 원에 억류된 상태가 되니 심왕 왕고의 세력에서 이런 주장을 들고 나온 것이었다. 하지만 이미 원의 권력 중추가 바뀌면서 이제현 등이 도당에 올리자 그토록 줄기차게 진행된 행성 설치 논의는 파하게 되었다. 충숙왕도 1324년 1월 고려로 환국하라는 명을 받기에 이르렀다.

　고려로 돌아온 충숙왕은 심왕 왕고에 달라붙어 서명한 자들을
하옥하고 재산을 적몰하고자 하였다. 그러나 상왕 충선왕의 만류
와 원 황제의 제지로 그것조차 제대로 행하기가 어려웠다. 충선
왕이야 심왕 왕고의 자리도 자신이 물려주었으니 그들과 가까운
편이었으나, 충숙왕으로서는 자신을 폐위시키려고 했던 자들이
니 용인할 수 없었다. 충숙왕은 우선 토번 유배 때 도망가지 않고
충선왕을 모셨던 박문충(박인간)과 장원지 등을 등용하고 심왕 왕
고에 서명한 자들은 파직시켰다. 그러자 조적과 채하중은 무뢰배
2,000인을 모아 원에 충숙왕을 참소하고 나왔다.

　충숙왕은 안위에 불안을 느끼고 무종, 인종의 형인 위왕 에무
게의 딸 조국장공주와 1324년 8월 혼례를 올렸다. 자신의 방패가
되어줄 복국장공주가 죽고 없으니 원의 다른 후원 세력이 필요한
것이었다. 허나 충숙왕은 그뿐이었다. 상왕 충선왕이 살아 있는
조건에서 더 이상 적극적으로 움직이려고 하지 않았다. 자기 아
비의 총애하는 여자와 측근, 심지어 자기 아들까지 감히 죽여 버
린 사람인데, 잘못했다간 무슨 화를 당할지 알 수 없는 일이었다.
게다가 국정을 쇄신하려다가 원으로 불러가 억류되었고, 그 와중
에 그를 호종했던 신하들이 하나같이 다 배신하고 심왕 왕고에
달라붙어 버렸던 그 충격은 충숙왕의 뇌리를 무겁게 짓눌렀다.

　1325년 5월 상왕 충선왕이 죽은 이후에도 충숙왕은 국정을 적

극적으로 보려고 하지 않았다. 게을리하는 정도가 아니었다. 심왕 왕고에게 왕위를 물려주려고 좌부대언 한종유에게 서명까지 강요하였다. 자기 권력 유지에 지지기반이 되어 줄 것이라고 여긴 조국장공주가 1325년 9월 용산원자를 낳은 후 산후조리 중에 숨을 거둔 것이었다. 선사 조륜과 사부 왕삼석 등의 폐인들의 말을 듣고 용산 습지에서 유희를 즐겼는데, 그게 산달이 다 된 공주를 습지가 많은 곳에 데려와 아이를 낳게 한 꼴이 되어 그만 탈이 나 그렇게 되었다. 성종의 조카 영왕 에센테무르의 딸 복국장공주가 죽어 원에 억류되었듯이 조국장공주가 뜬금없이 세상을 떠났으니 또 얼마를 시달릴 것인가?

한종유가 양위 서명을 거부함에도 충숙왕은 계속 요구했다. 한종유는 말에서 떨어져 기동하기가 어렵다는 핑계를 대고 이조년과 상의하여 간신히 무마시킬 정도였다. 충숙왕은 점차 사람 만나는 것까지 싫어하게 되었다. 그만큼 원의 간섭과 압력에 두려움을 가진 것이었다.

심왕 왕고의 세력은 이런 충숙왕의 모습을 보고 눈멀고, 귀먹고 벙어리어서 정사를 보지 못한다고 참소했다. 원은 1328년 7월 원의 평장정사 매려를 보내와 이를 확인하려 들었다. 충숙왕이 보지 않으려 하다가 만나서 매려에게 조리 있게 설명한지라 거짓임을 알고 그냥 돌아갔다. 그런 뒤에도 충숙왕은 여전히 정사를 제대로 보지 않고 폐인들인 선사 조륜, 사부 왕삼석 등과 어울려 주색잡기와 향락에 빠져들었다. 국정은 폐신들인 김지경, 최안도, 신시용 등에 의해 농단되었다.

　최원직은 이 즈음 사헌지평에 임용된 상태였다. 그런데 임금의 얼굴을 볼 수가 없었다. 왕이 원에서 억류되었던 충격에 휩싸여 대인 기피증에 빠져 있으니 뭘 해 볼 도리가 없었다. 국정을 쇄신하려면 대간들의 말을 귀담아 듣도록 하여야 하건만, 폐인이라는 작자들은 왕에게 귀에 듣기 좋게 아부하면서 연회와 주색을 탐하도록 이끌었다. 임금은 임금 노릇을 아니하고, 신하는 신하 노릇을 아니하니 국정이 제대로 돌아갈 리 없었다. 가장 큰 폐단은 올바른 인재등용이 되지 않는다는 점이었다. 세상을 다스릴만한 사람이 관직에 임용되어야 질서가 잡히고 기강이 세워질 것이었다. 그런데 왕은 원을 두려워하며 정사를 멀리하고, 폐신들은 이런 왕의 행위를 이용해 청탁과 뇌물을 받아쳐먹고 아첨을 일삼았다.
　더욱이 1328년 들어서면서 원의 정치 상황은 혼란을 불러왔다. 1328년 6대 태정제가 죽고 그의 아들 7대 천순제가 즉위했는데, 이에 반발한 깁차크한국의 사령관 엘티무르에 의해 2개월 만에 폐위되고 무종의 둘째 아들 문종이 황제로 즉위한 것이었다. 그런데 문종의 형인 명종이 몽골과 차카타이한국의 장군들을 모아 대군을 이끌고 카라코룸으로 입성하였다. 문종은 위기의식을 느끼고 명종에게 곧장 황위를 물려주고 자신은 황태자의 자리를 이어받았다. 그런데 명종이 카라코룸에서 원의 9대 황제로 즉위하고 나서 대도로 가는 도중 문종을 만난 지 며칠 만에 엘티무르에 의해 독살되어 버렸다. 다시 문종이 1329년 황제의 자리에 올랐다. 그 실권자가 엘티무르였다.

엘티무르가 원의 실권자로 등장했다는 것은 필히 그에 맞는 고려의 권력 지형의 변화를 동반해야 했다. 충숙왕은 이를 누구보다 잘 알았다. 벌써 원은 직성 사인 완자와 성위관 문백안불화를 보내와 문종이 등극하였다는 조서를 반포했다. 그 당시 충숙왕은 배주에 있다가 병 때문에 맞이하지 못했다. 사신이 이를 힐책하자 정방길이 병 때문이라는 사실을 완자에게 장황하게 설명해주었다. 그런데도 충숙왕은 또 문제로 삼을까 봐 오히려 근심하고 두려워하였다. 이런 왕의 모습을 보고 신하라는 작자들은 자신들의 욕심을 채우는 방법으로 이용해 먹었다. 사신 완자가 홀치 민자명을 보내와 원에서는 고려에 잘못이 많다는 말들이 오가고 있으니 남들보다 먼저 등극을 축하하는 것이 좋겠다고 귀띔해 준 것이 그 계기였다.

원의 사신의 말을 들은 충숙왕은 사신이 자신을 도와주고 있는 것으로 이해하고 스스로 안위하고 있는 상태였다. 그런데 내신 밀직 김지경은 완자가 이리 행동하는 것은 자기 족당들을 벼슬시켜 달라는 뜻일 것이라고 넌지시 고했다. 충숙왕은 그 말의 뜻을 이해하고 김지경과 대사성 고용현, 우부대언 봉천우에게 전주를 맡겼다. 그 전주 과정은 처음부터 청탁과 뇌물로 얼룩지어졌다. 관직의 낙점은 오로지 뇌물로 바친 돈의 액수에 달려 있었다. 이를 알고 화가 치민 충숙왕의 폐신인 내신 신시용이 정방에 나가 김지경에게 따져 물었다.

"지금 벼슬을 제수하는 것은 사신을 위한 것이 아니냐? 그런데 너희들은 벼슬을 팔아먹으면서 왜 공이 있는 내 자손들에게는 벼슬을 주지 않는 것이냐?"

신시용의 목소리가 얼마나 컸던지 관직을 얻으려고 하는 사람들이 뜰에 있다가 그 소리를 다 듣게 되었다. 그러면 부끄러워해야 할 터인데, 신시용은 도리어 그들을 보고 화를 참지 못하겠다는 듯 큰소리로 외쳤다.

"돈도 없으면서 무슨 벼슬을 얻겠다고 그리 기다리는 겁니까? 돈이 없으면서 누굴 원망하느냐 말입니다."

신시용의 얘기를 듣고서 벼슬을 구하는 자들은 너나없이 돈을 싸들고 구름같이 모여들었다. 그것을 받아 처먹은 김지경 등은 밤에 숨어서 전주를 하였다. 상호군 신정도 벼슬을 청탁했다가 이루어지지 않자, 김지경과 봉천우를 비난하고 나왔다.

"왕의 귀와 눈을 막고 가리면서 오로지 뇌물을 받고 마음대로 벼슬을 제수하는 것이 어찌 옳은 일이라 할 수 있소?"

그러고도 마음의 분이 풀리지 않는지 돈이 없는 자는 벼슬을 구하지 말라고 크게 울부짖었다. 이런 식으로 비목이 이뤄졌는데, 더 가관인 것은 밀직부사 이인길은 그것을 자기 집에서 고치고, 또 권세를 부리는 자들도 하나같이 지우고 고쳐버린 것이었다. 그러니 주색과 묵색을 분별할 수가 없을 정도의 흑색정사가 이뤄진 것이었다.

최원직은 그의 뜻을 펼칠 수가 없었다. 유자로서 왕을 잘 보필하여 정사를 올곧게 세워야 하건만. 최원직은 낙심과 좌절에 빠졌다. 가슴속 깊이 울화통이 터질 수밖에 없었다. 그가 할 수 있는 것이라곤 한숨을 내쉬는 것밖에 없었다.

왕이 제 역할을 하지 못하고, 그 주위에는 아부와 아첨꾼이 자신의 탐욕을 채우려고 득실거리는 꼴이었다. 이건 정상적인 나라가 아니었다. 나라의 기강은 이미 허물어졌고, 이제 사람들은 염치조차도 느끼지 않았다. 녹봉을 나눠주는 날에 여러 위의 별장과 산원들은 직접 창고의 문 앞에 와서는 속여서 받고, 남의 것을 빼앗기도 하는 현상이 발생하기도 하였다. 이런 것을 바로잡기 위해 사헌 규정으로서 최원직은 채찍과 몽둥이를 동원하며 강박하기도 하였지만 별반 소용이 없었다. 최원직도 두손 두발 다 놓을 수밖에 없었다. 무슨 방법이 없었다.

이런 때에 충숙왕은 세자(충혜왕)에게 전위할 것을 선포하였다. 세자는 원의 실권자 엘티무르가 사냥도 함께하고 술도 같이 마시면서 자기 양아들처럼 여기는 자였다. 실권자가 세자와 가까운 관계이니 자기 아들에게 해코지 당할 것이 두려운 모양이었다. 하긴 왕의 권력을 행사하지 않을 것 같으면 물러나는 것도 하나의 방식일 수 있었다.

1330년 2월에 원은 충혜왕을 국왕으로 책봉하며 국왕의 인을 가져가 충혜왕에게 전달하였다. 최원직은 혹시나 하는 마음으로 충혜왕의 행동을 유심히 지켜보았다. 충혜왕은 충숙왕과 홍규의

112

딸 덕비(명덕태후)와의 사이에 태어난 이로 부모가 모두 고려 출신이었다. 허나 그의 기대는 산산조각 났다. 16세의 어린 나이에 불과한 충혜왕은 폐신인 배전과 주주에게 조정의 기무를 다 맡겨버리고는 환관들과 씨름이나 하고 놀았다. 이를 보다 못한 기거주 이담이 임금의 거동은 다 기록되는 바이니 행동거지를 조심해야 한다고 주문했다. 그러자 충혜왕은 그 기록을 누가 적느냐고 묻고는 기록 담당자인 사신을 아예 미워하고 멀리하였다.

충혜왕은 정승으로 치사한 김태현을 권정동행성사로 임명했다. 그런데 상왕인 충숙왕이 권정동행성사 김태현과 윤석, 원충을 가두고는 정방길을 권정동행성사로 새로 임명했다. 왕위에서 물러났으면 깨끗하게 아들이 하는 것이나 지켜볼 것이지, 이리 간섭한다면 또다시 부자지간의 싸움을 초래할 것이 뻔했다. 아니나 다를까 상왕인 충숙왕이 원으로 가려고 해주에 들렀을 때, 정승 정발길과 찬성사 강융, 전 평리 김원상은 조국장공주가 낳은 용산원자가 충혜왕에 의해 해를 당하지 않을지 걱정된다며 부자 관계를 이간질시키고 나왔다. 김원상은 충숙왕을 호종하고 원에 갔을 때 억류된 왕을 배반하고 심왕 왕고에 달라붙는 자였다. 그런데 이번에는 충혜왕을 모함한 것이었다. 피해의식에 사로잡혀 있던 상왕 충숙왕은 이들의 말에 솔깃하며 충혜왕이 자기 측근 세력을 제거하고 그의 세력을 심으려 한다고 의심하게 되었다. 그리고는 심왕 왕고에게 왕위를 물려주었더라도 이러지는 않을 것이라며 불만을 토해 냈다. 충혜왕이 곱게 보일 리 없었다. 마

침 충숙왕이 황주에 이르렀을 때 고려로 돌아오는 충혜왕을 만나
게 되었다. 충혜왕은 기쁜 마음으로 아버지 충숙왕을 뵈면서 호
례로 꿇어앉으며 맞이하였다. 어렸을 때부터 원에 볼모로 끌려갔
으니 고려 의식을 잘 모르고 몽골풍만 먼저 배웠기 때문이었다.
그런데 충숙왕은 충혜왕이 미워 보였기에 힐책부터 하고 나섰다.

"너의 부모는 다 고려 사람이거늘, 너는 어찌하여 호례를 행한
단 말이냐?"

충숙왕은 아들 충혜왕을 꾸짖고는 그러고도 맘에 안 드는 듯 의
관이 너무 사치스러우니 속히 옷을 갈아입도록 하라며 면막까지
주었다.

행동이 잘못되었으면 좋게 타이를 것이지 모질게 대하는 아비
를 보고 어린 충혜왕은 눈물을 흘렸다. 충숙왕은 충혜왕의 폐신
이인길을 보고는 너는 참으로 개돼지라며 섬으로 유배 보내려고
하였다. 허나 충혜왕은 이를 가로막으며 중지시켰다.

상왕과 주상의 부자지간 관계를 보면서 최원직은 더 이상의 희
망을 가질 수 없었다. 충렬왕과 충선왕이 서로 대립하면서 얼마
나 인륜의 도리를 저버렸던가? 충숙왕이 지금껏 나서려고 하지
않았던 것은 그걸 알았기 때문이 아닌가? 그렇다면 아들에게는
그렇지 않아야 할 것이었다. 지금껏 정사에 마음을 두지 않았으
면서 왜 아들에게 왕위를 양위해 주고선 이제 와서 간섭한단 말
인가? 자식이 잘못하면 좋게 훈계하여 다스려야 하건만. 이건 또

못 볼 짓거리를 보게 된다는 것 아닌가?

역시나 또 원에서 권력 관계의 변동이 일어났다. 충혜왕의 절대적 지지자였던 엘티무르가 죽고, 그 권력의 추를 백안이 잡게 되었다. 백안은 호협질하는 충혜왕을 발피라고 부르며 지극히 싫어한 자였다. 충혜왕의 왕위도 얼마 남지 않았다는 것은 보지 않아도 예측되었다.

이 모든 실타래가 어디서부터 엉켜 버렸을까? 허나 이 모든 것은 이미 그의 손을 떠나버렸다. 몸도 망가져버렸다. 그럴수록 아직 16살에 불과한 아들 최영을 남기고 가야 한다고 생각하니 가슴이 미어터질 뿐이었다. 최영을 잘 키워 달라고 부탁했던 태몽은 그의 뇌리를 한시도 떠나지 않았다. 그가 유자로서 자신의 역할을 다하려고 했던 것은 유자로서의 책무도 있었지만 아들 최영을 배려하기 위한 것이기도 했다. 비록 멀리 떨어져 있었지만 항상 최영을 가슴속 깊이 품어주고 있었다. 수시로 홍주를 들렀던 것은 그 때문이었다.

몸과 마음이 병들어 버린 최원직은 더 이상 어떤 희망을 갖지 못하고 사헌 규정의 벼슬을 치사하고 홍주로 내려왔다. 며칠 동안 휴식을 취한 다음 최영을 불러들였다. 태어날 때부터 체구가 컸던 최영은 16살이었지만 벌써 건장한 청년의 모습이었다. 최영은 아버지가 집으로 돌아온 이래 더 이상 기력을 차리지 못한 것을 보고 근심스러운 표정이었다.

"요즈음 배우는 글공부는 좀 진척이 있느냐?"

"유가와 불가, 도가의 전반에 걸쳐 탐구해보고 있사온데, 확실치는 않지만 뭔가 느껴지는 바는 있사옵니다."

최원직은 최영을 물끄러미 바라보았다. 치국의 도를 알려면 경학에 더 치중해야 하건만 그렇지 않고 벌써부터 잡학에 손을 대고 있다는 것이 썩 마음에 내키지는 않았다. 하지만 여러 학문 분야를 섭렵하는 것 또한 필요했다. 불교는 국가에서 장려하고 있는바 그 연구도 필수적이었다.

"전반을 탐구한다? 그럼 비교 검토할 수 있을 만큼 각 분야에 대한 진수를 터득했다는 뜻이냐?"

유학 공부는 게을리하고 엉뚱한 잡학이나 배우려 한다며 그 실력을 가늠해 보고자 질문해오는 아버지의 물음에 최영은 어떻게 대답해야 할지 난감했다. 그도 책에 파묻혀 산 지 어언 10년이 가까워져 오고 있었다. 그가 보지 않는 분야는 거의 없었다. 특히 역사서와 병서를 좋아하였다. 그래서 그 부분은 주의 깊게 연구하였다. 물론 유학에 대해서도 전반을 훑어보았다. 아버지가 관직에 나간 이후로 유자로서 해야 할 도리를 다하지 못했다고 스스로 자책하며 한숨 쉬는 것을 한두 번만 본 것이 아니었기 때문이었다. 너무 지나쳐 심화병에 걸렸다는 것도 아는 바였다. 그 때문에 그 이유를 나름대로 파악하고자 유학에 대해 깊이 탐구하고자 했다. 경서에 대해 파고들기도 했다. 하지만 그에게 어떤 해답을 주지 못했다. 탐구할수록 도통 쓸모없다는 판단이 들었다. 아버지가 바라는 바가 무엇인지를 알면서 그에 반하는 말을 하는 게 마땅치 않았다. 하지만 진짜 자기 속생각을 말하지 않고 속이는 것 또한 옳지 않는 바였다. 언젠가는 아버지에게 자기 뜻을 밝혀야 하는 만큼 그냥 자신의 소견을 말하기로 마음먹었다.

"소자는 아직 그런 경지에는 이르지 못했사옵니다. 하지만 책을 접하면서 문득 느끼는 바는 참다운 유자, 참다운 불자, 참다운 도자가 정말 가능하기는 하냐는 의문이 드옵니다."

"모두가 다 참다운 유자와 불자, 도자가 되었다면 어찌 세상이 이리 혼탁해졌겠느냐? 정진하여 그리되도록 노력하는 것이지."

"소자는 유가와 불가, 도가가 왜 현실에서 제대로 통용되지 못할까 고민해 보았사옵니다. 과연 참된 의미를 모르거나 수양이 부족해서 그런가 말이옵니다. 헌데 그렇게 보기에는 이해가 되지 않습니다. 아무리 소양이 부족하다 한들 유가와 불가, 도가에서 기본으로 다루고 있는 충효나 선행, 무위가 무엇인지 알고 있지 않사옵니까? 헌데 그 이치를 깨우치지 않았다는 사람들은 제쳐두더라도 학문을 했다고 하는 사람들마저 그리 행동하지 않고 있다는 것이옵니다. 더 탐욕과 욕심을 부린다는 것이지요. 이런 것을 보면 소자의 학문이 불민해서 그런 것인지는 몰라도 유가와 불가, 도가의 학문 체계가 원래부터 참다운 유자와 불자, 도자가 될 수 없도록 구성되어 있는 것은 아닌지 하는 의문이 든다는 것이옵니다."

최원직은 최영을 뚫어져라 바라보았다. 의심이 들면 더 깨우치려고 노력해야 할 것인데, 하나같이 성인으로 추앙받고 있는 사람들의 주장을 저리 칼로 무 잘라버리듯 단도직입적으로 깎아내리는 최영을 이해할 수 없었다.

"어떤 의문이 든다는 것이냐?"

"최치원 선사는 단군 할아버지가 살았던 단군조선의 시기에는 현묘지도인 풍류가 있었다고 하면서 그 풍류는 삼교를 다 포함한다고 하셨습니다. 집에 들어오면 효도하고 나아가면 나라에 충성하는 것은 공자의 주지요, 악한 일을 하지 않고 선을 행하는 것은 석가의 교화이며, 무위로서 세상일을 처리하고 말없는 가르침을 행하는 것은 노자의 종지라고 하였습니다. 삼교가 하나로 통합되어야 풍류가 된다는 말씀이었습니다. 이 말을 뒤집어 해석하면, 유가와 불가, 도가가 각기 따로따로 놀아 하나로 포함되지 않으면 풍류가 아니라는 뜻이 아니겠사옵니까? 그래서 하나로 통합된 것이 무엇일까 곰곰이 되씹어 보았사옵니다. 천지인의 삼위일체, 바로 이것이 풍류이자 하늘의 뜻이고 참된 진리가 아닌가 하는 생각이 들었사옵니다. 그 때문에 환웅께서는 널리 인간세상을 이롭게 한다는 홍익인간 사상의 웅지를 품으시고 하늘에서 땅으로 내려오신 거라고 봅니다."

최원직은 최영의 얼굴을 찬찬히 살펴보았다. 아들이 태어날 때 꾸었던 꿈이 떠오른 것이었다. 아무래도 이 애는 유자의 길이 아니라 선인의 길을 걸을 모양이라는 직감이 들었다. 최영의 말이 다시 이어졌다.

"그런데 지금 유가와 불가, 도가는 풍류도로서 하나로 일체화시켜 살펴보지 않고 각기 자기주장만을 펼치고 있사옵니다. 유가만 보더라도 세상을 바르게 경영하자면 예를 세워야 한다는 것이고, 그 예의 기본은 효와 충이라는 것이 아니옵니까? 여기서 참다운 충신이라면 다른 나라가 자기 조국을 침략하거나 위해를 가해올 경우 목숨 걸고 싸워야 할 것이옵니다. 그런데 어찌하여 나라와 나라 간에 있어서 천자니 종주국이니 하면서 주종관계라는 예가 설정될 수 있다는 것이옵니까? 주종관계라는 예가 충신에게는 받아들이기 어려운 것 아니옵니까? 소자의 부족한 소견인 줄 몰라도 이것은 널리 인간 세상을 이롭게 한다는 홍익인간의 사상에서 고찰하지 못하기 때문에 이런 과오가 생기는 것이라고 여겨지옵니다. 홍익인간의 각도로 살펴보면 나라 간에는 주종관계가 아니라 서로 도움이 되는 관계로 재정립되어야 할 것이옵니다. 그러면 충과도 모순되지 않을 것이옵니다. 불가는 악을 멀리하고 선을 행하라고 합니다. 의문의 여지없이 타당하지요. 그런데 그렇게 공덕을 쌓는 이유가 죽어서 극락세계에 가기 위해서라는 말입니다. 선을 행하는 게 지금 이 세상을 홍익인간 하기 위해서가 아니옵니까? 그런데 죽은 후세에 극락세계에 가려고 재물을 바치며 복을 비는 행사가 치러지는 관계로 그 얼마나 국가적인 낭비가 되고 있사옵니까? 도가도 마찬가지이옵니다. 무위 하라는 것은 세상일이 물이 흘러가는 것처럼 저절로 이뤄지도록 하라는 것이 아니옵니까? 홍익인간의 세상이 자연스럽게 이뤄지도록 노력하라는 뜻일 겁니다. 그런데 인간세상이 어떻게 되든지 나 몰라라 하고 깊은 산속으로 들어가 등져 버린다면 홍익인간의 세상을 어찌 만들 수 있다는 것이옵니까? 이런 점을 살펴보건대 소자의 짧은 소견으로는 천지인의 일치 사상인 홍익인간의 사상을 근저에 두고 유가와 불가, 도가를 살펴보아야 그 의미가 있는 것이지 그 자체로 각각 따로따로 놀아서는 참다운 유자, 참다운 불자, 참다운 도자가 되기 어렵다는 생각이 드옵니다."

"너의 얘기는 홍익인간의 세상을 만들어야 한다는 뜻이 아니냐? 그러면 그것을 도대체 어찌 실현할 것이냐? 그 방안이 치국의 도가 아니겠느냐?"

"소자의 부족한 소견인 줄 몰라도 치국의 도는 유가가 아니라 홍익인간의 사상에서 나와야 한다고 봅니다. 치국이라 함은 나라를 다스리는 방도일 것인데, 그건 결국 자기 나라의 백성들을 잘 살게 하는 것이 아니겠사옵니까? 그런데 어찌하여 큰 나라를 섬긴다 하여 자기 나라의 백성들을 도탄에 빠지게 한다는 것인지? 자기 나라의 백성들을 위해 들고 나서는 것이 옳을 것이고, 그게 가장 우선되어야 하지 않겠사옵니까? 게다가 지금 배웠다고 하는 유자들의 모습을 보면 부끄러움도 모르고 아부와 아첨을 일삼고 있는데, 어찌 그럴 수가 있단 말이옵니까? 이건 유가에서 주장하는 치국의 논지가 원천적으로 잘못되었거나 최소한 그 자체로는 홍익인간의 세상을 이루기에는 턱없이 부족하다는 뜻이 아니겠사옵니까? 아버님께 이런 말씀을 드린 것이 송구스럽지만 솔직히 고려의 왕은 고려의 왕이 아니고, 고려의 신하는 고려의 신하가 아닌 것 같사옵니다. 오로지 원을 위한 나라가 되어 버리지 않았 사옵니까? 이런 상황을 유가의 치국의 도 같은 방안으로 과연 해결할 수 있겠는지요? 허나 이 고려를 위해서는 반드시 이를 바로잡아야 할 것이옵니다. 뭔가 획기적인 방안과 대책이 필요하 다는 것이 소자의 솔직한 생각이옵니다."

최원직은 신음소리를 내뱉었다. 아무리 간언을 하려고 한들 아예 들으려고 하지 않는 상황에서 무엇을 어찌한단 말인가? 그저 하릴없이 가슴의 분만 삭혔던 그였다. 아들의 입에서 자신 의 유자로서의 삶을 꼬집어 비판하는 말에 어떻게 대답할 길이 없었다.

"너에게 부끄럽지만 유자로서의 아비 삶은 그렇다 치고, 너는 그에 대한 대책이 있단 말이냐?"

최영은 아버지의 마음을 아프게 하는 것이 목에 걸렸다. 아버 지가 참다운 유자로서 살기 위해 얼마나 노력했는지 잘 알고 있 었다. 누구에게도 아부나 아첨하지 않고 재물을 탐하지 않았다. 그런 아버지를 존경했다. 허나 아버지 주위엔 사람이 없었다. 아 무리 고군분투하려고 해도 혈혈단신이었다. 최영은 아버지와 같 은 삶을 살고 싶은 마음은 추호도 없었다. 그 삶이 잘못되었다고 생각한 것이 아니라 실현될 수 없는 길을 고집할 필요가 없다고 보았다. 그는 확실하게 실현 가능한 길을 찾고자 했다. 그 얘기를 하기 위해 이리 장황하게 꺼낸 바이니 이제 자신의 분명한 뜻을 밝혀야 했다.

"소자가 그 대책을 다 아는 것은 아니옵니다. 단지 지금껏 떠오르는 것은 그 원인을 알면 그 해답을 찾을 수 있지 않을까 하는 점이옵니다. 왜 우리 고려 사회가 이리 되었겠느냐 하는 것이옵니다. 여러 모로 생각해 보았는데, 그것은 홍익인간의 정신을 잃어 버려서 그리되었다는 판단이 들었사옵니다. 자신의 사상과 정신이 없는데, 어찌 고려가 참다운 고려의 길로 갈 수가 있겠사옵니까? 그러면 왜 그런 정신과 사상을 잃어 버렸을까? 여기에는 여러 요인이 있겠지만 고려가 고구려를 계승한다고 했지만 영토를 완전히 수복하지 못한 점이 가장 큰 원인으로 여겨졌사옵니다. 그 때문에 고려가 강성한 나라가 되지 못했고, 그로 인해 국권도 지키지 못하고 끝내 우리 선대의 사상과 정신도 지키지 못하게 귀결되었사옵니다. 대륙을 호령했던 고구려의 땅을 회복했다면 원의 속국도 되지 않았을 것이고 그들의 눈치도 볼 필요가 없었을 것이옵니다. 그러면 자연스레 유가와 불가, 도가를 하나로 포함하고 있는 현묘한 도인 풍류에 입각해 홍익인간의 사상과 정신을 과감하게 주장하며 그런 세상을 만들어 나가려고 노력했을 것이옵니다. 허나 지금은 그 어떤 것도 할 수 없는 상황이 되어 버렸습니다. 저는 아버님께 정중하게 요청하는 바이옵니다. 무장의 길을 가도록 허락해 주시옵소서."

최원직은 최영이 작심하고 발언하는 그 이유를 알아들었다. 무장의 길을 허락받고 싶은 것이었다. 허나 지금 천하는 원의 세상인데, 어떻게 무장의 길을 가서 그 옛날 영토를 회복하겠다는 것인지? 이를 다른 사람이 알기라도 한다면 이 애의 목숨은 살아남을 수 없었다.

"내 깊이 생각해 보마. 그만 나가 봐라."

최원직은 심려를 끼쳐 죄송하다는 모습으로 밖으로 나가는 최영을 다시금 살펴보았다. 당당하게 자신의 길을 걷고자 하는 모습이 대견스러워 보이기도 했다. 허나 그건 반역죄로 걸릴 수 있는 주장이었다. 이 애가 반역할 생각을 갖고 있는 것일까? 선인의 길을 걷는 게 운명인가? 환웅과 단군 할아버지가 홍익인간의 세상을 열려고 한 뜻을 계승하겠다고 하는데, 그것이 어찌 틀렸다고 치부할 것인가?

최원직은 그날 이후 여러 모로 생각에 잠겼다. 그러나 분명한 것은 고려의 현실이 희망이 보이지 않고 절망적이라는 점이었다. 이 고려가 새롭게 융성하기 위해서는 아들의 말마따나 비상한 대책이 필요했다.

도대체 어디서부터 잘못된 것일까? 최원직의 뇌리에 무신정변, 몽골과의 항전, 개경으로의 환도와 항복, 삼별초의 난 진압, 고려 국왕들의 중조 현상 등의 역사적 과정이 하나의 실타래처럼 죽 펼쳐졌다. 권신 세력의 농간에 의해 나라의 근간인 기강이 허물어져 버린 것은 무신세력의 집권으로부터 비롯되었다. 그런데 이런 권신들의 문제를 제대로 해결하지도 못하고 삼별초의 난을 진압하는 과정은 고려왕과 고려 장수가 더 이상 고려왕과 고려 장수가 아니게 만들었다. 고려왕이 몽골군을 끌고 와서 고려 장수와 함께 진짜 고려의 요구를 대변하는 고려군을 진압하는 성격을 띠었기 때문이었다.

이로부터 고려는 원의 속국으로 전락하여 원과 관계를 형성하는 자들이 권력을 쥐락펴락하게 되었다. 원과 관계를 가진 자라고 하면 우선 몽골군의 침략을 받아 투항하거나 고려에 반란을 일으키면서 몽골군의 앞잡이 역할을 하는 홍복원 같은 부류가 먼저 있었다. 그 다음에는 왕이 원의 황실과 혼인을 했으니 그 다음을 차지하게 되었다. 그 다음으로는 원의 공주가 고려로 오면서 데려온 겁령구나 시종들이었다. 충렬왕 때 제국대장공주를 따라온 겁령구인 홀라테와 삼가, 차고태는 각각 인후와 장순룡, 차신이라는 이름을 하사받고 장군의 관직을 받는 이들이었다. 그 다음으로는 원과 고려의 교류와 거래를 통역할 수 있는 사람이었다. 조인규와 유청신 등은 통역관 출신이었지만 엄청난 권세를 누렸다. 또 삼별초 등 고려의 국권 회복을 요구하는 세력을 진압하는 데 공을 세운 이들이었다. 김방경이나 나유 등이 그 부류였다. 아울러 원의 권력자와 인척관계를 맺는 부류가 새로 탄생하여 새롭게 권력의 축에 참가하게 되었다.

고려의 모든 권력은 원의 권력자와의 관계 여부에 의해 좌우되었고, 이들 세력들이 고려 권력의 축을 형성하는 꼴이었다. 이러니 권력층에서 고려 백성을 위한 시책을 펼 의지가 충만했다고 보기도 어려웠다. 고려 국왕들은 왕 자리만 보장된다면 정사는 측근이나 폐신에게 맡겨버리고 사냥이나 연회, 주색잡기 등 사치와 향락에 빠져들었다. 폐신이나 권신들은 국왕이 더욱 사치와 향락에 빠지게 만들고, 그 틈을 이용해 자신의 탐욕을 채우려 들었다. 몇몇 뜻있는 유자들이 국왕에게 정사를 바르게 펴야 한다고 간언해도 쉽사리 귀 기울이지 않았다. 그것마저 차단당하는 것이 비일비재했다. 이것이 무신집권 이래 원의 속국으로 전락해 충혜왕이 왕위에 오를 때까지의 고려 사회의 실정이었다.

이런 사실들을 떠올리매, 고려가 어떤 나라일까에 대한 의문이 스며들었다. 하긴 고려가 몽골의 침입을 받기 시작하자 고려의 유자나 불자를 막론하고 뜻있는 이들은 고려의 정체성에 대해 탐구하기 시작했다. 외세의 침입을 막아내기 위해서는 무엇보다 자긍심이 필요했기 때문이었다. 이규보는 1193년에 『동명왕편』을 저술하였다. 거기서 그는 지금껏 귀신의 장난으로 보였던 것이 찬찬히 탐구해 보니 신이한 이적을 보인 일이 사실처럼 느껴졌다고 말하면서 고려는 고구려를 당당히 이어받는 나라라고 주장하였다. 일연 스님 또한 1281년에 『삼국유사』를 지으면서 고려는 중국의 역사와 동등한, 즉 요 임금과 같은 시기에 당당히 건국한 단군조선의 나라로부터 계승되어 온 역사적 유래가 깊은 나라라고 서술하였다. 이승휴는 1287년에 『제왕운기』를 서술하면서 저 대륙의 땅이 단군조선으로부터 우리 민족의 영역이었다고 밝히면서 발해도 우리 민족의 역사라고 주장하였다. 지금 원의 속국에 처했다 하더라도 이런 고려의 자긍심을 찾을 생각은 아니하고 거기에 놀아나는 모습은 결코 옳은 일이라고 볼 수 없었다. 그래서 이승휴는 그걸 두 눈 뜨고 볼 수 없었기에 충선왕이 자신의 재질을 아까워하여 조정에 불렀는데도 끝내 치사하고 고향으로 돌아가 버린 것일까?

　최원직은 여러 모로 궁리해 보았지만 아들 최영의 말을 반박하기 어려웠다. 도리어 참다운 고구려의 정신을 이어받으려고 하는 아들의 의기가 더 자랑스럽게 여겨졌다. 그뿐 아니라 지금 상황에서 유자의 길로 가 봤자 자기 꼴이 아니 된다는 보장도 없었다. 그럴 바에는 차라리 무장으로 나아가 자신의 힘으로 잘못된 것을 뿌리 뽑아 버리고 저 광활한 대륙을 되찾아 옛 단군조선 시대의 영광을 되찾는 데에 나아가도록 힘을 북돋아주는 게 아비로서의 도리인 것 같았다. 어쩌면 꿈이 오늘의 운명을 예시한 것이라는 생각마저 들었다.

　최원직은 마침내 최영을 불러들였다. 최영은 아버지가 어떤 대답을 할지 궁금한 듯 차분히 응시했다.

　"너의 길을 가거라. 무장의 길을 가서 이 고려의 영광을, 옛 고구려와 단군조선 시대의 영광을 되찾아 보거라."

　"정말이시옵니까? 아버님, 허락해 주셔서 감사하옵니다. 소자 비록 재질은 보잘 것 없사오나 이 한목숨 바쳐서 꼭 그날을 재현해 보겠사옵니다."

최영은 연거푸 고개 숙여 감사를 표했다. 그런 아들 모습을 본 최원직은 다시 차분하게 말을 이었다.

"내 지금껏 아무에게도 말하지 않았다만 이제 너에게 이 얘기를 해 주마. 어느 누구에게도 말하지 말고 그것이 네가 짊어져야 할 길이라고 여기며 힘써 나아가야 할 것이다."

최원직은 그리 말하면서 그의 부인 봉산 지씨가 최영을 낳을 때 그가 꾸었던 현몽을 얘기해주었다. 최영은 왜 자신이 선인을 비롯해 환웅과 단군 할아버지에 대해 관심이 끌리고 고구려와 단군조선의 옛 땅을 생각하면 자신도 모르게 가슴이 두근거리며 뛰었는지 그 의문이 풀리는 것 같았다. 이 길이 자신의 운명이라는 확신이었다. 그는 대륙의 옛 땅을 기필코 되찾고야 말겠다는 의지를 더욱 다졌다. 그런 아들을 보면 최원직이 다시 말을 이었다.

"너야 10년 가까이 학문에 정진하였으니 무신집권자들처럼 치국의 도가 무엇인지 모를 정도는 아닐 것이다. 삼교를 포함해야 한다는 풍류의 도까지 탐구하고 있으니 어떻게 해야 되는지 어느 정도 이해하고 있을 것으로 안다. 헌데 치국의 도를 공부했다는 유자들이 왜 관직에 나가 참다운 유자의 길을 가지 못하는지 그 이유를 아느냐? 너야 유가 자체가 지닌 부족함에 그 원인이 있다고 여기고 있지만 유가든, 불가든, 도가든 아니 삼교를 포함하는 홍익인간의 사상이든 그 모든 것은 결국 사람이 한단다. 비록 유가가 부족함이 있다손 치더라도 그 정신을 이어받아 탐욕을 부리지 않았다면 고려 사회가 이토록 기강이 문란해지고 혼탁한 상황에 처하지는 않았을 것이다. 그들이 아부와 아첨을 일삼고 임금이 임금 노릇을 못하게 하고 신하가 신하 노릇을 못하게 하는 데는 다 탐욕에서 비롯된 것이란다. 탐욕에 미처 수치심을 잊고 자기 책무를 방기하며 백성들을 도탄에 빠지게 하였다. 그 때문에 네가 무장의 길을 가면서 새로운 고려 사회의 중흥을 이룩하자면 그 어떤 경우에도 탐욕에 빠져져서는 아니 될 것이다. 너는 앞으로 황금 보기를 돌같이 하면서 탐욕을 경계하거라. 너는 이것을 평생 좌우명으로 삼고 살아갈 수 있겠느냐?"

"아버님, 그리하겠사옵니다."

최영은 분명하게 대답했다. 아버지가 자신의 뜻을 받아주며 마지막 삶의 좌우명까지 말해주는 것에 도리어 힘이 솟구치기까지 했다.

최영은 아버지의 허락을 받는 이후 당장 무예를 익히기 위한 준비 절차에 들어갔다. 그러나 아버지는 최영이 그것을 시작하기도 전에 운명하시고 말았다. 최영의 얼굴엔 눈물이 줄줄 흘러내렸다. 썩어 빠진 조정을 개혁하지 못한 것을 통탄만 하시다가 돌아가신 분이었다. 그래서 뭔가 자신의 길을 보여주려고 한 것이었다. 그런데 그걸 보지 못하고 세상을 떠나신 게, 그게 그를 더 슬프게 하였다.

아버지의 장례식은 조촐하게 치러졌다. 최원직은 사헌 규정의 벼슬을 지냈지만 유자의 참된 길을 가려고 했으니 녹봉도 제대로 받지 못했다. 간신히 죽과 풀잎에다가 허기를 달랠 정도였다. 장례식마저 백부인 최원중의 도움을 받아 진행되었다. 최원중은 충렬왕 때 과거에 합격한 후 서부부령과 판전교시사를 거쳐 예문관 직제학을 역임하고 있었던 관계로 최영의 집안보다는 형편이 좀 더 나은 편이었다.

최영은 장례식을 치른 이후 며칠 동안 침잠에 빠졌다. 황금 보기를 돌같이 하라는 말은 아버지가 자신에게 남긴 유언이었다. 왜 이런 유언을 남겼는지, 그리고 왜 학문에 정진하게 했는지 그 이유를 알 수 있을 것 같았다. 아버지는 그가 어떤 길을 가야 하는지 그 운명을 받아들이고, 그 길을 참답게 갈 수 있도록 예비해 주고자 하신 것이었다. 아버님의 뜻이 그러하다면 슬픔에 휩싸여 있을 수만은 없었다. 그 길에 나서서 필히 성공시켜야 했다.

마침내 최영은 일어섰다. 어머니 봉산 지씨와 누이 최씨를 불러놓고 무장의 길을 가겠다는 뜻을 밝혔다. 누이 최씨에게는 어머니를 부탁하였다. 16살이었지만 이미 장부의 모습을 그대로 드러낸 최영은 무예를 닦기 위해 간단히 등짐을 멘 채 집을 나섰다.

동지들을 만나고 의기투합하다

1344년 봄, 최영의 나이 28살, 어엿한 장부의 모습이었다. 원래부터 장대한 기골에 무예로 단련된 그의 몸은 용수철 뛰어오르듯 끓어올랐다. 최영은 감회에 어린 듯 삼봉산을 천천히 훑어보았다. 수리봉과 매봉이 범접을 못 하도록 좌우로 솟은 가운데, 닭재산이 무게중심을 잡는 듯 사뿐히 앉아 있고, 삼봉산의 앞부분엔 장군봉이 우뚝 서 있었다. 그곳은 그가 무려 12년에 걸쳐 무예를 수련한 곳이었다. 얼마나 미련한 곰처럼 무예에 전념하였는지 처음 시기엔 바위와 돌멩이로 널려져 있던 산판이 거의 모래가루마냥 부서져 흙먼지가 휘날릴 정도였다. 지난날 쉼 없이 수련했던 과정이 화선지 위의 화폭처럼 쭉 펼쳐졌다. 그가 가장 마음 아프고 슬펐던 건 가장 애지중지하는 금마를 잃어 버린 것이었다.

조급한 마음에 처음엔 무예를 하루빨리 습득하려고만 들었다. 그게 아버지를 위로하고 고려를 위한 길이라 여겼다. 말 타기도 남과 비교할 수 없을 정도로 비호처럼 빨리 달려야 한다고만 속단했다. 그래서 금마와 함께 시합을 벌였다. 삼봉산 앞산 철마산에서부터 삼봉산의 세 봉우리 중 가운데에 있는 닭재산까지 화살과 말 중에서 누가 빠르냐는 내기였다. 그는 닭재산의 목표물을 향해 화살을 쏘는가 동시에 금마와 함께 역주했다. 다른 생각은 없었다. 어떻게 도착했는지 모를 지경이었다. 금마는 게거품을 물고는 숨을 헐떡거렸다. 목표물에는 화살이 보이지 않았다. 그는 자신이 화살을 잘못 쏘았다고 여기고는 시합에 졌다고 금마를 꾸짖었다. 그게 서러워서인지 금마는 힘없이 다리를 구부리더니 쓰러져버렸다. 그와 동시에 화살이 과녁에 꽂혔다. 시합에 이긴 것이었다. 허나 이긴 것 치고 상처가 너무 컸다. 그가 분신처럼 여기며 애지중지하던 금마를 잃어 버렸다. 강한 것이 무조건 강한 것이 아니었다. 도리어 헛되이 힘을 사용하여 부작용을 일으켰다. 금마를 믿지 못한 건 자기 자신을 못 믿는 격과 같았다. 무조건 빠르고 강한 것만을 숭상하여 금마를 혹독하게 다루어 죽게 만든 것이었다. 최영은 금마에게 진심으로 용서를 구하며 무덤을 만들어 묻어주었다.

그 후부터 최영은 체계적으로 무술을 연마하기 시작했다. 체력단련에서부터 시작해서 수박희와 장봉과 검술, 말 타기와 활쏘기 등 전반에 걸쳐 무예를 익혔다. 초식을 응용하는 단계를 뛰어넘은 지 이미 오래였다. 범인들이 감히 범접하기 어려운 경지였다. 헌데 그가 무예를 시전하면서 직감하는 것은 뭔가 부족하다는 것이었다. 저절로 그렇게 되는 자연스러움에 도달하지 못했다. 그것을 풀기 위해 여러 모로 시도하고 도전했다. 병법의 근원에 병도가 있듯이 무예에도 무도가 있을 것이라고 여기며 여러 병법서와 무예지전서도 참고하였다. 그런데도 알 길이 없었고, 풀리지 않았다. 그 조그마한 미진함을 깨우쳐야만 했다. 고려가 처한 현실을 생각하면 이 정도의 무예로 되지 않는다는 것이 그의 판단이었다. 그만큼 고려 조정은 난장판이었다. 오물을 깨끗이 청소해야만 했다. 원과의 일전도 각오해야 했다. 그러자면 절대등극의 무예를 익히기 전까지 결코 멈출 수 없었다.

고려의 조정은 최영이 무예를 익히기 위해 떠난 지 얼마 되지 않아 아버지 최원직이 예측한 대로 충혜왕의 절대적 후원 세력이었던 원의 실력자 엘티무르가 죽고 백안이 실권을 잡자, 충혜왕이 쫓겨 나고 1332년 2월 다시 충숙왕이 복위하였다. 충숙왕은 맘에 벼르고 있었다는 듯 민상정과 조염휘을 보내어 정승 윤석, 재상 손기, 김지경, 상호군 배전, 오자순, 강서, 박연, 대언 이군해(이암), 윤환. 대호군 구천우, 호군 최안수, 김청우, 낭장 노영서 등을 순군옥에 하옥시켰다. 충혜왕의 측근 세력을 제거하고자 함이었다. 헌데 충숙왕이 등용하여 추진한 세력이 채홍철이나 그 아들 채하중, 조적, 원 관리 장백상 등이었다. 채홍철이나 채하중, 조적은 자기 자신을 왕위에서 몰아내고 심왕 왕고를 고려 국왕으로 올리려고 획책했던 이들이었다. 장백상은 충혜왕이 왕위에 오르자 고려를 아예 없애버리고 행성을 설치해 직접 통치해야 한다고까지 주장한 자였다. 그때는 충혜왕이 엘티무르의 총애를 받고 있었기에 직접 승상에게 글을 써서 보내어 철회시켰다. 이런 자들을 등용시킬 수밖에 없을 정도로 충숙왕의 처지는 궁박했고, 원의 지지 세력 또한 미미하였다. 그래서인지 충숙왕은 다시 원의 실력자 백안 가문 출신의 딸 경화공주와 혼례를 치르고 고려로 돌아왔다. 왕위가 보장되었다고 판단했는지 거의 정사에 신경 쓰지 않았다. 조정은 삼청이라고 하는 박청과 신청, 이청 등의 폐신들에 의해 농락되었다. 이런 가운데 충숙왕은 1339년 3월에, 그래도 자기 아들인 충혜왕에게 다음 왕위를 잇게 하라는 유명을 남기고 죽음을 맞이하였다.

그러자 충혜왕은 원으로부터 왕위 계승의 정식 인정도 받지 않는 상태에서 권성 홍빈으로 하여금 신청부터 칼을 씌워 이문소에 하옥시켰다. 당시 충혜왕은 왕위에 쫓겨 나 원에 끌려가서도 여전히 호협 짓거리를 하고 다님으로써 원의 실권자 백안은 도저히 안 되겠다고 여기며 1336년 12월에 고려로 돌려 보낸 상태였다. 고려에 와서도 충혜왕의 호협 짓거리는 계속되었다. 충숙왕은 그걸 못마땅해했다. 그래서 충숙왕의 종신인 전 대호군 조익청과 전 대언 윤환이 충혜왕과 가까운 악소배들을 제거하기로 모의하였다. 그 결과 신청과 사이가 좋은 전 상호군 오자순과 전 대호군 홍서 두 사람을 보내어 그 일을 도모하였다. 그 당시 신청은 순군 천호로서 악소배 중 가장 심하다고 여긴 송팔랑과 홍장 등을 잡아 가두고 매우 모질게 고문하였다. 충혜왕이 그들을 석방시키려고 여러 번 신청을 불렀는데도 응하지 않았다. 충혜왕은 이때의 일을 벼르고 있었던 것이었다. 조익청도 제주안무사로 좌천시켰고, 윤환은 칠원으로 추방하였으며, 오자순은 장형을 가해 해주로 추방하고, 홍서를 섬으로 유배 보냈다. 전 대호군 김경은 잡아다가 왜 홍서와 모의했느냐고 하면서 철골로 후려쳤다.

충혜왕은 분풀이를 하고 나서는 정사에는 뒷전이고 여전히 연회와 주색잡기 놀음에 빠져 헤어 나오지 못했다. 외숙인 홍융의 후처 황씨를 간음하였고, 심지어 자기 아버지 충숙왕의 후비인 수비 권씨와 경화공주까지 강제로 간음하였다. 왕이 아니었을 때는 그렇다 치더라도 복위해야 할 왕이 버젓이 그 짓을 하고 다니니 그것은 조정에 큰 파장을 몰고 왔다.

하긴 충선왕도 아버지 충렬왕이 죽자 충렬왕의 후비인 숙창원비 김씨와 간통하였다. 숙창원비 김씨는 충선왕이 자기 어머니 제국대장공주가 충렬왕이 총애하는 무비에 대한 질투심 때문에 죽었다고 여기고 무비를 참살하고서 나중에 그 대신에 충렬왕에게 바친 여자였다. 그런데 숙창원비가 충선왕을 받아들인 것과 달리 수비 권비는 자살하였고, 반면에 원 귀족 출신인 경화공주는 그 일을 수치스럽게 여기고 원에 돌아가 이를 고하려 한다는

점이었다. 이 일이 알려지면 심왕 왕고의 세력에게 좋은 빌미가
될 것이었다. 충혜왕은 경화공주가 원으로 가는 것을 한사코 막
으려고 했다. 이엄과 윤계종에게 명해 원으로 타고 갈 말을 구하
지 못하게 하기 위해 마 시장조차 열지 못하도록 금하였다. 이에
경화공주는 심왕 왕고의 핵심 측근인 조적을 불러들였다. 당시
조적은 충혜왕이 왕위를 이을 가능성이 높아 보이자 칭병하고 두
문불출하고 있었다. 경화공주는 폭행당한 당시 상황을 조적에게
밝혔다. 충혜왕을 맞아 잔치를 베풀어 주었는데, 술자리가 끝나
도 술 취한 척 물러가지 않고 있다가 침실로 들어오더라는 것이
었다. 나가라고 소리쳤는데도 도리어 송명리 등의 폐인까지 동원
해 옴짝달싹못하게 하고는 강제로 범했다는 것이었다.

조적은 이 사실을 듣고 공공연히 반란을 획책했다. 정승 홍빈
을 비롯해 행성의 관리들에게 알리고, 백관들을 소집하고서는 악
소배들을 쫓아내야 한다고 성토하였다. 그리고는 전 호군 이안,
장언, 오운으로 하여금 순군 수령관을 삼아 국인까지 맘대로 가
져가 영안궁에 두게 하고는 전 군부 총랑 유연, 좌사보 이달충,
군부 좌랑 성원도, 예문 검열 김득배 등에게 지키게 하였다. 이로
써 충혜왕의 세력과 심왕 왕고의 세력인 조적 일당은 서로 연경
궁과 영안궁을 사이에 두고 대치하게 되었다. 이런 때에 심왕 왕
고의 종신 박전이 평양에 와서는 이미 심왕이 고려 국왕에 임명
되었다고 알려왔다. 대치 상황이 조적의 세력에게 유리하게 돌아

가게 되었다. 그런데 이번에는 원으로부터 돌아온 김주장이 충혜왕이 왕위를 잇게 되었다고 전해왔다. 이로 인해 박전의 말이 거짓으로 탄로 나게 되었다. 그런데 김주장의 말 또한 거짓이었다. 허나 이를 계기로 충혜왕의 세력에게 유리한 형세가 조성되었고, 조적에 가담했던 세력들 중에서 이탈자가 나오기 시작했다. 충혜왕은 거리 곳곳에 방까지 써 붙이며 이를 더욱 조장하고 나섰다.

"조적 일당이 조정을 두려워하지 않고 칼과 활로 무장하여 나라 사람들을 위협하여 반역을 꾀하였다. 하늘 아래 그 죄가 이보다 더 클 수 없을 것이다. …… 허나 관원 가운데 능히 바른길로 돌아오면 그 죄를 묻지 아니하고 용서하겠노라."

그리고는 전 판서 이조년으로 하여금 여러 재상들과 행성의 관리들을 불러들이게 하고선 반역의 무리를 제거하기 위해 나서줄 것을 강력히 요청하였다. 조적이 오랫동안 심왕의 신복으로 활동하면서 몰래 다른 뜻을 품어왔다는 것을 익히 알고 있지 않느냐는 것이었다.

조적 또한 충혜왕에게 맞서 대항했다.

"정승으로서 그런 황음무도한 짓을 보고도 상국인 원의 조정에 알리지 않는다면 내가 죄인이 되는 것이나 다름이 없다. 왕이 죽이려고 해도 하나도 두렵지 않다."

그러면서 군사를 동원하여 궁문 밖에 수레를 죽 연결해 방어망을 형성해 방비하게 하였다. 그리고서는 홍빈, 신백, 황겸, 백문거, 왕백, 홍성, 조염, 전사의, 주주 등을 비롯해 행성의 관리들과 조염휘, 이휴, 이영부, 이안, 한승, 장거재, 배성경, 민후, 오운 등을 시켜서 1천여 명의 군사를 모아 붉은 천을 잘라 옷에 붙여 표시하게 하였다. 이윽고 밤 5경에 이르러 칼과 몽둥이로 무장한 군사들을 대동하고서 연경궁을 공격하였다.

충혜왕은 두서너 기병을 데리고 직접 앞으로 나섰다. 조적의 반란군을 살펴본 그는 선참으로 공격해 온 군사를 활로 쏘아 쓰러뜨렸다. 조적의 군사가 움츠려드는 순간 충혜왕은 반역자들을 토벌하라고 크게 소리치며 군사들을 독려하였다. 그 기세에 힘입어 반격하여 나오니 조적의 군사대오가 힘없이 무너지며 도망가기에 급급하였다. 마침내 방어용으로 연결시켜 만든 수레마저 붕괴되어 뚫려버리자 조적은 형세가 기울었음을 직감하고 영안궁으로 들어가 경화공주전으로 들어갔다. 허나 곧 뒤쫓아 온 군사에 의해 죽임을 당하고 순군부의 남쪽 다리 아래에 기시되었다.

조적의 반란을 진압한 후 원에 승계를 요청했으나 원은 왕위 복위를 허락하지 않았다. 도리어 원은 중서성 단사관 두린과 직성 사인 구통 등을 보내 조적의 반란을 조사한다는 명목으로 충혜왕을 포함해 왕의 세력과 조적 일당을 원으로 압송하여 형부에 가둬 버렸다. 서로 뒤섞여 심문을 받는 중에 김륜은 조적 일당의 반란 행위를 분명하게 밝혔다. 허나 왕의 복위는 결론 나지 않았다. 무려 1년여 동안이나 고려는 왕이 없는 처지가 되어 버렸다. 이 불미한 사태를 맞이하여 이조년은 강개 발분하여 목숨을 걸고 승상 백안에게 직접 호소하기 위해 이제현에게 글을 부탁하였다. 허나 뜻밖에 왕의 복위는 손쉽게 이뤄졌다. 원의 권력 구조에 변동이 발생해 그토록 충혜왕을 싫어했던 백안이 탈탈대부에 의해 제거되었기 때문이었다. 탈탈대부는 원의 순제에게 아뢰어 충혜왕을 석방시키고 복위시켰다.

1333년에 황제에 오른 순제는 이때에 이르러서야 왕권을 제대로 행사할 수 있게 되었다. 원의 8대 문종이 1332년 죽은 후 실권자 엘티무르와 문종 황후는 문종의 형 명종의 장남인 순제를 왕위에 올리지 않고 자신들이 통제하기가 편한 더 나이 어린 순제의 동생 영종을 옹립했다. 7살에 황제에 오른 영종은 채 몇 달도 되지 않아 죽었다. 엘티무르는 문종의 아들을 옹립하고자 했으나 문종 황후는 순제 이후 다시 문종의 아들을 옹립시킨다는 조건으로 순제를 옹립하였다. 그렇지만 엘티무르의 반대에 의해 순제는 황제에 오르지 못했다. 엘티무르가 죽고 나서 황제에 올랐지만 실권은 백안에 의해 좌우되었다. 마침내 순제는 탈탈대부를 통해 백안을 제거함으로써 왕권을 확립한 후, 문종 황후가 갖고 있는 태황태후의 자격을 박탈하였다. 문종의 아들 또한 고려로 추방하였다. 기자오의 딸 기씨(기황후)는 순제의 왕권 확립에 기여함으로써 세력을 확장시켜 나갈 수 있게 되었다. 기씨는 고려의 공녀로 원에 보내졌는데, 고려 출신 환관 고용보의 추천으로 1333년 궁녀가 되었고, 1338년에는 순제의 아들 아유르시리다라를 낳았다. 고려 출신으로서 제2황후로 책봉된 기씨의 권력 강화는 고려에 점차 영향을 미치게 되었다. 1341년 2월에 원의 환관 고용보는 고려로부터 완산군으로 봉해지기에 이르렀다.

기황후의 세력이 고려로 힘을 뻗치든 말든 충혜왕은 여전히 악소배들과 어울리며 연회와 사냥, 주색잡기에 탐닉하였다. 예쁘다는 소문이 들리면 충혜왕은 온갖 수단을 다해 그 계집을 취했다. 단양대군의 계집종인 임신의 딸도 그런 꼴이었다. 임신은 사기를 팔아 생업을 삼았던 사람이었는데, 딸이 충혜왕의 총애를 받게 되자 대호군을 제수받았다. 임신은 딸에 대한 왕의 총애를 믿고 원의 제2황후의 오빠인 기윤마저 구타했다. 그로 인해 말썽이 나자 충혜왕이 친히 두둔하며 기윤의 집마저 헐어버렸다. 충혜왕이 폐인들을 감싸고도니 폐신들의 권력 농단은 극히 심해졌다. 이를 보다 못한 이조년이 충혜왕에게 간언했다.

"지난날 원에 끌려가 하옥되어 국문을 받아야 했던 그 참화를 벌써 잊었사옵니까? 지금 악소배들이 왕의 위엄을 빌어 부녀자들을 약탈하고 재화를 빼앗아 백성들의 생활은 참혹한 지경에 빠져 있사옵니다. 그런데 어찌하여 날마다 오락과 향락 생활을 즐길 수가 있사옵니까? 부디 정신을 가다듬고 아첨하는 자들을 멀리하고 어진 사람을 등용하여 정사를 살피시옵소서."

허나 충혜왕은 듣기 싫은 소리한다며 역정만 냈다. 도저히 안 되겠다고 판단한 이조년은 은퇴를 청원하고 초야로 묻혀버렸다.

충혜왕의 연회 놀음과 주색잡기는 그 끝을 알 수 없을 정도였다. 아비의 여자든, 장인의 처든, 장모든, 신하이든 거침이 없었다. 내시 전자유의 집에 가서 아내를 덮치고, 재상 배전이 원에 있는 틈을 이용해 그 집으로 가서는 그 처와 그 처 동생을 동시에 간음하였다. 윤환의 처 유씨와도 정을 통했다. 장인어른 평리 홍탁의 후처인 황씨도 간음하였고, 그로 인해 황씨가 임질에 걸리자 열약까지 건네주었다.

충혜왕의 거침없는 행동을 막을 자는 고려에 있어서는 아무도 없었다. 그런 무소불위한 힘으로 국정을 고민하고 이끌어갔으면 좋았을 것이었다. 허나 어렸을 때부터 원에 인질로 끌려가 자라나다 보니 그런 것을 익히지 못했다. 배운 게 호협질 같은 것이었다. 그 짓을 하자니 엄청난 재물이 요구되었다. 충혜왕이 악소배들을 자기 옆에 두는 것은 그것이 그의 지지기반이 되기 때문이었다. 그는 자기 폐신과 악소배들의 행동을 철저히 두둔했다. 악소배들이 매에게 음식을 먹이겠다고 마을의 닭과 개를 함부로 잡아가도 어느 누구도 하소연하지 못했다. 그들을 위해 충혜왕은 화폐 축적에도 열을 올렸다.

충혜왕은 지금껏 어떤 고려 국왕도 하지 않았던 상업 행위를 적극 전개하였다. 국가의 재정을 넉넉히 마련하고자 하는 것이야 모든 국왕이 추진하고자 하는 바였다. 그런데 국가 재정이 아니라 왕 자신의 재물을 마련하기 위해, 그것도 상업 활동을 통해 이룩하고자 하는 것은 왕의 국정 행위로서는 받아질 수 없는 짓이었다. 그런데도 충혜왕은 거리낌 없이 진행하였다. 베 2만 필과 금은, 초화 등을 가지고 가서 유주와 연주에서 교역하도록 남궁신 등을 보낸 것이 그것이었다.

허나 그것만 가지고서는 안 되었는지 직세까지 도입하였다. 직세는 폐인 영부금이 강원도에 인삼을 구하러 갔다가 귀한지라 많이 구하지 못하게 되자 벌 받을까 봐 관직을 제수받은 사람들에게 직세를 제 맘대로 징수하고서는 왕에게 직세안의 계책을 주청해서 시행된 것이었다. 폐인들을 여러 도에 보내 직세를 징수했는데 그 폐해가 심각하기 짝이 없었다. 경상도의 한 산원 동정은 가산을 다 팔아도 그 액수를 충당할 수가 없어서 딸의 머리털을 잘라 베와 바꾸어 바치고서는 부녀가 함께 목메어 자살하였다. 또 선세도 징수하였는데, 배를 갖고 있지 않아도 그 해를 입는 경우가 다반사였다. 이런 식으로 토지와 노비를 징수하여 보흥고에 소속시켰다.

게다가 왕궁에서 재정 사업을 직접 진행하고자 신궁까지 지어나갔다. 은천옹주의 주관 하에 직접 노비들을 부려 길쌈을 하게 하여 재정을 마련하고자 함이었다. 은천옹주는 사기를 파는 상인 임씨의 딸인데, 1342년 평리 홍탁의 딸을 맞이하면서 화비로 책봉했을 때 총애했던 임씨의 딸도 은천옹주로 책봉했다. 허나 사람들은 사기 장수의 딸이라 하여 사기옹주라고 불렀다.

재정 마련을 위해 새 궁궐을 짓는데 곳간이 1백 칸이나 될 정도로 그 크기가 엄청 났다. 그 비용을 충당하기가 만만치 않았다.

재상으로부터 권무에 이르기까지 거기에 소요되는 재목을 기일 내에 납부하지 못하면 베 5백 필을 징수하고 해도로 귀양 보내겠다는 강박까지 동원되었다. 궁궐이 완성되면 노비를 그곳에 채우려고 한다면서 윤환과 강윤충, 손수경, 채하중 등을 비롯한 신하들에게까지 계집종을 바치도록 요구하였다. 그뿐 아니라 강윤충과 민환 등으로 하여금 부당하게 노비를 부리고 있는 자들을 물색해서 차출하게 하였다. 민환은 희비 윤씨의 외삼촌이 되는 사람이었다.

충혜왕의 호협질과 재정 마련 조치는 직접 백성들을 상대로 수탈하는 것은 아니었다. 주로 조정 대신들과 관료들을 약화시키기 위해 취한 조치였다. 그러나 이로 인해 충혜왕은 폐신들을 제외한 나머지 세력들로 하여금 반발을 불러일으켰고 거리를 두게 만들었다. 그 흐름은 먼저 이운, 조익청, 기철 등이 입성책동을 시도한 것에서 드러났다. 허나 그 입성책동이라는 것이 고려에서 현실적으로 적용하기가 어려운지라 그리 큰 반향을 일으키진 못했다.

원의 조정은, 특히 기황후 세력은 충혜왕이 재정을 마련하여 그의 지지기반을 다지려고 하는 행위를 결코 좌시하려 들지 않았다. 그럴 수밖에 없는 게 충혜왕이 취한 거의 모든 조치는 고려에서 기황후 세력의 힘이 뻗치지 못하게 하기 위한 행동이었기 때문이었다. 기황후 세력은 고려 조정에 영향력을 미치고자 충혜왕을 제거하고자 하였다. 1343년 10월 들어 자정원사 고용보와 태감 박불화를 보내 충혜왕의 동정을 주시하게 하였다. 그리고는 1343년 11월에 내주(乃住) 등 8인을 보내어 말안장을 구하러 왔다고 하고, 또 대경 타적과 낭중 별실가 등 6인을 보내와 천자가 교외에서 제사 지내고 죄인을 사면하는 조서를 반포한다고 하면서 충혜왕의 출영을 요구했다.

충혜왕은 뭔가 낌새가 이상하다고 여기며 나가지 않으려 하였다. 고용보는 그런 충혜왕을 강박하고 나왔다.

"원 황제께서 왕을 불경스럽게 여기고 있는데, 출영까지 하지 않으면 더욱 의심하게 될 것입니다."

충혜왕은 마지못해 백관을 대동하고 조복차림으로 정동성에 나갔다. 그리고 황제의 조서를 받들려고 엎드렸다. 그때 타적과 내주 등이 왕을 발로 걷어차면서 다짜고짜 포박하였다. 그와 동시에 사자들이 칼을 빼들어 시종하던 악소배들을 공격하였다. 백관들은 모두 달아나 숨고, 충혜왕을 지키기 위해 나섰던 좌우사 낭중 김영후, 만호 강호례, 밀직 부사 최안우, 응양군 김선장은 창에 맞아 쓰려지고, 지평 노준경과 용사 두 사람은 피살되었다. 칼이나 창에 맞은 자도 부지기수였다. 그런데도 고려의 재상이었던 신예는 고용보와 처남 관계라 하여 도리어 주위에 군사를 매복시켜 외부를 방어하며 그 일을 지원하고 나섰다.

타적 등은 칼을 빼들고 위협하면서 곧장 충혜왕을 끼어 잡고 한 필의 말에 태워 원으로 끌고 가 버렸다. 일국의 국왕이 자신의 호위 군사도 제대로 꾸리지 못해 그 몇몇 되지도 않는 사신의 무리에게 걷어차이며 끌려간 것이었다. 당연히 충혜왕의 폐신들도 체포되었고, 임신, 박양연, 임이도, 남궁신, 최안의, 김청수, 민환, 왕석, 승신 등은 전 대언 인당에 의해 함거에 실려 원에 압송되었다.

왕이 붙잡혀 갔다는 소식에 재상과 원로들이 대책을 마련하기 위해 한자리에 모였다. 먼저 언양군 김륜이 왕의 죄를 용서해주라는 뜻을 주청하자고 주장하였다. 그러자 예천군 권한공이 반박하고 나섰다.

"고사에 의하면 황제와 의견을 달리하는 신하는 다 참수되었소이다. 그런데 천자가 왕의 무도함을 주벌하려고 하는데 어떻게 구할 수가 있겠습니까?

"맞아요. 천자가 죄를 주려고 하는데, 이를 반대한다면 천자의 명이 그르다고 하는 꼴이 아닙니까?"

전 정승 이능간이 권한공의 말에 동조하며 나섰다. 그러자 전 정승 강장은 참으로 난처하다는 투로 중얼거렸다.

"황제의 뜻을 헤아릴 수 없으니 어찌해야 할꼬? 어찌해야 할꼬?"

"신하된 몸으로 그 무슨 망발들을 그리하시는 겁니까? 임금이 욕을 당하면 신하가 죽음을 무릅쓰고 구원하는 것이 마땅하거늘."

상락군 김영돈이 못 참겠다는 듯 반박하고 나섰다. 김륜이 이에 동조하며 거들었다.

"군신관계나 부자관계에서 인정과 의리를 다하는 것이야말로 당연한 도리일 것입니다. 그런데 어찌하여 황제의 뜻을 헤아리지 못하겠다는 말로 도리를 외면하려고 하는 것입니까?"

김륜이 잠시 말을 멈추고 좌중을 훑어보더니 다시 말을 이었다.

"인정과 의리가 그러할진대, 비록 허락을 받아내지 못한다고 해도 결코 그 죄를 묻지 않을 것입니다."

김륜이 더 이상 논의할 필요도 없다는 투로 결론을 내리고는 상서할 수 있도록 이제현에게 초안을 잡도록 권하였다.

허나 원에 압송되었던 충혜왕은 함거에 실려 연경에서 2만여 리나 떨어진 계양현에 유배 가게 되었고, 함거에 실려 가는 도중 악양현에서 객사하고 말았다. 이때 민간에는 "아야마고지나 (阿也麻古之那, 이제 가면 언제 오나?)"라는 참요가 유행하고 있었는데, 꼭 그와 같이 되어버린 꼴이었다.

최영은 조정에서 벌어진 일련의 소식을 듣고 입이 다물어지지 않았다. 어처구니가 없었다. 도대체 이 실타래가 어디서부터 엉켜 버렸을까? 왕이 보인 처사는 어찌 보아야 하는가? 고려 왕이긴 한가? 신하라고 하는 작자들은 또 어찌했던가? 임금의 우환은 신하의 치욕이요, 임금이 치욕을 겪으면 신하가 죽어야 마땅하거늘, 아무리 임금이 못났다고 해도 그렇지 고작 사신 몇몇에게 개돼지처럼 발로 차이며 끌려가 객사하게 만든단 말인가? 원의 속국으로 전락한 이래 고려 조정은 전혀 달라질 기미가 보이지 않았다. 더욱이 심각한 건 고용보가 원의 환자라 해도 고려인이고, 신예라는 자도 엄연히 고려 신하이거늘 그들이 대놓고 서로 협잡해 이런 일이 벌어지게 했다는 점이었다.

최영은 심한 모멸감을 느꼈다. 고려에 대한 모욕이자 천손의 후예인 단군조선에 대한 모독이었다. 정녕 고려인으로서의 자긍심도 없고 부끄러움도 모른다 말인가? 마음 같아서는 당장 나아가 이 모든 것들을 확 쓸어버리고 싶었다. 허나 그 자신 혈혈단신이었다. 아직 만족할 만한 무공에도 이르지 못한 상태였다. 그 어떤 경우에도 자위적인 군사력의 확보는 포기할 수 없는 일이었다.

최영은 삼봉산에서 집으로 하산한 이래 며칠 동안 침잠에 빠져들었다. 부인 류씨와 아들 최담은 그런 최영을 조용히 지켜보았다. 부인 류씨는 최영이 22살 무렵 어머니 봉산 지씨가 짝 지어준 여자였다. 당시 어머니는 최영의 누이가 김윤명에게 시집 간 이후 혼자 생활하고 있었다. 최영은 집을 떠나 무예를 익히고 있는 상태여서 결혼에 맘을 두고 있지 않았지만 적적하게 살아가시는 어머님을 생각해 그 혼사를 받아들였다. 이제 어머니마저 돌아가시고 부인 류씨는 5살 먹은 아들 최담과 생활하고 있었다. 어쩌다 한 번씩 집에 들르기는 하지만 지아비가 거의 없다시피 한 경우나 마찬가지이니, 생계를 꾸려가야 하는 부인에게는 큰 고역일 것이었다. 허나 부인 류씨는 힘든 내색을 내보이려 하지 않았다. 지아비의 큰 뜻을 결코 방해하지 않겠다는 태도였다. 최영은 그런 부인에게 더없이 미안했다. 허나 한번 품은 사내대장부의 꿈을 포기할 수는 없었다. 아버지의 죽음과 고려 조정의 현실을 생각하면 그 결심을 더욱 굳힐 수밖에 없었다.

최영은 마침내 몸을 떨고 일어섰다. 무예의 경지를 더욱 끌어올려 그 누구도 범접할 수 없는 절대등극의 무예를 익혀야 했다. 그토록 그 해결책을 찾지 못했던 실마리가 보이는 듯했기 때문이었다. 신라 진흥왕에 의해 화랑도가 국가로 수용되어 신라 왕권을 지키기 위한 용도로 변질되기 전에 그들이 행했던 모습들을 떠올려보다가 문득 그게 풍류의 수련 방법이라는 생각이 스치고 지나갔던 것이었다. 무리를 지어 전국 산천을 떠돌아다니며 수련하는 방식이었다. 무리를 지을 수는 없지만 일단 전국 산천을 떠돌며 수련할 수는 있었다.

최영이 집을 나서려고 하자, 부인 류씨가 기다렸다는 듯 간단한 요깃거리인 주먹밥을 최영의 바랑에 넣어주었다. 그리고는 어린 최담과 함께 마당으로 나와 최영의 뒤를 따랐다.

"부인, 미안하구려. 내 다녀올 때까지 잘 있구려."

부인에게 미안한 마음이 드는 것은 최영의 진심이었다. 그가 자신의 길을 감으로써 부인이 그 모든 짐을 떠안는 꼴이었다. 중도에 포기하지 않는 한 이것은 감내해야만 했다. 최영은 부인에게 눈인사를 건넨 다음 어린 최담을 덥석 들어 올렸다.

"우리 최담이, 어머니 말씀 잘 들어야지."

최영은 최담을 다시 내려놓으며 머리를 쓰다듬고는 집을 나섰다. 그는 삼봉산 쪽을 힐끔 쳐다보다가 그 산을 뒤로하고 묘향산 쪽으로 발길을 향했다. 묘향산은 단군과 유래가 깊은 곳으로 그 전설이 많이 내려온 곳이었다. 마음 같아서는 환웅이 하늘의 기운을 몰고 왔던 백두산으로 가고 싶었으나 그곳은 아직 고려의 땅이 되지 못했다. 언젠가는 되찾아야 할 땅이었다. 묘향산에 가서도 무예의 경지를 이루지 못한다면 백두산까지 갈 생각이었다. 그러나 먼저 갈 수 있는 곳부터 가자는 생각에 묘향산을 택했다.

묘향산으로 향하는 도중 원에서 충혜왕과 덕령공주의 소생인 원자 왕흔(충목왕)으로 하여금 왕위를 잇게 하였다는 소식이 전해졌다. 충목왕의 나이 8살이었다. 고용보가 충목왕을 품에 안고서 순제를 알현하자 순제가 물었다는 것이었다.

"너는 엄마를 배울 것이냐? 아니면 아버지를 배울 것이냐?"

그러자 어머니를 배우겠다고 충목왕이 대답했고, 순제는 그걸 보고 천성이 착한 것을 좋아한다고 여기며 왕위를 허락했다는 것이었다. 아무리 철없는 아이라도 해도 그렇지 자기 아비를 죽게 한 자의 품에 안겨서 대답해야 한다면 감히 아비를 닮겠다고 어떻게 말할 수 있겠는가? 이것은 어린 아이를 앉혀놓고 쥐락펴락하겠다는 것이나 다름없었다.

이런 소식이 들릴수록 최영의 가슴은 분노로 휩싸였다. 허나 그 자신 지금 상황에서 어찌할 수 없는 상황이었다. 그저 무예를 익히며 훗날을 기약해야 했다. 그럴수록 그의 발걸음은 빨라졌다.

마침내 묘향산에 도착한 최영은 머뭇거리지도 않고 산으로 향했다. 산속으로 들어가는 묘향산의 산새는 참으로 신비로웠다. 웅장한 듯하면서도 화려했고, 수려한 듯하면서도 장엄했다. 어느 것 하나 빼놓을 수 없는 절경이었다. 이런 명산이었기에 단군에 대한 전설이 내려온 것이구나 생각하며 계속 앞으로 나아갔다. 얼마를 어떻게 왔는지 몰랐고, 사기가 어디에 있는지조차 알 수 없었다. 그저 깊은 첩첩산중 같았다. 그런데 어찌된 영문인지 갑자기 보이던 길이 뚝 끊겨버렸다. 이쪽으로 가려고 해도 갈 수 없었고, 저쪽 길을 향해도 나아갈 길이 보이지 않았다. 어쩔 수 없이 지금껏 단련했던 무예를 사용하기로 했다. 그런데 아무리 무공을 시전해 보아도 아무런 소용이 없었다. 몸부림칠수록 더 움직일 수도 없게 되었다. 옴짝달싹못하는 형국이었다. 인간의 힘으로 되지 않는 것 같았다. 자포자기한 마음인지 아니면 하늘에 맡겨 버린 건지 알 수 없었지만 그저 모든 것을 놓아 버렸다. 희로애락의 모든 감정도 놓았고, 몸에서 느껴지는 감각도 놓았고, 심지어 숨 쉬는 것마저 잊어 버렸다. 그러자 그의 몸을 그토록 옥죄던 모든 쇠사슬이 떨어져나가듯 자연스레 움직여지기 시작했다. 참으로 신기한 노릇이었다. 그 자신도 알 수 없는 사실에 놀라워할 때 어디선가 사람의 말소리가 들려왔다.

"이제 그 이치를 깨달았느냐?"

최영은 깜짝 놀라 소리 나는 곳을 쳐다보았다. 백의의 노인이었다. 백의를 거친데다가 머리까지 하얗고, 손에는 커다란 나무 지팡이를 짚고 있었다. 허나 그냥 노인으로 보기에는 그의 몸 주위에 원광이 펼쳐지며 광채가 일고 있었다. 이건 사람이 아니었다. 말로만 들었던 선인이었다. 웬만한 일에는 눈 하나 깜짝하지 않을 정도의 담력을 지닌 그였지만 최영은 당혹스러움에 잠시 넋을 잃을 정도였다. 도무지 입에서 말이 떨어지지 않았다. 그런 그를 보고는 백의의 선인이 다시 입을 열었다.

"사람의 마음속에 부처가 있고, 무위 속에 저절로 이뤄지지 않는 것이 없으며, 어짊 속에 인륜의 도리가 있는 것이니라. 그게 삼교를 포함하고 있는 풍류이니라. 하늘의 이치를 꿰뚫고 땅의 지리를 통찰하여 인간세상에 홍익인간의 세상을 펼치고자 하는 것이 우리 천손족의 오랜 소망이었느니라. 그 참된 이치를 찾고 싶으면 단군굴로 가 보거라."

그 말을 끝으로 백의의 선인은 순식간에 사라져 버렸다. 최영은 묻고 싶은 것이 너무 많은데, 그냥 그렇게 가 버리면 어떡하느냐고 소리쳐 부르다가 눈을 떴다. 꿈이었다. 묘향산의 산새에 끌려 한참 오르다가 잠시 휴식을 취하는 사이에 자신도 모르게 잠이 든 모양이었다.

너무나 생생한 꿈이었다. 단군굴로 가면 자신이 풀지 못했던 문제가 풀릴 것 같은 예시 같았다. 아버지가 자신을 낳을 때 꾸었던 현몽과 연결된 것 같기도 했다.

　최영은 다시 걸음을 옮겼다. 망설일 필요가 없었다. 그는 곧장 전설로 내려오고 있는 단군굴이 있는 곳으로 향했다. 그 자신도 모르게 발걸음이 가벼워지며 절로 움직여지는 것 같았다. 단군굴 앞에 이르자 신비로움에 휩싸였다. 꼭 선인이 되어 하늘로 올라갈 것 같은 기분이었다. 안으로 들어서자 밖에서 보기와는 다르게 아늑한 느낌이었다. 동굴이어서 그런지 무슨 냄새 같은 것이 풍겨왔다. 쑥과 마늘 냄새였다. 가운데에는 맑은 샘물이 솟아오르고 있었다. 이곳에서 곰과 호랑이가 쑥과 마늘을 먹고 삼칠일간 금계를 행했단 말인가? 한눈에 봐도 이곳에서 수양을 하면 절로 깨우침이 일 것 같은 기운이 감돌았다.

　최영은 동굴을 훑어보았다. 무슨 흔적이나 단서를 찾을 수 있을까 해서였다. 그러나 그런 것은 눈에 띄지 않았다. 최영은 좀 맥이 빠지는 기분으로 밖으로 나왔다. 밖으로 나오니 단군이 무예를 연마했다고 하는 강무대가 펼쳐졌다.

　최영은 먼저 수박희로 몸을 풀었다. 그리고는 긴 장봉을 손에 단단히 잡아 쥐었다. 장봉이 허공을 가르며 움직이기 시작했다. 빠른 듯 느린 듯 원을 그리기도 하고, 위에서 아래로 내리치기도 하더니 어느덧 그의 몸과 점점 하나가 되어 나갔다. 장봉이 한곳을 향해 빙빙 돌기 시작했다. 점차 속도가 빨라지며 가속이 붙자 그냥 그 자리에 맴돈 것처럼 보였다. 몇 번의 과정이 진행되자 바람이 일고 어느덧 거대한 회오리바람이 주위를 감쌌다. 그 회오리바람은 주위의 기운을 한곳으로 쓸어 모으며 하늘로 치솟았고, 다시 거대한 폭포수가 되어 땅을 내리쳤다. 그러자 땅이 갈라지며 돌먼지가 하늘로 솟아올랐다. 가히 일반인으로서는 범접을 못할 경지였다.

최영은 다시금 검을 들었다. 칼날이 햇빛에 반사하며 날카롭게 번뜩였다. 칼날이 공기를 가르며 파르르 움직일 찰라 최영은 검을 거뒀다. 조금 전에 꾸었던 꿈이 떠오른 것이었다. 아무래도 이건 아닌 것 같았다. 무위로서 절로 이뤄지지 않는 것이 없다고 하였는데, 이건 인위적인 힘을 사용해 억지로 무예를 시전하고 있는 꼴이었다. 느낌과 숨쉼, 촉감까지도 잊어 버려야 했다. 삼교를 하나로 아우른 풍류의 도에 이르러야 했다.

최영은 가부좌를 튼 채 호흡을 조절하며 무아의 세계로 빠져들어 갔다. 느낌을 끊었으나 느껴지지 않는 것이 없었고, 숨 쉬지 않았으나 절로 숨 쉬었고, 감각을 끊었으나 온 몸이 절로 되살았다. 최영은 자신도 모르게 칼춤을 추었다. 그의 검은 물 흐르듯 허공을 누볐다. 그의 몸이 나아가면 검도 나아갔고 검이 파르르 떨면 그의 몸도 떨었다. 검과 하나 된 그의 몸이 점차 빠르게 움직였다. 그에 따라 검의 속도도 점점 빨라지면서 어디선가 흩어져 있던 기운이 칼날 주위로 점차 모아지더니 원광의 형태로 압축되어 나갔다. 그 기운에 칼날이 천근만근인 양 묵직해지며 가로막는 모든 장애물을 휩쓸어버리듯 파열음을 내며 불꽃을 튀겼다. 마침내 그 앞에 가로막은 거대한 장벽을 단칼에 베어버리듯 검을 내려쳤다. 그 순간 석벽 쪽에서 쿵 하는 소리가 들리며 천지인의 글씨가 새겨져 나왔다. 그와 동시에 거대한 바위가 꿈틀거리기 시작하면서 바위 틈 사이에 조그마한 암벽 같은 공간이 생겨 나왔다.

최영은 어찌된 영문인지 몰라 놀라워하며 그 안으로 걸어갔다. 그곳은 그저 텅 빈 공간이었다. 자세히 살펴보니 잘 다듬어 놓은 석벽 위에 뚜렷한 글씨가 새겨져 있었다. "일석삼극이니 회삼귀일이니라"고 쓰인 글귀였다. 하나가 삼으로 되고, 삼이 하나로 된다는 것은 단군조선의 핵심적 이치인데, 이것이 무예와 무슨 관련이 있는지 도통 알 수 없었다. 더욱이 그 주위의 매끈매끈한 돌조각 위에는 고조선비사, 조대기, 삼성기 등 단군조선과 관련된 책자가 적혀 있었다. 이 서책들을 찾아보란 말인가?

최영은 조금 실망스런 마음이 들었다. 최고 경지에 이른 무예를 접하고자 하였는데, 그 무예 비급은 없고 고작 책자들 이름만 적혀져 있는 게 마땅치 않은 것이었다. 하지만 그는 이 정도 비밀스런 장치를 해 놓았다면 어딘가 무슨 비급을 숨겨 놓았을 것이라고 생각하며 암벽의 주위 곳곳을 살폈다. 허나 별 특이한 상황은 발견하지 못했다.

"맥이 끊어진 줄 알았는데, 풍류의 검법을 내 두 눈으로 보게 될 줄이야. 하늘도 무심치는 않았어."

탄복한 듯한 목소리에 최영은 깜짝 놀라 소리가 나는 곳으로 고개를 돌렸다. 언제 동굴 안으로 들어왔는지 모르게 그 앞에는 백의의 선사가 서 있었다. 최영은 자신의 무예를 안 듯한 태도에 다른 여타의 생각도 못하고 다짜고짜 묻고 나섰다. 그의 머리엔 온통 절대등극의 무예를 익혀야 한다는 생각만이 자리 잡고 있었다.

"제가 시전한 무술이 무엇인 줄 아시옵니까?"

"알다마다. 내 이를 얼마나 애타게 기다렸는데, 그게 바로 삼위일혼검법이니라. 천지인을 하나로 일체화시켜 혼을 담아낸 검법으로 풍류의 초절정 검법이지."

최영의 눈동자가 둥그렇게 커졌다. 무예를 어떻게 시전했는지 자신도 알지 못하는데, 시원스레 설명해주는 그 사람이 의아해졌다. 찬찬히 살펴보니 백의 차림의 선사는 하얀 백발에 지팡이를 짚고 서 있었는데, 몸 주위엔 광채가 일고 있었다. 현몽에서 본 선인의 모습 그대로였다. 최영은 지금 자신이 꿈을 꾸고 있는 것인지 헷갈렸다. 그래서 자신의 허벅지를 꼬집어보았다. 아픈 게 분명 꿈은 아니었다.

"귀인은 누구시옵니까? 혹시 둔갑술을 쓴 것이옵니까?"

"허허. 내 소개가 늦었구먼. 나는 한단이라고 하네. 내 자네를 이리 만나게 되니 감개무량하구먼. 반갑네. 언젠가는 꼭 나타날 것이라고 하였는데, 정말 그 예언이 맞았어."

도통 알 수 없는 말에 최영은 당황스러웠다.

"예언이라고요? 그게 무슨 말씀이시옵니까?"

"하긴 자네는 잘 모를 수도 있겠지. 허나 이 단군조선의 후예에 언젠가 선인의 품에 안긴 아이가 태어나는데, 그 사람이 곰처럼 힘이 센 장수가 되고, 마침내 치우천황의 현신으로 등장할 거라는 전언이었지."

한단 선사의 얘기는 최영 자신을 지칭하고 있었다. 아버지에게 들었던 그의 태몽과도 맞아 들어가는 말이었다. 자신이 무장의 길을 걷는 것이 하늘의 뜻이었던가. 이토록 막중한 임무를 안고 내가 태어났단 말인가. 그래서 아버지께서는 유가의 길을 가라고 권하다가도 끝내 무장의 길을 허락했던 것인가. 머릿속이 복잡하게 얽히자 최영은 분명히 확인하려는 생각에 다시 물었다.

"그 현신이란 게 헌원 황제와 싸웠다는 그 전설의 전쟁의 화신인 치우천황을 말씀하시는 것이옵니까?"

"그렇지. 중국 한족은 치우천황이 나중에 황제에게 잡혀서 죽었다고 하는데, 그건 허튼 소리이네. 치우천황은 배달국 신시의 14대 자오지 환웅으로서 헌원황제에게 싸워 백전백승하였다네. 달리 전쟁의 화신이라고 하였겠는가? 그것은 치우천황의 부하가 공을 세우려는 마음에 실수해서 잡혀서 죽은 것을 가지고 그렇게 왜곡하는 것이지. 하긴 중국 한족이 자신들을 중화라고 주장하며 우리 역사를 얼마나 왜곡하고 있는지 알고 있다면 통탄할 일이지. 허나 한족이 역사를 왜곡하는 것이야 그렇다 쳐도 우리 역사를 스스로가 왜곡하고 있는 모습을 보면 억장이 무너질 일이지.

대륙을 호령했던 자기 선대의 자랑스러운 역사를 무슨 귀신의 역사 보듯 하며 살펴 따져보지도 않고 믿을 수 없다고 거부부터 하고 있지 않느냐? 그래 놓고는 강국이 되려고 하지는 않고 좀 힘세다고 하는 나라를 신주단지 모시듯 사대하는 꼴이라니. 이런 형국인 이때에 내 어찌 지금 자네를 볼 수 있을 것이라고 털끝만큼이나 생각했겠냐? 옛 선조들이 기다리라는 책무를 주었기에 내 그 책무를 이행하고는 있었지만 큰 기대를 걸지 않았지, 헌데 그게 아니었어. 그 예언은 맞았던 거야. 이제 이 고려에도 단군조선의 영화가 피어날 것이야."

한단 선사는 감격에 겨워하며 자신이 어떻게 해서 여기에 칩거하게 되었는지도 설명해 주었다. 하늘의 후예는 이 땅에 홍익인간의 세상을 건설하기 위해 강림했고, 그 뜻은 숨은 선인들에 의해 지금까지 면면히 계승되어 오고 있다는 것이었다. 자신도 그런 부류의 사람이라는 것이었다. 그러면서 단군조선 이전에도 환인의 나라 한국과 환웅의 신시시대에 배달국과 청구국이 있었고, 단군조선 시대에는 단군 할아버지가 한 분이신 것이 아니라 47대의 임금이 통치했다는 것이었다. 그런데 단군조선이 망한 이후 천손의 자손들이 분열하여 서로 다투더니 자기 왕족의 땅을 넓히기 위해 외세를 끌어들여 같은 형제들의 나라를 무너뜨려 저 넓은 대륙의 땅을 잃어 버렸고, 이제는 부강 번영했던 천손의 역사마저 지워 버리고 대신에 사대모화 사상에 빠진 역사를 기록해 놓고도 부끄러움도 모르는 지경에 빠져 버렸다는 것이었다. 이런

156

상태라면 천손의 자손들이 삶을 일구었던 영토 또한 내주지 말라는 법이 어디 있겠느냐 하는 것이었다. 우환을 겪어 일시적으로 영토를 빼앗기는 것이야 나중에 다시 되찾으면 되지만 스스로 자신의 영토를 포기하고 내준다면 그것은 영토를 영영 잃게 되고, 그건 곧 홍익인간 세상의 맥이 끊어지는 것과 다름없다는 것이었다. 그래서 이를 단호히 막아 나설 자를 찾으며 기다려왔다는 것이었다. 하늘이 분명코 그 사람을 예비해 줄 것이라는 믿음이었다.

한단 선사의 말을 들으매, 최영은 심장이 맥박 치며 쉼 없이 끓어올랐다. 뒤틀어져 버린 이 세상을 바로잡고 저 대륙의 땅을 되찾아 단군조선의 영화를 실현하고자 하는 것은 그의 숙원이었다. 그 꿈을 시원스레 얘기하는 한단 선사 앞에서 최영은 귀중한 동지를 얻는 기분이었고, 동시에 스승을 뵙는 심정이었다. 가슴 깊숙이 숨겨놓았던 자신의 숙원 사업을 기필코 해내고 말겠다는 의기도 높아졌다. 헌데 치우천황처럼 되자면 절정의 무예를 습득해야만 했다. 아직은 그런 수준이 되지 못했다. 그래서 조심스럽게 물었다.

"한 가지 궁금한 것이 있사옵니다. 솔직히 말해 우연히 펼쳐 보이기는 했지만 저는 아직 삼위일혼검법을 습득하지 못했사옵니다. 그 무예를 익히자면 무예지라는 것이 있어야 할 것인데 그건 보이지 않고, 왜 이렇게 단군조선에 관한 책자만 쓰여 있는 것이옵니까?"

"이미 초식을 전개했고, 선인의 맥이 이어졌는데 무엇이 걱정

157

인가? 그리 조급해할 것이 없네. 나머지는 차차로 익히면 될 것
일세."

"그럼 무예지가 어디 있다는 말씀이옵니까?"

가르쳐주면 당장 무예 비급을 찾아 배워 버리겠다는 듯한 최영
의 의기 서린 모습에 한단 선사는 그의 얼굴을 한참동안이나 물
끄러미 바라보았다. 그러더니 천천히 입을 열었다.

"칼은 칼일 뿐이다. 마찬가지로 검 또한 검일 뿐이니라. 단지
그것을 어떤 사람이 사용하느냐에 달라지는 것뿐이지."

치우천황처럼 전쟁의 화신이 되기 위해 고강한 무예를 터득하
겠다는데, 그에 대해선 일언반구조차 하지 않는 한단 선사의 태
도에 최영은 도리어 어리둥절하기만 했다. 그 때문인지 한단 선
사가 다시 말을 이었다.

"단군조선의 무예 수련은 풍류도에 있다. 그런데 그 풍류도는
전국 산천을 돌아다니면서 완성하는 것이란다. 왜 그러는 줄 아
느냐? 그것은 바로 자기 조국강토를 잘 알기 위함이자 백성들과
희로애락을 함께하기 위함이니라. 천지인의 도는 인간 세상에 있
고, 홍익인간 하자면 그리해야만 하기 때문이니라."

최영은 부끄러워하며 절로 고개가 숙여졌다. 느껴지는 바가 있
었다. 그가 여기 찾아올 때도 풍류의 수련법을 떠올리고 왔던 것
이고, 무예의 시전도 절로 그리 움직여서 된 것이었다. 검이 중요
한 것이 아니라 검을 쓰는 마음이 중요하다는 것이었다. 사람으
로부터 검의 무예는 완성된다는 것이었다. 그게 홍익인간의 정신

이고, 잃어 버린 저 대륙을 되찾아 강성한 나라를 세울 근본 동인이었다. 칼이 없고, 땅이 없고, 백성이 없어서가 아니라 단군조선의 얼과 혼을 세우지 못했기 때문이었다. 최영의 깨우침을 알아본 한단 선사가 다시 입을 열었다.

"그리 자책할 것 없네. 깨달았으면 되었으니 말일세. 그렇다면 이제 서서히 움직여 볼까?"

한단 선사가 그리 말함과 동시에 지팡이를 바람처럼 움직이자 어찌 된 영문인지 최영 앞에는 고조선비사, 조대기, 삼성기 등 벽에 쓰인 책자들이 쏟아져 나왔다.

"이걸 익히고 더욱 무예에 정진하면 될 것일세. 어둠이 오면 새벽이 오듯이 어둠은 또 다른 밝음이라네. 필시 때가 올 것이니 그때를 준비해야 하지 않겠는가?"

순식간의 변화에 최영은 놀라움에 입을 다물지 못하고 계속 서 있기만 했다. 그런 그를 보고 한단 선사가 동굴 밖으로 나서며 재촉했다.

"뭐하고 있는 겐가? 어서 떠날 차비를 해야지. 이 혼탁한 세상을 바로잡아 천지인의 도를 찾고 강성 번영한 홍익인간의 세상을 건설해야 하지 않겠는가? 그렇다면 인간세상과 담을 쌓고서야 어찌 그런 세상을 만들 수 있겠는가? 혼탁한 세상을 바로잡고 이 고려를 단군조선의 정통 계승 국가로 만드는 길은 다름 아닌 이 인간 세상에 있다는 것일세."

"알겠사옵니다."

최영은 힘 있게 대답했다. 기필코 단군조선의 옛 영화를 되찾으려 하였는데, 이런 천우신조를 얻었으니 그 무엇도 두려울 게 없었다. 이제부터 휘황찬란한 미래가 열리는 것만 같았다. 최영은 앞에 놓인 책을 바랑에 넣으며 발걸음도 힘차게 한단 선사를 따라나섰다.

최영은 한단 선사와 함께 전국 산천을 돌며 수련을 거듭하였다. 단군이 단군조선을 건국하였던 평양은 물론이고 단군전설이 깃들어 내려오는 묘향산과 구월산, 태백산, 마리산 등도 찾아가 그 얼과 혼을 가슴 깊이 새겨 나갔다. 그러는 사이 고려 조정도 숨 가쁘게 돌아갔다.

1344년 2월 어린 충목왕이 왕위에 오른 이후, 고려 조정은 각 세력들의 각축장이 되는 분위기였다. 원 조정에서는 우선 충혜왕이 추진한 정책과 폐신 세력의 청산을 요구했다. 허나 원의 새로운 실력자로 성장하고 있는 기황후 세력은 자신들의 세력 확장이 더 중요했다. 고려의 조정에는 원의 요구에 부응하여 일정하게 개혁을 실시하고자 하는 세력과 어린 충목왕을 대신해 섭정하는 덕령공주의 측근 세력이 등장하였다. 고용보와 신예는 기황후의 세력이었고, 왕후와 김영돈은 쇄신을 원하는 원 조정의 후원을 얻어 고려의 개혁을 추진하려는 세력의 대변이었다. 반면에 배전과 강윤충, 정천기 등은 충목왕의 어머니 덕령공주와 정을 통해 총애를 받는 측근 세력이었다.

이들 세력은 명분상 충혜왕의 정책을 폐기하고 그 폐신들을 제거하자는 주장에 반대할 수 없었다. 이를 간파한 이제현은 개혁의 물꼬를 트고자 도당에 상서하고 나섰다.

"임금과 신하는 의리가 한 몸과 같으니, 청컨대 날마다 편전에 앉으시어 항상 재상들과 더불어 서로 정사를 의논하거나 혹은 날짜를 나누어 정해서 만나 보되, 비록 일이 없다 하더라도 이 예를 폐하지 않도록 하소서. 또 정방은 옛 제도가 아니고 권신 세대에 생긴 것으로 마땅히 혁파하여 전리사와 군부사에 귀속시키고 고공사를 설치하여 공과와 재능의 유무를 의논하여 출척에 이용하시옵소서. 무릇 한 나라의 군주가 여러 신하의 청렴한 생활을 영위할 자산까지 취하여 사사로이 창고를 채운다면 어찌 후세에 비난을 받지 않겠사옵니까? 청컨대 양궁에 알리시어 식읍을 폐지하고 광흥창에 도로 소속시켜서 봉록에 충당하도록 하소서. 경기 지방의 전토는 조업전, 구분전을 제외하고 나머지는 모두 떼어 주어 녹과전으로 만들어 시행하여 온 지 거의 50년이 되옵니다. 이를 시행한다면 권세 있고 부호한 수십의 무리들을 제외하고는 모두가 기뻐할 것이옵니다."

충혜왕의 잘못된 정치를 바로잡자는 취지로 주장을 펼치니 어느 누구도 대놓고 거부할 수 없었다. 그 결과 충혜왕이 그토록 재정적으로 자립하여 왕권을 확립하고자 시도했던 보흥고, 덕녕고, 내승, 응방이 혁파되고, 거기에 예속된 전토와 노비는 각각 본래 속해 있던 곳으로 돌려주게 되었다. 또 서연을 설치하여 유자들이 충목왕에게 시독하게 하였다. 아울러 권신들에 의해 좌우되었던 정방도 혁파되어 전리사와 군부사에 귀속시키는 조치가 취해졌다.

허나 그뿐이었다. 기황후 세력은 고려 조정의 개혁보다는 자기 세력의 확산이 우선이었다. 얼마 되지도 않는 1345년 정월에 다시 정방이 설치되었고, 찬성사 박충좌, 김영후, 참리 신예, 지신사 이공수가 제조관으로 임명되었다. 실질적인 실력자는 기황후의 후광을 받는 고용보였고, 그의 처남이 되는 신예였다. 신예는 신왕이라고 할 정도로 그 위세가 대단했다. 합주의 아전 이적의 뇌물을 받고는 다른 사람의 벼슬까지 빼앗아 주었으며, 벼슬을 잃은 자가 감찰사에 고소하여 이적을 가두니 감찰대부 이공수까지 꾸짖으며 아우 신귀를 시켜 장령 송구까지 구타하게 할 정도였다. 이랬으니 당연히 정방을 폐지하고 녹과전의 회복을 주장했던 왕후는 파직되었다.

허나 기황후 세력은 아직 원에서 권력을 탄탄하게 장악하지 못한 상태였다. 원 조정은 고려의 통치 체계의 문란함을 우려하며 일정한 개혁을 계속 요구하였다.

원의 요구에 따라 왕후와 김영돈은 개혁을 추진하고자 하였고, 그 결과 정치도감이 설치되었다. 그런데 개혁하자면 주되게 권신들을 다스려야 하는데, 이미 충혜왕의 폐신들은 몸통 강윤충을 제외하고는 상당 부분 제거되어 사라졌고, 남은 세력은 주로 기황후 세력일 수밖에 없었다. 정치도감의 정치관들은 개혁의 명분을 내세우며 기황후의 친척 아우인 기삼만이 남의 토지를 빼앗고 불법을 자행했다며 곤장을 쳐서 순군옥에 가두었다. 기황후의 친족인 기주도 자신의 죄를 알고 도망쳤지만 안렴사 김두에 의해 체포되어 수감되었다. 그런데 그만 순군옥에 갇힌 기삼만이 20여 일 지나 죽어 버린 사건이 발생했다.

기황후 세력은 이를 계기로 이문 하유원을 통해 정치도감의 좌랑 서호와 교감 전녹생을 가두며 반격에 나섰다. 충목왕마저 가세하고 나섰다.

"기삼만이 남의 전지 5결을 빼앗았다고 하여 어찌 죽게까지 한단 말입니까?"

충목왕의 문책에도 김영돈은 물러서지 않았다.

"그가 세력을 믿고 함부로 나쁜 짓을 한 것이 어찌 다만 남의 전지 5결뿐이겠사옵니까? 게다가 우리들은 직접 황제의 명을 받들어 먼저 우두머리로 나쁜 짓을 한 사람을 다스린 것뿐인데, 서호와 전녹생이 무슨 죄가 있다는 것이옵니까? 차라리 소신이 행성의 옥에 갇히고자 하오니 그리하게 하시옵소서."

김영돈의 단호한 입장 표명에 충목왕이 말을 누그러뜨리며 그를 말렸다.

이 일이 있는 후 왕후와 김영돈은 이렇게 있다가는 정치도감의 일을 더 이상 집행할 수 없다고 보고 이런 사실들을 원 황제에게 직접 알리고자 원으로 향했다. 이문소에서는 이들이 가서 알리게 되면 자신들이 해를 입을 것인지라 사람을 보내 붙잡아서는 정치도감의 관원과 함께 가두어 버렸다. 그런데 마침 원의 황제가 왕후와 김영돈에게 의복과 술을 내리고 정치를 포상하기 위해 중서성 우사도사 울리불화 등을 보내어 왔다. 이문소에서는 어쩔 수 없이 정치도감의 관원을 석방해야 했다. 그런데 서호가 고문에 못 이겨 허위로 자백하고 말았다. 이로써 다시 정치도감의 정치관들이 수감되기에 이르렀다.

게다가 충목왕의 후원 세력인 덕령공주의 세력과 기황후 세력이 서로 화해하며 손을 잡는 형국이 조성되었다. 당시 원의 원사 고용보는 원의 어사대에 의해 세도를 함부로 부리고 뇌물을 지나치게 탐한다고 하여 탄핵되어 금강산으로 추방되었다. 그런데도 전 밀직 인당과 전 찬성사 권겸, 이수산 등은 그런 고용보를 찾아가 청원했다.

"강윤충은 충목왕의 어머니인 덕령공주와 간통하였으니 그 죄가 극에 달한 자입니다. 그런데 그 자를 어찌 그대로 두고 볼 수 있겠습니까?"

이 소식을 들은 강윤충 또한 충목왕에게 고용보를 고자질했다.

"아버지인 선왕을 죽게 한 이가 고용보이고, 이제 그는 원에서 죄를 지어 쫓겨 온 죄인일 뿐이옵니다. 그런데 어찌 그런 자를 후한 예로 대우하려고 하시옵니까?"

일전을 불사할 듯 보였지만 서로 그래 보았자 득실이 맞지 않다는 것을 두 사람은 너무도 잘 알았다. 강윤충이 고용보의 어머니에게 뇌물을 바쳐 서로 화해의 태도를 보이자 고용보도 마지못한 척 받아들였다.

이 두 세력이 서로 힘을 합치게 되니 고립된 쪽은 정치도감의 세력이었다. 결국 기삼만의 죽음으로 인한 그 대가를 받아야 했다. 강윤충은 먼저 왕후를 영도첨의사사에 임명하였다. 직급을 높였으나 정치도감에서 손을 떼어놓게 만드는 술책이었다. 이로써 정치도감은 유명무실해졌다. 그 틈을 타 이문소에서는 정치도감의 통첩을 받고 환관이나 권세가들의 전장을 철거하기 위해 움직였던 밀성 부사 이손경, 이흥 부사 이몽정, 시주 부사 조동휘를 가두기까지 했다.

허나 충목왕과 덕녕공주로서는 무엇보다 충목왕이 충혜왕의 적통자이니만큼 그 명분 확보가 중요했다. 충혜왕이 부정당하면 충목왕의 왕위 계승의 명분도 약해지는 것이었다. 그 해결은 원으로부터 충혜왕의 시호를 받아내는 것이었다. 이를 위해 충목왕과 덕녕공주는 충혜왕의 충신인 김륜을 불러들어 조심스레 그 의향을 물었다. 김륜은 서슴없이 대답했다.

"선왕께서 그리된 것은 한갓 간사한 소인배들을 가까이 함으로써 그리된 것이옵니다. 지금도 그 화근의 몸통인 강윤충이 오히려 건재하고 있으니, 반드시 먼저 그 죄를 바로잡아서 선왕의 잘못이 아니라는 것을 밝힌 연유에야 청할 수 있을 것이옵니다."

허나 김륜은 원으로 떠나 주청하기도 전에 풍질에 걸려 시름시름 앓더니 10일 만에 죽고 말았다.

이 과정에서 최후의 승자는 결국 충목왕의 어머니 덕녕공주의 총애를 받는 패거리였다. 허나 안타깝게도 충목왕은 1348년 12월에 어린 나이로 세상을 떠났다.

충목왕이 죽었으니 원의 눈치를 봐야 했던 덕녕공주는 덕성 부원군 기철과 정승 왕후에게 정동성의 일을 대행하게 하였다. 정승 왕후는 누가 다음 국왕이 되는 것이 좋은지에 대해 이제현에게 표문을 올리게 하였다.

"국왕이 병을 얻어 훙어하시매, 온 나라가 애통해 하고 있습니다. 왕은 나이가 어리어 후사가 없고, 우리나라는 복속되지 않은 왜에 인접되어 있는 까닭에 하루라도 군주가 없어서는 아니 되옵니다. 왕기(공민왕)는 선왕의 동복아우로서 이미 일찍이 황제의 조정에 입시한 적이 있으며, 나이는 19세입니다. 왕저(충정왕)는 선왕의 서자로서 현재 고려에 있으며, 나이는 11세입니다. 삼가 바라건대, 황제의 마음에 선택이 있으니, 백성의 바람에 따라 주소서."

개혁을 원하는 세력에서는 실권을 가지고 고려를 이끌어갈 수 있는 사람이 적합할 것이었다. 자연스레 나이가 어려서는 안 되었다. 허나 원은 1349년 전 지도첨의사 최유를 보내어 충혜왕의 서자, 즉 희비 윤씨의 아들 왕저의 입조를 요구했다. 이에 경양부원군 노책, 전 판삼사사 손수경, 전 찬성사 이군해, 윤시우, 최유 등이 왕저를 수행해 원으로 갔다. 대언에서는 이를 가로막고

166

자 했으나 뜻을 이룰 수 없었다. 이로써 충혜왕과 희비 윤씨의 소생 왕저(충정왕)가 왕위에 오르게 되었다.

충정왕의 세력은 먼저 반대 세력부터 제거했다. 그 대상은 왕위를 위협하는 강릉대군의 세력이었다. 나이 어린 충정왕보다는 젊은 강릉대군이 왕으로 더 적합하다고 적극 밀었던 윤택과 김경직, 이승로에 대한 탄핵이 이뤄졌다. 전 밀직 김경직을 섬으로 귀양 보내고 전 밀직 이승로를 좌천시켜 선주 구당으로 삼았으며, 전 대언 윤택을 광양 감무로 삼았다. 또 사실상 유명무실해진 정치도감마저 아예 폐지시켜 버렸다. 어린 충목왕의 시기엔 모친 덕령공주의 세력에 의해 좌우되었다면 이제는 충정왕의 모친 희비 윤씨 세력이 그 자리를 차지하게 된 셈이었다. 그들은 충정왕의 모친 희비의 권위부터 세우기 위해 희비의 부를 설치하고 경순부라 하였다.

최영은 간간히 들려온 고려 조정의 소식에 귀 기울이며 유심히 살폈다. 그의 가슴속에는 고려의 미래를 열어젖히려는 꿈이 열렬히 불타고 있었다. 허나 절로 터져 나오는 것은 한숨뿐이었다. 그 모습을 지켜본 한단 선사가 걸음을 늦추며 최영을 향해 지긋이 입을 열었다.

"아직도 그렇게 마음에 맺히고 걸린 것이 많단 말인가?"

한단 선사의 추궁에 최영은 멋쩍은 표정을 지었다. 하긴 지금 최영의 나이도 벌써 장년기로 접어든 34살이었다. 무려 6년여 동안이나 동서남북의 전국 산천을 돌아다니며 학문과 무예에 정진한 그였다. 그래서인지 그의 몸에서는 감히 범접하기 어려운 의기가 뿜어져 나오고 있었다.

최영이 항상 한단 선사와 함께 다닌 것은 아니었다. 한단 선사는 수시로 어디론가 다녀오곤 했고, 최영 또한 그의 일정대로 학문과 수련을 진행해 나갔다. 그토록 오랜 기간 수행했음에도 고려 조정의 소식을 듣고 곰곰이 되씹어 보노라면 어떻게 표현하기 힘들 만큼 참담해지곤 했다. 조정 신료들이 저 따위 짓거리나 벌이고 있으니 자신이 전국을 돌아다니며 목격했던 백성들의 비참한 삶이 전혀 개선되지 않고 있는 것이었다. 한곳에 정착하지도 못하고 유랑하고 떠도는 백성들의 처지를 떠올리면 가슴 한편에 분노가 스미는 건 어쩔 수 없었다. 그런 마음에 최영이 한단 선사를 향해 하소연하듯 입을 열었다.

"조정 신료들이 그 무슨 대의명분이라도 있어 서로 싸우기라고 한다면 이해할 수도 있겠습니다. 그런데 그들이 하는 꼬락서니를 보면 명분도 없고, 신념도 없고, 자기주장도 없고 오직 권력과 부만을 불나방처럼 쫓으며 탐한다는 것이옵니다. 얼마나 더 많이 해 처먹을 궁리만 하면서 끼리끼리 패거리를 짓다가 또 이합집산한다는 것이지요. 음해와 모략, 뇌물과 청탁이 없고서는 조정의 일이 이뤄지는 게 하나도 없을 정도입니다. 시전판의 싸움도 이러지는 않을 것이옵니다. 이래서야 어디 이 나라가……."

최영은 더 말하려다가 그만 입을 다물었다. 아버지가 왜 마지막 유언으로 황금을 돌같이 여기라고 말씀하셨는지 그 의미가 이제야 명확히 이해되기도 했다. 탐욕이 초심을 잃게 하고 사람을 망치게 하는 요인이었다. 게다가 이 고려를 일신시켜야 할 책무는 그가 기필코 담당해야 할 몫이었다.

"그 때문에 우리가 지금 이렇게 준비하고 있지 않은가? 곧 그때가 올 것이야. 암 오고말고."

한단 선사가 스스로 다짐하듯 얘기하는 모습에 최영은 겸연쩍어졌다. 그래서 화제를 다른 방향으로 돌리고자 했다. 그런데 한단 선사는 어디 목적지를 향해 찾아가는 듯 발걸음을 바삐 움직여 나갔다. 나아가는 방향은 점차 서경 쪽에서 멀어져 아주 외진 곳이었다. 사람이 거의 살지 않는 듯 인가도 보이지 않았다. 몇 년 전에도 서경 근처에 왔지만 이런 곳이 있을 줄이라고는 생각지 못했다.

"지금 어디 찾아가는 곳이 있사옵니까?"

"때가 곧 온다고 하지 않았는가? 가 보면 알 것일세."

최영은 고개를 갸웃거렸다. 세상이 바뀔 것 같은 조짐은 전혀 보이지 않았다. 도리어 더 혼탁하게 얽히고설키기만 하는 형국이었다. 도무지 종잡을 수 없는 한단 선사의 말을 되새기며 묵묵히 따라 걸었다.

어느덧 인적이 끊어지고, 전혀 사람이 살지 않을 듯한 곳에 이르자 외따로 지어진 초가지붕이 갑자기 나타났다. 꼭 자연적인

지형을 이용해 요새로 지어진 집 같았다. 심상찮은 분위기를 느끼며 걸어가는데 어떻게 사람이 찾아온 낌새를 알아챘는지 안채에서 한 젊은이가 밖으로 나왔다. 최영보다 서너 살 어려 보였다.

"오셨군요. 안으로 드시옵소서."

한단 선사와는 이미 잘 아는 사이인 듯 공손하게 인사하고는 최영을 향해 서슴없이 말을 던졌다.

"고군기라고 합니다. 이렇게 만나게 되어 반갑습니다."

고군기의 인사에 최영도 자기소개를 하며 손을 내밀었다. 악수를 하며 최영의 억센 손을 느꼈음인지 고군기가 다시 입을 열었다.

"내 소식 많이 들었습니다. 선인의 품에 안기어 치우천황의 화신으로 태어나서 풍류도의 초절정 검법인 삼위일혼검법을 연마하셨다고요. 내 그 가공할 무공을 말로만 들었는데 그걸 눈으로 직접 볼 수 있겠는지요?"

"이거야, 원 참⋯⋯."

초장부터 떠보는 듯한 태도에 최영은 어이가 없어 웃어 넘겼다. 그러나 고군기는 물러나기는커녕 도리어 마당 옆 가시나무와 칡넝쿨이 우거져 있는 곳을 가리키며 다시 말을 이었다.

"아, 저곳을 개간하면 곡식을 심어 식량이라도 조금 마련할 수 있을 것인데, 저놈의 우거진 가시나무 때문에 저쪽에 들어갈 수도 없고⋯⋯. 도끼라도 있으며 베어버릴 텐데, 이 후미진 곳에 살다 보니 그것도 없고. 그래서 떡 본 김에 제사 지낸다고 겸사겸사 무공도 보고 저 땅을 개간하고자 해서 그리 부탁하는 것이니 달리 생각하지는 마시지요."

솔직한 척 웃으면서 빈틈없이 덤벼들어 오는 고군기의 모습에 최영은 난처해졌다. 그를 떠보려고 한다는 것이야 분명하건만, 개간하겠다고 핑계를 대니 무작정 거부할 수도 없는 노릇이었다. 한단 선사도 최영이 어찌 나오는지 궁금하다는 듯 조용히 지켜보았다. 서로 얽혀 우거진 가시나무들 중에서 몸통으로 여겨진 나무는 얼마나 큰지 도끼로 쳐도 몇 날 며칠이 걸린 정도로 한 아름이나 되어 보였다. 그것을 검으로 벤다는 것 자체가 애당초 불가능해 보였다.

"허허, 나보고 불가능한 것을 가능하게 하란 말인가? 하지만 저곳을 개간하는 것이 소원이라고 하는데, 그냥 외면할 수도 없고⋯⋯. 정, 그렇다면 그게 되는지 안 되는지, 내 한번 부딪쳐보기는 해봐야 되겠군."

최영이 흔쾌하게 대답하며 베어야 할 가시나무를 지긋이 응시하였다. 몸통으로 접근하자고 해도 그 옆의 나무를 치고 나가야 했다. 그러니 단 한 번으로 될 수 없었다. 최영은 조심스럽게 검을 빼들었다. 그리고 지그시 눈을 감았다. 한단 선사와 고군기도 숨을 죽였다. 삽시에 주위는 정적만이 감돌았다.

그렇게 한참동안의 숨을 고른 후 갑자기 최영의 몸이 공중에 솟구치며 춤을 추는가 싶더니 순식간에 칼날이 가시나무 사이를 연거푸 스치고 지나갔고, 마침내 최후의 칼날이 천둥번개가 꽝하며 땅에 내리꽂히듯 아름드리나무인 가시나무를 내리쳤다. 그리고는 아무 일 없다는 듯 최영은 칼집에 검을 넣었다. 그 순간 거대한 장벽처럼 버티고 서 있었던 가시나무가 옆으로 통째로 우지직 소리를 내며 넘어졌다.

"삼위일혼검법의 위력이 이런 정도일 줄이야."

고군기가 놀라워하며 감탄했다. 한단 선사도 연신 고개를 끄덕였다. 두 사람의 칭찬에 최영은 겸연쩍기만 했다. 솔직히 그 자신도 장담하지 못했다. 단지 자신의 모든 것을 하늘에 맡긴다는 심정으로 검의 초식을 전개한 것인데, 그리된 것이었다. 고군기가 다시 최영을 향해 입을 열었다.

"천손의 위력을 보여주었으니 됐습니다. 이제 고려의 미래가 환해 보입니다 그려. 아, 참 저보다 더 나이가 많으니 이제 형님이라고 부르겠습니다. 그런데 형님, 이번에 전개한 검법이 일격필살 검법인 것인가요?"

고군기의 스스럼없는 모습에 최영도 기꺼이 동생으로 받아들이고 편한 어조로 되물었다.

"글쎄, 그런데 왜 그리 생각하는가?"

"저 가시나무라는 게 몸통까지 베지 않고 주위의 것만 베면 다시 뿌리를 뻗어 주변으로 계속 퍼져 나간다니까요. 내 저 몸통을 못 베고 주위 것만 베다 보니 저 놈이 더 커져서 이제는 어떻게 손을 쓸 수가 없게 되었지 뭡니까? 헌데 형님께서 주위 것뿐만이 아니라 몸통까지 베었지 않습니까? 그러니 일격필살 검법이 맞는 게지요. 우리 고려도 새롭게 국운을 세우자면 일격필살의 전법을

172

써야지요. 잔가지나 곁가지 같은 앞잡이 몇 놈만 쳐 가지고는 안 되니 곧바로 몸통까지 쳐야 할 것입니다."

"맞는 말일세. 그런데 동생, 시원한 냉수나 한 사발 주게. 내 자네 말을 들으니 정신 차려야 할 것 같아서 말이네."

"찾아온 손님에게 대접이 이거 말이 아니군요. 헌데 집에 뭐 있는 것도 없고 그저 냉수나 한 사발 떠오겠습니다."

고군기가 물을 떠오려 간 사이 최영과 한단 선사는 자연스레 마루에 걸터앉았다. 한단 선사가 최영을 향해 넌지시 물었다.

"동생이 어떤가? 맘에 드는가?"

"순수한데다가 맑고 명랑하고, 게다가 서글서글하기까지 하니. 허나 그보다는 심중이 아주 깊은 젊은이인 듯싶습니다."

"잘 보았네. 아마 전략가로서 천하를 주름잡을 인걸일 걸세"

한단 선사가 그리 말하고는 최영이 궁금해하는 고군기의 이력에 대해 간략히 설명해주었다. 고군기는 선대 조상이 고구려 왕실 계통의 출신으로서 그 집안은 고구려가 망한 이래로 고구려의 추모대왕이 다물의 기치를 내걸고 나라를 세웠던 그 정신을 잃지 않고 면면히 지켜오며 살아오고 있다는 것이었다. 고군기 또한 이런 집안의 내력을 이어받아 지금껏 저 고구려의 영토를 되찾기 위한 소망을 한 번도 잊어본 적이 없고, 때가 되면 그것을 실현하기 위해 학문에 정진한 결과 천문과 역법, 지리, 군사 전략에 대해 통달하지 않는 바가 없을 정도라는 것이었다. 이력을 듣고 보니 최영은 고군기가 자기에게 한 행동이 이해되기도 했다.

"저 없는 사이에 밀담이라도 하시는 모양입니다. 소곤소곤하게 말입니다. 여기 냉수 대령했사옵니다."

고군기가 내미는 사발에 한단 선사가 먼저 마시고, 그 다음에 최영이 시원스럽게 들이켰다. 바람마저 살며시 불어주니 적이 시원해보였다. 노래 한 가락 뽑으면 풍류객의 분위기가 살아나는 분위기였다. 그 때문인지 고군기가 최영을 향해 입을 열었다.

"형님, 요즘 저자 거리에서 불러지는 장가 들어 봤지요. 쌍화점인가 하는 노래야 재물 있고, 권세 있는 자들의 타락한 행위를 들춰내는 것이니 따져볼 것도 없고. 가시리나 청산별곡 같은 장가말이요."

"왜? 분위기도 그럴싸한데, 한 곡조 뽑아주려고?"

"못 할 것도 없지요."

고군기가 기다렸다는 듯 목소리를 가다듬더니 이내 한 곡조 뽑아냈다.

"가시리 가시리잇고 나는
　리고 가시리잇고 나는
날러는 엇디 살라ᄒ고
　리고 가시리잇고 나는
잡ᄉ와 두어리마ᄂ는
선ᄒ면 아니 올셰라
셜온 님 보내ᅌᅩ노니 나는
가시ᄂ 듯 도쇼 오쇼셔 나는"

174

너무도 애절한 목소리의 노래였다. 한단 선사와 최영은 박수를 치면서도 눈시울을 붉혔다. 최영이 고군기를 향해 말했다.

"동생이 이런 노래를 좋아하는지 미처 몰랐구먼. 혹시 무슨 사연이라도 있는 게요?"

"무슨 사연이 있어서 이 노래를 좋아 하나요? 이게 우리 백성들의 자연스런 심성인데요. 천지인을 삼위일체로 보는 것은 우리네의 심성 아닙니까? 언뜻 보면 이 노래가 개인적인 이별사로만 보이지만 '나'를 우리 공동체나 조국으로 보게 되면 전혀 다른 뜻이 되지요. 저만 보더라도 고구려라는 고국이 빨리 돌아오라고 하지 않습니까? 그런데 이렇게 가지도 못하고 있으니……. 고려 백성들 또한 나라의 주권을 잃어 산천이 황폐화 되어 버리니 어쩔 수 없이 유랑할 수밖에 없지 않습니까? 그렇지만 고국이 기다리고 있으니 빨리 돌아오라고 하지 않습니까? 어차피 이 조국 산천을 가꾸고 빛내어야 할 사람은 고려인이니 말입니다."

고려가 처한 현실을 차분하게 밝혀내는 고군기의 설명에 분위기는 숙연해졌다. 이들은 바로 이런 현실을 어떻게든지 타개하기 위해 지금껏 각기 영역에서 나름대로 준비하여 온 사람들이었다. 다시 고군기가 입을 열었다.

"그런데 고려 백성들은 가시리에서 멈추지 않습니다. 고국으로 빨리 돌아오라고 하면서 청산별곡으로 대답하니까요. '청산에 살으리랏다'고 말입니다. 빨리 고국을 찾아 황폐화되지 않았던 땅에서 자연스레 맺힌 멀위랑 다래랑 먹고 우리 조국 강토에서 살자

175

고 말입니다. 저야 이번에 형님이 저 가시나무를 베어 주어서 저곳에 텃밭을 일구면 이제 얼마간의 곡식을 얻을 수 있게 되었으니 얼마나 다행입니까? 허나 다른 백성들은 어찌해야 합니까? 모른 척할 수는 없지요. 이 황폐해진 고려의 전국 산천을 일구자면 모든 고려인들을 하나로 뭉치게 해야 합니다. 그래야 전국에 걸쳐 저 얽히고설킨 저 칡넝쿨과 잡풀 같은 것들을 뿌리째 뽑아내고 곡식을 심을 수 있을 것 아니겠습니까? 그 힘을 마련해야 합니다."

"동생의 말이 맞네. 우리가 그렇게 하면 될 것 아닌가?"

최영은 가슴이 뜨거워짐을 느끼며 고군기의 두 손을 꼭 잡았다. 꼭 이뤄내자는 두 사람의 다짐이 서로의 눈길로 확인되었다. 지금껏 말없이 지켜보고 있었던 한단 선사가 마침내 입을 열었다.

"두 사람이 이렇게 의기투합하니 고려의 미래는 열려지고 말 것이네. 단군조선이자 천손의 얼과 혼이 있고, 세상을 주름잡을 전략가가 있고, 선인의 맥을 이어받고 전쟁의 화신인 치우천황으로 현신한 장수가 있으니 그 무엇인들 못 하겠는가? 고려인들을 하나로 단결시키자면 그 핵심이 있어야 할 것인데, 바로 얼과 혼, 전략가, 무장력을 갖춘 우리가 그 기초를 세우자는 것이네. 우리가 그 주춧돌인 토대를 세워 단군조선의 옛 영화를 꼭 실현하자는 것일세. 어찌 해 보겠는가?"

"그리하겠사옵니다."

176

최영과 고군기가 동시에 대답했다. 한단 선사가 두 손을 내밀자 최영과 고군기가 한 치의 망설임도 없이 한단 선사의 두 손을 꼭 잡았다. 엄숙한 분위기에 세 사람의 손이 굳게 뭉쳐지고 두 눈들은 의기로 이글이글 불타올랐다. 사위는 이 세 사람의 의기투합에 숨을 죽이고 조용히 지켜보았다.

헌데 이 세 사람의 행동을 시기라도 한 듯 갑자기 하늘에서 살별이 고려의 하늘을 뒤덮듯 남쪽에서부터 북쪽으로까지 쭉 뻗치며 빛을 뿌렸다. 그것도 곧바로 없어지지 않고 오랫동안이나 하늘에 드리워져 있었다. 세 사람은 일어나서 불길한 눈길로 하늘을 한참이나 지켜보았다. 마침내 고군기가 입을 열었다.

"아무래도 이제 움직여야 할 것 같사옵니다. 이 고려에 병난이 일어날 것임을, 그것도 오랫동안 남에서부터 북으로까지 연이어 터질 조짐을 보여주고 있으니 말입니다."

"아직 왕이 어린데 이 난국을 과연 어떻게 헤쳐나갈지 정말 걱정이구면."

최영이 근심어린 투로 화답했다. 그러자 고군기가 다시 입을 열었다.

"머지않아 고려의 왕은 강릉대군으로 바뀔 것입니다. 원에서 오죽했으면 고려에 개혁을 요구했겠습니까? 그만큼 고려 국정의 문란을 원 또한 걱정하고 있다는 것이지요. 어느 정도는 고려가 버텨 주어야 원에서도 이익이 된다는 것 아니겠습니까? 반드시 그리될 것입니다. 그러니 형님께서 이제 나서시어 자리를 잡으셔

177

야 합니다."

최영보고 출사하라는 고군기의 의견에 한단 선사도 동조하고 나섰다.

"고군기의 말이 맞네. 자네의 책무가 막중하네. 병난으로부터 우리 고려의 백성을 구해야 할 것이네. 자네의 행동에 고려의 운명이자 천손의 운명이 달려 있네. 지금 이 시각으로 바로 길을 떠나게."

최영은 한단 선사와 고군기의 주장에 선선히 발길을 내딛었다. 그 또한 이미 그 시기를 가늠하고 있었을 뿐이었다. 그토록 오랜 기간 무예를 닦아온 것은 바로 이걸 준비하기 위해서였다. 길을 재촉하는 한단 선사와 고군기의 태도도 결코 서운하지 않았다. 도리어 자신의 뒷배가 생긴 듯 자신감마저 솟구쳤다. 최영의 뒷모습을 보며 한단 선사와 고군기가 미덥게 손을 흔들어 주었다.

이제껏 준비만 해 오다가 마침내 동지들과 억센 손을 잡았는데, 그 기쁨을 채 누리지도 못하고 떠나야 한다는 것은 하나의 아쉬움이었다. 허나 그의 두 어깨에 드리어진 무거운 책무를 생각하면 한시바삐 출사의 길을 내딛어야 했다. 백성을 전란으로부터 구해내고 고려의 휘황한 미래를 열기 위해서였다. 어떻게 해서든지 그 기초와 토대를 마련해야 했다.

6

출사하고 대륙의 정세를 요해하다

최영은 개경 쪽을 향해 걸었다. 고군기가 남쪽으로부터 병란이 일 것이라고 하였는데, 그것은 왜구의 준동을 뜻할 것이었다. 그럼 남쪽으로 내려가야 하는데, 그러자면 자연 개경을 거쳐야 하고, 또 가는 길에 나라의 소식을 들을 수 있을 것이었다.

고군기의 예측대로 1350년 2월 왜적은 경상도 고성과 죽림, 거제를 침탈했다. 이를 가장 걱정하고 두려워하는 사람은 나이 어린 충정왕이었다.

"침략해 온 왜적의 무리가 그 수를 헤아리기 어려울 정도라고 하옵니다. 죽은 사람만 해도 300명이 넘는다는데, 왜적들이 계속 백성들에게 해악을 가할 것을 생각하면……. 장차 이 일을 어찌하면 좋겠사옵니까?"

충정왕이 근심을 토로하자 모친 희비 윤씨가 안심시키고자 들었다.

"백성들을 이리 생각하시다니 장차 성군이 되실 겁니다. 암, 그러고 말고요. 허나 그 왜적 무리라는 게 단지 약탈이나 하고자 하는 것이니 크게 염려하지 않아도 될 것입니다. 이번에도 막아내지 않았습니까? 그 왜적을 막아낸 승전을 기념하면서 앞으로도 국가 안녕을 위해 부처님께 기원을 하면 나라는 안정될 것이고, 대신들도 그 뜻을 알고 적극 나설 겁니다."

그리하여 충정왕은 연경궁에서 왜적기양법석(倭賊祈禳法席)을 열었다. 이를 계기로 왜구의 침구에 대해 적극적인 대처를 주문하여 연성군 이권을 경상도, 전라도 도지휘사로, 유탁을 전라도, 양광도 도순문사로 임명했다.

허나 왜구의 준동은 그치지 않았다. 4월에는 왜선 4백여 척이 전라도 순천부를 침략하더니 남원, 구례, 영광, 장흥 등의 조운선을 약탈했고, 5월에도 왜선 66척이 또다시 순천부를 침구했다. 대규모 병선을 동원한 왜구의 침략 형태는 단순히 몇 번 약탈이나 하고 끝낼 성질의 것이 아님을 보여준 것이었다. 그런데도 조정의 신료들은 이런 정세의 변화를 읽어내지 못하고 자신들의 권력 안배에만 혈안이 되어 있었다.

조정 대신이었던 최유는 논공행상에 불만을 품고 고려를 배반하고 동생들과 함께 원으로 도주해 버렸다. 이 사건의 발단은 충혜왕 때의 폐신 최안도의 아들 최유가 충정왕을 원으로 호종한 공로로 참리로 임명되었는데, 배전과 공신 다툼의 논쟁을 벌인 것으로부터 비롯되었다.

배전은 그의 모친이 궁궐의 노비였으나 충혜왕의 폐인이 되어 권력을 누렸으며, 충목왕이 왕이 된 이후에는 충목왕의 모친 덕령공주와 정을 나눠 총애를 얻으며 권력을 농단한 자였다. 남편인 충혜왕이 그토록 계집질을 하였으면 신물이 날 것도 하건만 도리어 그걸 배워 덕령공주 또한 남색질을 벌인 것이었다. 덕령공주는 배전의 죄상이 적힌 익명서가 나돈 이후에는 임금 옆에 시종하지 못 하도록 명하였는데, 배전은 여전히 궁궐을 드나들었다. 충정왕이 왕위에 오른 이후에도 덕령공주의 총애를 기초로 그 권한을 행사하였다. 이때 충정왕의 모친 희비 윤씨와 4촌지간인 윤시후는 윤왕이라고 할 정도로 권세가로 등장하고 있었다. 그러니 관료 임명은 윤왕이나 배전을 통해서만 가능하다는 말이 나돌 정도였다.

배전이 최유를 보고 거만한 태도로 한마디 내던졌다.
"그대가 참리가 된 것은 내가 천거했기 때문이네. 그걸 잘 알아야 할 것이네."
"뭐야, 내 공이 얼마나 큰데, 도리어 내가 당신의 도움을 받았다고? 그게 말이나 되는 소리인가?"
최유는 배전에게 화를 내고는 그 분을 못 참겠는지 씩씩거리면서 그길로 충정왕을 찾아가 따졌다.

"왕으로 옹립한 공은 황제의 성지를 가져온 신보다 더 큰 사람이 없는데, 저는 고작 도첨의를 경유하여 참리에 올랐사옵니다. 그런데 윤시우는 무슨 공이 있기에 밀직에서 삼재가 되었으며, 그 아버지 윤신계와 숙부 윤안숙 또한 일찍이 삼재가 되었는데, 어찌 그들 집안만 관직을 누려야 하는 것이옵니까?"

"무슨 가당치 않는 소리를 하는 겐가? 그대는 대궐 안의 사령 노의 후손이니 육재도 너에게는 극진한 것이거늘, 어찌하여 만족함을 알지 못하는가?"

옆에서 듣고 있던 희비 윤씨의 외삼촌이 되는 민사평이 최유를 꾸짖고 나왔다. 그러자 화가 치민 최유는 충목왕의 면전에서 다짜고짜 민사평에게 달려들어 주먹을 휘둘렀다.

이 다툼을 계기로 감찰사에서 탄핵하며 최유의 집 계집종을 붙잡아갔다. 최유는 자기 집 종들을 시켜 그 계집종을 다시 데려오게 했다. 그러자 첨의사에서도 그를 탄핵하고 나왔다. 또 최유의 아우 판도판서 최원도 왕을 원망하는 말을 하였는지라 충정왕이 최원을 순군옥에게 가두어 우정승 손수경에게 국문하게 명하였다. 잡혀온 최원은 옥의 수감을 받아들이지 않고 도리어 황제의 겹설은 본래 꾸짖지도, 욕하지도 못한다는 것을 모르냐고 호통치더니 제 발로 걸어 나가서는 형 최유와 함께 원으로 도망가 버린 것이었다.

조정 대신들이 자리다툼이나 벌이고 있는 사이 왜구의 준동은 계속되었다. 왜선 20척이 경상도 합포를 침탈하더니 고성과 회원 등지를 불살랐고, 전라도 장흥부의 안양향도 유린하였다. 더욱 심각한 것은 1351년 8월 들어서는 왜선 130척이 자연도와 삼목도 등의 강화도 지역까지 침탈하여 민가를 깡그리 불살라 버렸다는 점이었다. 경상도와 전라도 등의 남쪽에 그치지 않고 강화도 지역까지 기어들어 왔다는 것은 수도 개성의 인근 지역도 언제든지 침탈 받을 수 있다는 것을 의미했다.

조정에서는 시급히 만호 원호를 서북면으로 보내 만호 인당과 전 밀직 이권으로 하여금 하루빨리 서강으로 와서 진을 쳐 왜적을 방비하게 했다. 왜적이 남양부의 쌍부현(수원)을 침탈헤오자, 조정에서는 인당과 이권 등에게 바다로 나가서 왜적을 체포하라고 지시했다. 하지만 이권은 자신은 장수도 아니고 관리도 아니니 지시를 받들 수 없다고 하면서 왕의 명을 따르지 않았다.

최영은 조정 관리들의 태도에 아연실색할 수밖에 없었다. 왕명을 거역하는 군사 지휘관 밑에서 병사가 제대로 싸울 수는 없는 노릇이었다. 어디로 가야 할지 발길을 정하지 못하고 최영은 상황을 더 지켜보기로 하였다.

원에서는 왜구가 준동하는 조건에서 어린 왕이 정사를 이끌어가기에는 현실적인 어려움이 있다고 보고, 1351년 10월 강릉대군 왕기(공민왕)을 국왕으로 임명하고 충정왕을 강화로 유배 보내는 조치를 취했다. 이것은 강릉대군을 따르는 연저수종세력과 기황후 세력, 그리고 고려 내부의 개혁 세력이 지속으로 책략을 전개했기 때문이었다. 강릉대군은 원의 지원 세력이 없는 약점을 보강하기 위해 위왕의 딸 노국공주와 결혼까지 한 상태였다.

왕위를 계승한 공민왕은 우선 전 판삼사사 이제현을 섭정승 권단정동성사로 명하였다. 조인규의 손자인 조일신은 공민왕의 인사명령서인 비목을 가지고 고려로 귀국했다. 그 비목에는 고려 내부의 개혁 세력을 상징하는 이제현을 도첨의정승, 원저수종공신인 조일신을 참리, 그리고 기황후의 이종사촌오빠인 이공수를 정당문학 등으로 임명하였다.

이제현은 개혁 정치의 일환으로 우선 충정왕 시기의 권신들을 제거하는 조치를 취하였다. 행성의 이문 배전과 박수명을 행성옥에 하옥시키고, 직성군 노영서와 찬성사 윤시우를 가덕도와 각산으로 유배 보냈으며, 찬성사 정천기와 지도첨의 한대순을 각각 제주목사와 기장감무로 좌천시켰다.

공민왕은 고려에 돌아와 왕위에 올라서는 더욱 적극적으로 개혁 정책을 밀어붙였다. 1352년 1월에 이승휴의 아들인 감찰대부 이연종이 변발을 한 공민왕에게 주청하였다.

"변발을 하고 호복을 입는 것은 선왕의 제도가 아니오니, 원컨대 전하께서는 이를 본받지 마시옵소서."

공민왕은 이연종의 상소를 흔쾌히 받아들이고 그 자리에서 그 자신부터 변발을 풀고는 이를 폐지시켰다. 고려의 풍속을 되찾는 것이었다. 권신들에 의해 인사가 좌우되는 현상도 막기 위해 정방을 폐지하여 문무의 전주를 전리사와 군부사로 돌렸다.

1352년 2월 들어서서는 왜적이 변방을 침구해 인명을 살상하고 민가에 불 지르며 조운선마저 약탈하고 있는 현상을 지적하면서 이에 대해 적극적인 대책을 세울 것을 주문하였다. 이에 힘입어 전라도 만호 유탁은 군사를 엄정하게 다스리면서 사졸과 고락을 같이하고, 왜적이 만덕사를 침략할 때는 즉각 날랜 기병으로 추격해서 체포하여 더 이상 왜구가 침범하지 못 하도록 조치하였다.

최영은 공민왕의 조치들을 보면서 양광도 도순문사 휘하로 들어갔다. 최영은 왜구가 언제 어디를 침구할지 모르는지라 양광도 서주 방호소에서 경계에 만전을 기했다. 아니라 다를까 왜선 몇 척이 다가왔다. 최영은 왜구가 가까이 접근할 때까지 기다렸다가 병사들에게 소리쳤다.

"왜적을 한 놈도 남김없이 섬멸하자."

최영이 외침과 동시에 비호처럼 달려가 왜선에 올라타 왜구를 베어내기 시작했다. 그 무예는 가히 신기에 가까웠다. 병사들도 그에 힘입어 가세했다. 그 성과로 왜선 1척을 나포하고 2명까지 포로로 잡았다. 또 양광도 착량과 안흥, 장암 일대에서 수전이 벌어질 때 왜선이 육지에 근접하자 그 배에 진입하여 적들을 베어내고 나포하였다. 그런데 포왜사 김휘남과 부사 장성일은 수전을 벌인 그들의 공으로 조정에 장계를 올려 각각 좌상시와 중랑장의 벼슬을 받아냈다. 그래 놓고 포왜사 김휘남은 전함 25척을 이끌고 양광도 풍도까지 갔다가 적선 20척과 마주치자 싸우지도 않고는 강화도 교동으로 퇴각해 버렸다. 그리고는 멀리서 지켜보고는 중과부적이라며 서강으로 퇴각해 위급함을 알리고 증원군만을 요청했다. 조정에서는 여러 영의 군사를 시급히 징발하여 서강, 갑산, 교동으로 나뉘어 적의 침구에 대비하게 하니 백성들은 전란이 일어난 것으로 알고 놀라며 두려움에 떨었다.

최영은 나라를 지키고자 병사들과 함께 목숨 바쳐 싸우고자 했다. 그러나 군사 지휘관이라고 하는 작자들은 자기 안위만 걱정하였다. 그러니 전투다운 전투는 제대로 벌이지도 못하고 혈혈단신마냥 싸울 수밖에 없었다. 왜적이 강화도 교동의 갑산창을 분탕질하고 있다는 소식을 들은 최영은 그 길로 전 대언 최원과 함께 달려가 격전을 벌였다. 그가 휘두른 칼날에 왜적은 추풍낙엽처럼 나가떨어졌고, 이 전투에서 왜선 2척까지 나포하는 성과를 거두었다.

곳곳에서 왜구를 퇴치하기 위한 과정에서 보여준 신기에 가까운 최영의 무예는 사람들에게 감탄을 자아냈고, 자연 여러 사람들의 입에 오르내리게 되었다. 공민왕은 그 소식을 듣고 최영을 불러들였다.

"그대의 무예가 신기에 가까워 사람들이 최 무공이라고 한다면서요. 대단합니다. 그런데 그대의 할아버지가 충렬왕의 태손 시절 사부이셨고, 아버지 최원직 또한 사헌 규정의 벼슬을 하였으

186

니 문음으로 이미 관직을 얻고도 남았을 터, 또 전공도 있고 하니 그대를 홀치에 임명하노니, 앞으로 그 책무에 만전을 기하시오."

이렇게 해서 최영은 공민왕의 시위를 담당하게 되었다. 공민왕은 무예가 뛰어난 그를 왜적을 막기보다는 자기의 보위의 안전에 더 주안점을 주고 기용한 것이었다.

조정에 출사하게 됨에 따라 최영은 집을 개경으로 옮겼다. 이제껏 혼자 살림을 도맡았던 유씨 부인에게 좀 미안한 마음을 덜 수 있었다. 허나 그뿐이었다. 이 나라가 어찌 흘러갈지 생각하면 답답할 지경이었다. 원으로 도망간 최유라는 자는 원으로부터 신임을 얻고자 홍건적의 반란이 일어난 것을 기화로 해서 고려로부터 정남병 10만을 징발할 것을 황제에게 주청하고 나섰다. 원에 있던 고려 관리들이 왜구의 준동도 적극 대처하지 못하는 상황에서 그건 불가하다고 적극 상소하여 간신히 취소시켰다. 그러나 그 주장에 물꼬가 한번 터진 이상 언젠가 원이 요구하고 나설 것이 자명했다. 그렇다면 하루빨리 고려의 국정을 바로잡아야 하건만 초창기 시절 공민왕이 보여준 국정 쇄신의 의지는 벌써 퇴색되고 빛바래진 모습이었다.

이렇게 된 것은 원저수종공신 세력을 대표하는 조일신의 등장 때문이었다. 조일신은 자신의 세력을 확산시키기 위해 지난날 충혜왕의 폐신 세력들을 끌어들였다. 기황후 세력은 원 황후의 세력에 근거하고 있기에 서로 경쟁할 수밖에 없는 사이였고, 고려 내부의 개혁 세력은 자신의 세력 확장에 걸림돌이 되었다. 반면에 조일신은 홍탁의 딸과 혼인한 관계로 충혜왕과는 동서지간이되었으니 충혜왕의 폐신들과는 사이가 좋은 편이었다. 이로 인해국정을 농락시켰던 세력을 청산하려는 개혁세력의 움직임은 제동이 걸리게 되었다. 당장 1352년 정월에 찬성사 전윤장과 이상조익청을 감찰사에서 탄핵했으나 윤허되지 않았다. 충혜왕의 폐신으로서 충목왕과 충정왕 때까지 권력을 농단했던 배전도 용서되었다. 오로지 자기 패거리를 확대하기 위한 권력의 암투가 벌어지자 공민왕 또한 자신의 권력 안정을 추구했고, 강화도로 유배되었던 충정왕은 1352년 3월에 독살되고 말았다.

권력을 농단하고 죄를 지은 자가 엄격히 처벌을 받아야 하는데, 예전 세력이 그대로 그 자리를 차지한 격이니 나라의 기강이바로 설 수 없었다. 공민왕에 대한 희망을 잃어 버렸는지 이제현은 사직하겠다고 상소를 여러 번 올리고 있었다. 당연히 국정의쇄신을 요구하며 조일신을 탄핵하는 감찰집의 김두와 지평 곽충수, 장령 경천흥 등은 파직되었다. 감찰대부 이연종도 조일신과함께하더니 더 이상 자리에 연연하면 안 되겠다고 판단했는지 관직을 버리고 고향으로 돌아가 버렸다. 밀직제학 윤택도 공민왕에게 국정 쇄신을 요하는 글을 올렸다가 받아들이지 않자 벼슬에서물러나 개성윤으로 은퇴해 버렸다. 설상가상으로 조일신은 원 승상 탈탈대부가 보낸 사신을 이용하여 공민왕의 연저수종공신으로서 국정 쇄신을 바라는 우부대언 김득배와 좌부대언 유숙마저 파면시켜 버렸다.

조일신의 국정농단은 거의 안하무인 격이었다. 순군부에서 배전의 가노를 가두고 심문하고자 했는데, 배전을 두둔한 조일신은 군졸 50여 인을 데리고 가서 순군부의 옥리를 불러 석방하도록 요구하고, 그 말을 듣지 않자 옥리를 구타하고서는 만호 홍유에 부탁하여 석방시켰다. 또 도평의녹사 김덕린이 자신을 참소했다고 하여 제명하고 옥에 가두었다. 그런데도 공민왕이 어쩔 수 없이 따르자 그 어떤 사람도 조일신을 두려워하여 감히 비방하지 못하게 되었다.

최영은 조정에 출사한 사실을 축하해주기 위해 찾아온 고군기를 보고 근심을 토로하였다. 30대 중반의 나이에 이르러 출사했고, 고려를 중흥시켜 저 요동과 만주를 되찾기 위한 꿈의 실현에 동지들의 기대를 한 몸에 받는 격이니 당연히 축하 받을 만했다. 허나 최영의 심정은 그와는 정반대로 처참하기만 하였다.

"공민왕에게 일말의 기대를 걸었건만, 이것도 부질없는 모양이군. 내 조정에 출사한 게 이리 새끼가 호랑이 행세하는 꼴을 보려고 하는 것이었다니, 내 기가 막혀서……. 나라의 기강이 도로 무너져 버렸네. 왜구가 준동하고 있는데, 군대는 군율도 없고, 장수라는 자들은 공치사만 하려고 하고, 대군이 온다 싶으면 도망치기에 바쁘니. 이런 군대의 전투력으로 어떻게 왜적을 막아낼수 있겠는가? 백성들이 당할 환란을 생각하면 눈앞이 깜깜해지는구먼."

고려 군대의 전투 지휘 체계는 문란해진 정도가 아니라 거의 무너진 형국이나 다름없었다. 왜적이 전라도 모두량을 침구하자 지익주사 김휘가 수군을 동원해 막아 나섰으나 패배했고, 옥구감두 정자룡은 보면서도 싸우려고 하지도 않았다. 만호 인당은 왜선 한 척을 나포해 왕에게 바쳐 공민왕이 그것을 큰 연못에 띄워 놓고 구경까지 하게 하여 공치사를 누렸으나 대군이 오니 금군 및 동·서강, 그리고 교동의 수군 천 명까지 지휘하고 있으면서도 그저 미적거리기만 하고 진군하지 않았다. 왜구는 더욱 기고만장해지고 1352년 9월에 들어서서는 무려 540여 척을 동원하여 경상도 합포를 침구해 유린해 버렸다.

"형님, 무너진 제방을 어찌 단번에 다시 쌓을 수 있겠습니까? 마음을 단단히 먹어야지요. 그리고 이리 새끼가 두 마리인데, 그 두 마리가 공존할 수야 없겠지요. 조만간 무슨 사단이 벌어질 것이니 그 결과가 어찌될지 지켜보지요."

이미 국정 쇄신을 요구하는 개혁 세력은 조일신 일당에 의해 거의 제거된 상황이었다. 이제 남는 대항마는 기황후 세력이었다. 기황후 세력은 원의 후원을 받고 있는지라 일거에 제압하여야 했다.

마침내 1352년 9월 조일신은 움직이기 시작했다. 그는 자신의 무리인 전 찬성사 정천기와 최화상, 장승량 등 10여 인을 집으로 불러서 모의한 다음 야밤에 군사들을 동원하여 기철, 기윤, 기원, 고용보, 박도라대, 이수산 등을 참살하도록 하였다. 그런데 기원만을 붙잡아 죽이고 나머지는 다 놓치고 말았다. 그렇지만 조일신은 내친 김에 그 무리를 이끌고 성입동에 나아가 시어궁을 포위하고 숙직하는 판밀직사사 최덕림, 상호군 정환, 친종 호군 정기상 등을 살해했다. 그리고는 공민왕으로 하여금 자신을 우정승으로 임명하고 그 일당들에게 차등을 두어 벼슬을 내리도록 종용하였다. 아울러 기철 등을 체포하기 위해 무장한 군사들을 길거리에 내보내어 수색하게 하였다.

기황후 세력을 거의 척살하지 못한 것을 파악한 공민왕은 노국공주와 함께 천동의 별궁으로 이어하였다. 당연히 조일신은 자신의 군사로 하여금 공민왕을 호위하게 하였다.

조일신은 기황후 세력을 일망타진하지 못한 것을 심히 걱정하였다. 그들의 반격이 두려웠다. 공민왕도 그와 얼마간 거리를 두는 방식으로 나오고 있었다. 어떻게든 살아남아야 했다. 조일신은 그 책임을 모면코자 이 반란의 책임을 최화상 등에 돌리기로 작정했다.

조일신은 밤에 최화상을 불러 그가 차고 있는 칼이 매우 좋아 보인다고 하면서 줘 보라고 하고선 그 칼로 찔러 죽였다. 그 길로 공민왕을 찾아가 주청하고 나섰다.

"우두머리가 없이 어떻게 잔당들을 척결하고 일을 성사시킬 수 있겠습니까? 전하께서 친히 십자로에 나가셔서 일당을 체포하도록 명 하시옵소서."

공민왕이 부득이 거동하니 백관이 모이어 장승량 등 8~9인을 체포하여 참수하고, 아울러 정천기를 하옥시키고 그 아들 총랑 정명도 참살하였다.

조일신은 자신의 거사가 실패하자 동료들에게 그 책임을 뒤집어씌워 살해해 버린 것이었다. 그는 반란을 진압하였다고 자화자찬하면서 찬화안사공신의 호를 더하고 내외에 호령하니 조정의 신료 어느 누구도 감히 대꾸하지 못했다.

공민왕은 단양대군의 집으로 이어하여 이조년의 손자인 전 좌사 이인복을 불러들였다.

"일이 이 지경에 이르렀는데 어찌하면 좋겠는가?"

"원 조정에서는 분명 이 일을 밝히려고 들 것이고, 그러면 주상 전하께 그 누가 미치게 될까 두렵사옵니다. 신하로서 난을 창도할 경우 뚜렷한 형벌이 있으니 그리하시면 될 것이옵니다."

공민왕은 이인복의 말을 듣더니 고개를 끄덕였다. 그 길로 공민왕은 행성으로 거동하여 기로들을 모아 모의한 다음 김첨수를 통해 홀치 및 시위 군사들에게 은밀히 명을 전달하였다. 조일신 일당을 체포하고 참살하라는 지시였다. 조일신이 살아남기 위해 동료들을 희생양으로 삼았듯 공민왕 또한 조일신을 버린 격이었다.

최영은 당혹스러움을 넘어 내심 불안하기까지 했다. 순식간에 안면을 바꾸어 버린 공민왕을 과연 믿을 수 있겠는가 하는 것이었다. 조일신과 같이 나서서 반란군을 제압한다고 할 때는 언제

이고 이제 와서는 그들을 제거하라니. 이것은 공민왕이 이후 닥쳐올 기황후 세력의 반격을 두려워함이었다. 최영은 공민왕이 미덥지 못했으나 어차피 조일신 같은 권신은 제거되어야 했으니 단호하게 행동에 나섰다. 조일신은 체포되어 행성의 문밖에서 참살되었고, 나머지 잔당들도 옥에 수감되었다.

조일신 일당을 처벌하였으면 이제 새롭게 국정을 쇄신하여 나가야 하건만 공민왕은 더욱 기황후 세력의 눈치를 보았다. 기황후의 어머니 영안왕대부인 집에 행차해 잔치를 베풀어 주더니 1353년 6월에는 기황후의 아들 아유르시다라가 황태자로 책봉되사 아예 기황후의 모친이 황후를 낳았으니 그 은총에 보답하기 위해 보르차 잔치까지 열어달라고 주청까지 올렸다. 그러면서도 공민왕은 기황후 세력을 견제하기 위해 고향으로 돌아온 염제신과 이인복 등을 좌승상과 정당문학으로 임명해 자신의 안위를 지키려 들었다. 염제신은 아버지가 일찍 죽어 고모부인 원의 관리 말길 장군 밑에 자라 원의 관리로 활동하면서 청렴결백함으로 원순제의 신임을 받고 있는 인물이었다.

고려 조정의 개혁적 움직임은 기황후 세력의 공작에 의해 아예 파국을 맞이하게 되었다. 1354년 6월 원에서 이부낭중 카라노카이, 숭문감소감 바얀테무르(강순룡) 등을 보내 중국 대륙에서 발생한 고우의 장사성의 반란군을 토벌하기 위해 고려에 군사 징집을 요구하고 나온 것이었다. 장사성은 소금을 운반하는 염전 출신의 공인이었는데, 1353년에 거병을 하여 양쯔강 북쪽 지역을 장악하더니 급기야 1354년 1월에 대주라는 나라를 세우고 스스로 성왕을 칭하고 나섰다. 상황이 이리 전개될 수 있었던 것은 1351년부터 홍건적의 반란이 중국 대륙에 불어 닥쳤기 때문이었다. 홍건적은 백련교도와 관련된 것으로 머리에 붉은 천을 둘렀다고 해서 붙인 이름이었다. 초창기 홍건적은 원의 승상 탈탈대부의 공격에 의해 백련교주인 한산동이 체포 살해되어 붕괴되었지만, 그 잔당인 유복통은 한산동의 아들 한림아를 내세우며 봉기를 이어나갔다. 대륙의 정세가 유동적인 상황에서 그것도 고려의 끌끌한 장수들인 유탁, 염제신, 권겸, 원호, 나영걸, 인당, 김용, 이권, 강윤충, 정세운, 황상, 최영, 최운기, 이방실, 안우 등을 포함시켜 서경 수군 3백 명과 날랜 군사를 모집하여 8월 10일까지 연경에 집결시키라는 것이었다. 이것은 채하중이 고려 조정의 권력을 장악할 속심으로 승상 탈탈대부에게 유탁과 염제신 등 용맹과 지략이 있고 뛰어난 장수들을 다 천거해 주었기 때문이었다. 그래 놓고 채하중과 이수산은 원의 사신들보다 먼저 고려로 돌아와서는 황제의 뜻이라면서 자신들을 등용시키라고 주장하였다. 공민왕은 어쩔 수 없이 염제신을 파직하고 채하중을 첨의 정승으로, 이수산과 강중상을 첨의평리로 임명하였다.

최영은 원으로 출정을 떠나게 되는 자신과의 이별을 위해 찾아온 한단 선사와 고군기를 향해 입을 열었다.

"조정에 출사하여 자리를 완전히 잡지 못했는데, 이제 원의 졸개가 되어 칼받이로 연경에 가게 되었으니 이 꼴이 뭐란 말입니까?"

최영은 솔직히 조일신 일당을 제거한 공로로 임명된 호군의 관직을 내던져 버리고 싶은 심정이었다. 이러려고 무예를 익힌 것은 아니었다. 아무리 권력이 탐나도 그렇지 고려의 신하이자 백성으로서 왜구의 준동마저 제대로 대처하지 못하는 상황인데, 자기 조국의 장수들을 다른 나라에 파견해 개죽음을 당하게 만든단 말인가? 생각하면 생각할수록 분노가 솟구쳤다. 그런 마음에 최영이 다시 입을 열었다.

"아무리 기억상실증이라고 해도 그렇지, 충렬왕 시기에 일본 원정으로 해서 고려가 겪은 그 피해와 고통을 벌써 다 잊었단 말인가? 일신상의 안위와 탐욕이 아무리 크다고 해도 그렇지, 그때의 고통을 또다시 반복하잔 말인가?"

남송을 정복한 원 세조 쿠빌라이는 몽골의 천하를 이룩하려는 욕심에 고려를 통해 일본마저 정벌하려고 작정하였다. 그런데 고려에서는 바다 때문에 일본과 잘 교류도 하지 못한 처지라면서 여러 핑계를 대며 거부하고 있었다. 당시 세자인 충렬왕은 원에 볼모로 끌려가 있었는데, 고려로 돌아오고 싶은 마음이 굴뚝같았다. 이를 안 주위 사람들이 원이 원하는 건 일본 정벌이니 세자로서 적극 나설 것이라는 것을 주청하라고 주문하였다. 그러면 원 세조가 고려로 보내 줄 것이라는 것이었다. 설인검과 김서는 그

195

리하면 고려에 엄청난 피해를 안겨줄 것이기에 아니 된다고 극구 말렸다. 헌데 당시 무신의 통치자였던 임연의 아들이자 임유무의 동생 임유간은 이 기회를 이용해 어떻게 해서든지 고려로 돌아가서 자신의 재산을 되차지할 속셈으로 세자였던 충렬왕을 끈질기게 꼬드겼다. 그로 인해 고려는 일본 정벌을 위한 군사와 비용을 부담하게 되었다. 몽골과의 전쟁으로 황폐해진 고려에서 전선 건조와 군사 징발, 말의 목초 마련 등의 비용은 고려가 쉬이 감당할 수 없는 상황이었다. 하지만 이것은 약과였다. 일본 원정에 파견되어 온 정벌군의 그 행패는 이루 말할 수 없었다. 고려의 여인들을 그들의 성적 욕망을 풀기 위해 능욕함으로써 혈연의 인연까지 끊어지게 만드는 등 조국 강토는 백성들의 통곡으로 가득 찼다. 일본 원정은 1차와 2차에 걸쳐 진행되었다. 설사 일본의 정벌에 성공한다고 해도 고려는 어차피 원의 속국이었다. 원은 고려의 군사를 동원해 제일 앞자리에 세워 싸우게 하여서는 끌끌한 고려 군사를 원정대의 밥으로 만들었다. 결국 태풍으로 인해 수많은 병사가 죽으면서 실패로 끝났다. 그 과정에서 원이야 대국으로써 얼마 되지 않는 병사만 잃었지만, 고려는 삼별초 난으로 훈련된 병사가 살상되었고, 이제 일본 정벌로 정예화된 몇몇 남지 않는 군사마저 잃어 버렸으니 다시는 일어설 수 없는 군사적 손실이 되었다. 아울러 그 원정으로 인한 재정적인 피해와 백성들의 폐해는 고려가 정상적인 국가로 기능할 수 없을 정도로 전 국토를 피폐화시켜 버렸다.

분을 토하던 최영이 앞으로의 일이 걱정이라는 듯 말을 이었다. 항상 밝고 웃음기 어린 투로 대화를 이어가곤 했던 고군기도 한단 선사처럼 굳은 얼굴이었다.

"지금 왜구가 준동하고 있는데, 왜구가 약탈을 일삼는 것이야 옳다고 할 수는 없지만 남의 장단에 맞춰 앞잡이 역할을 했던 일을 생각하면 우리 고려가 자초했던 것도 있지 않습니까? 그렇듯 나중에 한족이 고려가 징벌하기 위해 군사를 파견했던 일을 두고 복수하겠다고 나오면 또 어찌 하겠습니까? 어찌하여 천손의 후예인 이 고려가 남의 호구 노릇이나 하는 나라로 전락되어 버렸단 말입니까? 이를 생각하면 이런 일을 꾸민 자들을 당장 조리돌림을 하고 능지처참을 해도 시원찮을 것입니다."

"하늘에 먹구름이 짙게 낀 것이야. 허나 그 먹구름은 물러가게 돼 있네. 화를 복으로 만들어야 하네."

한단 선사가 낮은 음성이었지만 단호한 어조로 얘기했다. 그러자 고군기가 이에 동조하고 나섰다.

"맞습니다, 형님. 홍건적이 원에 반기의 봉화를 지핀 상태에서 염전 출신인 장사성이 또 거병했다는 것은 대륙의 정세가 심히 요동칠 것을 알려주는 징조입니다. 형님께서 대륙의 정세를 잘 살피시고 오십시오. 분명 거기에 길이 있을 것입니다."

최영은 고군기와 한단 선사의 손을 꽉 잡았다. 분노하고 걱정만 토해내는 그에게 무엇을 해야 하는지를 깨닫게 해주는 말이었다. 참고 참으며 때를 만들어야 하는 것이 그의 중요한 책무였다.

최영은 쓰린 마음을 다독이며 연경으로의 원정을 준비해 나갔다.

조정에서는 장사성의 반란 원정군에 출정하는 장수들의 관직을 세 등급이나 올려주고, 그것도 실직이 없으면 첨설직으로 벼슬을 내렸다. 또 백관들과 각 종파의 승려들에게 말을 내도록 하여 군사들이 싼 값으로 군마를 살 수 있게 하였다. 그만큼 이국땅에, 그것도 칼밭이로 나가는 것을 싫어했기 때문이었다. 그런데도 일부 몰지각한 군관들은 원에 몸 대주는 것을 대단한 일로 여긴 양 백성들의 말을 강제로 빼앗거나 헐값으로 사들이는 행패까지 저질렀다. 도대체 원의 군사인지, 고려의 군사인지 분간도 못할 지경에 빠진 것이었다.

마침내 1354년 7월, 유탁과 염제신, 최영 등의 지휘관 40여 명과 고려 군사 2천 명은 영빈관에서 열병식을 받고 원의 연경으로 향했다. 압록강 변에 이르렀을 때, 이제 저 강만 건너면 조국을 진짜 떠나게 된 상황이었다. 앞으로 머나먼 이국땅에서 헤매야 한다는 생각에 모두들 울컥한 심정에 빠져들었다. 그 때문인지 고려 장수들 속에서 불만이 자연스레 표출되어 나왔다. 그걸 기화로 충목왕과 충정왕 시기 한때 권세를 누렸던 강윤충이 제법 의기를 세우며 고려 장수들을 선동하고 나섰다.

"우리가 누구 때문에 강제로 고향과 고국을 떠나 먼 이국땅에 죽으로 가야 하는 겁니까? 언제 돌아올 수 있다고 기약도 할 수 없는데 말입니다. 그럴 바에는 차라리 정예 기병 50명을 뽑아 개경으로 되돌아가 처음에 군사를 징발하도록 꾀한 자를 처치해 버리는 것이 어떻겠습니까?"

강윤충의 주장에 여러 장수들도 고개를 끄덕이며 동조하고 나섰다. 조정의 명령 때문에 어쩔 수 없이 온 것이지만 채하중이 시중으로, 강순룡과 박샤얀부카가 찬성사, 최유가 삼사우사, 기륜과 기완자불화가 덕산부원군과 덕양부원으로 임명되었다는 조정의 소식에 감정이 격앙되었기 때문이었다. 고려의 끌끌한 장성들과 정예군을 먼 이국땅에 보내 놓고 그놈들이 고려 조정을 장악한 꼴이었다. 반란의 분위기가 솟구치자 염제신이 다급하게 가로막고 나섰다.

"이 음모는 명백히 잘못되었고, 나 또한 원통히 여기는 바이오. 허나 우리 임금은 하늘인데, 하늘을 어떻게 피할 수 있겠습니까? 어찌 충신, 의사가 반측하는 말을 하느냐 말입니다."

염제신은 장수들을 자제시킨 다음 더 이상 머뭇거려서는 안 되겠다고 여기며 유탁과 함께 연경으로 가는 샛길을 향해 빨리 길을 재촉했다.

마지못해 움직인 고려의 군사들은 연경에 도착하고서 깜짝 놀랐다. 연경에 모여든 군사들은 고려군만이 아니었다. 서역의 군사들까지 포함해 각지의 모든 나라 곳곳에서 군대가 파견되었다. 원에서는 총 군대가 수백만이라고 하였는데, 가히 그 규모를 알 수 없는 군사 행렬이었다. 고려군 또한 새롭게 편성되었다. 연경에 거주하고 있는 고려인들로 징집된 2만여 명이 대기하고 있었던 것이었다.

새로 편성된 군사를 이끌고 장사성의 반란군을 향해 출발하려고 할 즈음 염제신이 최영을 조용히 불렀다. 염제신은 고려로 다시 돌아가야 했기 때문이었다. 공민왕은 유능한 장수들을 원에 보내 놓고 기황후 세력이 조정을 장악해가는 상황에서 자신의 안위가 걱정되었는지 원 황제에게 염제신만은 고려로 돌려보내 주라고 간곡히 요청하였다. 원 순제도 염제신을 신임했기에 고려의 대신이라며 특별히 허가한 것이었다.

"내 여기서 전하께로 떠나야 하겠소만, 고려군의 안위가 심히 마음에 걸리오. 내 지략과 용맹을 갖춘 장군께 이를 부탁하고자 하오."

"미력한 능력이나마 최선을 다하겠습니다. 그러하니 고려로 돌아가면 고려 조정을 잘 건사시켜 주시지요."

최영은 염제신과 헤어져 군사를 이끌고 장사성의 반란군을 향해 남쪽으로 나아갔다. 무엇보다 중요한 건 고려군에 불상사가 일어나지 않게 하는 것이었다.

대군이 북소리를 울리며 진군하자 그야말로 천지가 뒤흔드는 격 같았다. 수백만이 되는 군대는 고우 지역의 반란군을 향해 압박해 들어갔다. 최영 또한 다른 군대의 진격에 맞춰 앞으로 나아갔다. 꼭 제압하기 위해 목숨 바칠 필요가 없었다. 고려 군사가 다치지 않게 그저 시늉이나 내면 되었다. 그럼에도 그의 군사적 지휘와 무예는 당장 두각을 나타냈다. 최영이 이끈 고려 군사와 사방팔방으로 공격해 들어가는 원의 대군 앞에 장사성의 군대는 지리멸렬하게 무너져 내렸다. 마침내 장사성의 군대는 고우성에 고립된 상태에 빠져들었다. 이때 이 원정을 총지휘하고 있는 원의 승상 탈탈대부가 최영을 찾았다.

"고려군의 용맹무쌍한 전투와 장군의 출중한 능력에 대해 내 이미 보고받았소. 그래서 장군에게 부탁하건대 이번 고우성의 전투에서 선봉을 맡아 주구려. 이번 싸움만 승리로 장식하면 이 전쟁은 끝나게 될 것이오. 내 그 공은 절대 잊지 않을 것이오."

여몽연합군으로 일본을 원정할 때에도 고려군의 정예군사로 선봉에 서게 하더니 이번에도 그리하는 꼴이었다. 썩 기분이 좋지는 않았다. 허나 전장의 최고 지휘관이 명하니 최영은 내놓고 거부할 수가 없었다. 게다가 장사성의 고우성은 대군 앞에 어차피 함락될 것이 불을 보듯 뻔했다. 용맹을 떨쳐 공을 세운다면 고려에 도움이 될 수도 있었다.

내키지는 않았으나 최영은 고우성의 전투에서 앞장서서 싸웠다. 최영은 고려 군사의 피해를 최소한으로 줄이기 위해 자신의 무공을 펼쳤다. 칼바람을 몰고 오는 듯한 그의 칼날 앞에 장사성의 군사들은 맥없이 나가떨어졌고 고우성의 방벽이 허물어졌다. 이제 군사들이 진격하면 고우성은 함락될 찰나였다.

"퇴각하라! 퇴각하라!"

퇴각을 명하는 나팔소리와 북소리에 최영은 싸움을 멈추고 뒤로 물러설 수밖에 없었다. 영문을 알 길이 없었다. 날이 저물었으니 내일 적을 치자는 명이었다. 나중에 알고 보니 원나라 장수 지원노장이 원의 대군 앞에 고우성은 함락될 것인데, 고려군이 그 공을 차지하게 해서는 안 된다고 여기고 그 명을 내린 것이었다.

이건 군령에 의해 즉결처분하여 목숨을 앗아야 할 사안이었다. 헌데 아무런 조치가 취해지지 않았다. 군대의 기율이 이 정도라면 더 기대할 것이 없었다. 수백만에 달하는 군사의 동원은 원의 위세를 보여주기 위한 허세일 뿐이었다. 아무리 군사가 많은들 규율이 제대로 서지 않는 군대가 뭔 일을 할 수 있겠는가?

최영은 더 이상 싸움을 독려하지 않았다. 다음날에 고우성을 공격했으나 함락할 수 없었다. 이미 장사성의 군대는 고우성의 무너진 성벽을 밤새 철저히 보수하고 대비하고 있었다. 전투가 매일 진행되면서 쓸데없는 목숨만 앗아가는 꼴이었다. 허나 그 전투도 지속되지 못할 상황에 처해 버렸다. 원에서 승상 합마의 참언에 의해 전장의 총지휘관인 탈탈대부가 파직된 것이었다. 합마와 탈탈대부는 원래 서로 협력하는 관계였다. 베르카부카가 승상이었을 때 탈탈대부가 탄핵받아 전전하자 합마가 조정에 돌아오도록 도와주었고, 또 합마가 베르카부카에게 쫓겨났을 때는 탈탈대부가 합마를 조정으로 다시 불러들였다. 하지만 탈탈대부가 권력을 잡은 후 안하무인 격의 행동을 하는 합마를 달갑게 여기지 않으면서 둘의 관계는 틀어지기 시작했다. 마침내 탈탈대부가 원정을 위해 조정을 비운 사이 황태자 아유르시리다라를 좋게 생각하지 않는다고 참언하면서 기황후 세력과 손을 잡고 탄핵하기에 이른 것이었다.

탈탈대부가 파직되어 유배에 처해지자 군대는 동요되었다. 객성부사 합달랄은 어차피 남의 손에 죽을 바에야 승상 앞에서 죽겠다고 하면서 자결해 버렸다. 애초 군 규율이 서지 않았는데, 전군의 지휘권을 가진 자를 탄핵하여 버렸으니 더 이상 군 명령은 통하지 않게 되었다. 새로 부임한 지휘관들이 군대를 통제할 수 없었다. 이 틈을 이용해 지금껏 방어로 일관하던 장사성의 군사가 돌연 성문을 열고 반격에 나섰다. 공세만 퍼붓다가 기습적인 반격을 당하자 원의 대군은 그대로 무너지며 흩어졌다. 이로부터 원의 군대는 공격의 주도권을 쥘 수 없게 되었다.

최영은 고려 군사의 피해를 줄이기 위해 시급히 방어 전투에로 들어갔다. 살기 위한 전투였다. 반란군의 군대는 기약급수로 불어났다. 패배한 군사들이 도리어 적의 군대에 합류했고, 홍건적의 무리 또한 공격해 가담했기 때문이었다. 전세가 완전히 역전되었다. 기세를 올린 반군은 회안성 전투에서 무려 8천 척이 넘는 함선에 군사를 태워 동원해 개미떼처럼 밀려들었다. 개죽음당하지 않기 위해 최영은 적의 창에 찔려 피투성이가 되면서까지 필사적으로 분전했다. 허나 아쉽게도 이권과 최원 등은 먼 이국땅에서 아무런 의미도 없는 전쟁에서 목숨을 잃었다. 이런 전투가 무려 1355년 4월에까지 이뤄졌다.

고려 군사는 무의미한 싸움을 피해 고려로 향했다. 장사성 군대와 홍건적 잔당에 대한 토벌의 실패는 원의 군력이 어느 정도인가를 세상의 면전에 확인시켜 주는 꼴이 되었다. 원의 남방 지역 곳곳에서는 이제 원에 반기를 들고 나서는 상황이었다. 사실상 원의 통제권에 벗어난 상태로 전변된 것이었다. 세상을 호령한 거대한 제국 원도 이제 추락의 길로 떨어지고 있음이었다.

고려로 돌아온 최영은 공민왕을 알현하고 보고하였다.

"원은 이제 이빨 빠진 호랑이에 불과하옵니다. 지금부터 고구려를 계승하고자 나라를 세웠던 태조 왕건 폐하의 의지를 받들어 장차 큰 뜻을 도모하시옵소서."

최영은 공민왕이 이제야말로 원의 속국에서 벗어나 주권을 되찾기 위한 길을 갔으면 하는 바람이었다. 허나 공민왕의 모습은 그의 기대와는 사뭇 달랐다. 기황후 세력의 눈치만 보았다. 고려 조정의 실권을 기황후 세력이 좌지우지하는 형국이니 공민왕도 당장은 어쩔 수 없을 것이었다. 그러나 공민왕의 처세를 보면 과연 고려를 다시 일으킬 마음을 먹고 있기나 하는지조차 의문이 들었다.

그런 의심이 드는 것은 대륙의 정세를 요해하였다면 정사를 바로잡고 치밀한 준비를 하여야 하건만, 도리어 불교에 더욱 의탁하는 모습 때문이었다. 1356년 2월부터 승려 보우를 내불당에 불러 음식을 대접한 이후로는 수시로 보우로부터 선법을 듣고는 폐백, 은으로 만든 바릿대, 수놓은 가사 등을 산더미처럼 시주하고, 그 문하의 승려 3백여 명에게도 흰 베 2필과 가사 한 벌씩 시주하며 국고를 낭비했다. 급기야 1356년 4월에 보우를 왕사로 삼고는 연경궁에서 사제의 예를 임금과 같은 정도의 의장으로 치르게 하더니, 부를 세워 원용이라 하고 관속으로 좌우사·윤·승·사인·주부·좌우 보마배·지유·행수까지 두게 할 정도였다. 1356년 5월에는 왕의 생일이라고 하여 보우 등 승려 108명까지 내전에 불러들여 음식을 대접하였다. 불자로서 부처를 모시는 것이야 뭐라 할 수 없겠지만 국왕이 그리한다면 정사가 어찌되고, 그 비용은 도대체 어디서 난단 말인가?

최영은 공민왕을 의심의 눈초리로 보고 적극 나서지 않았다. 그런데 공민왕은 지금까지와는 전혀 다르게 1356년 5월에 기철 일당을 단호하게 응징하기 위해 나섰다. 처음엔 긴가민가했지만 공민왕이 기철 일당을 제거한 후 착착 계획대로, 그것도 주저하지 않고 거침없이 밀고 나가는 것을 보고 믿지 않을 수 없었다. 그동안 자신의 계획을 실현하기 위해 참모습을 철저히 감출 정도로 철두철미한 사람이라고 여겼다. 그래서 기꺼이 공민왕의 명을 따라 요동을 향해 진격해 고구려의 옛 땅을 수복하려 나섰다. 그런데 그 길에 나섰던 최고 지휘관을 원의 압력 앞에 희생양으로 팔아먹다니, 도대체 어찌 그럴 수 있단 말인가? 우리 선조가 활동했던 저 대륙을 되찾기 위해 무예를 닦고 닦았건만 한낱 놀잇감으로 전락당해 농락당해야 한단 말인가? 농락당해도 좋지만 그리하면 과연 저 대륙의 땅을 되찾을 수 있겠는가?

회한과 만감이 교차하면서 최영은 천천히 몸을 일으켰다. 최영을 말없이 지켜보았던 고군기도 최영을 따라 움직였다.

왜구의 준동

공민왕은 기철 일당과 손수경 일당을 제거하고서도 기민하게 채하중과 인승단을 각각 순천과 보안으로 유배 보냈다. 인승단은 몽골인으로서 고려로 귀화한 인후의 서자였다. 공민왕은 초창기 시절 고려 조정을 개혁하고자 변정도감을 설치해 공전을 탈취한 권세가들의 전토를 몰수하고 묵은 조세를 추징하고자 하였다. 그런데 인승단이 변정도감의 폐지를 요청하고 나왔다. 그때 공민왕은 울타리를 넘는 좀도둑이 밤에 달이 밝은 것을 미워한다고 하면서 그 청을 들어주지 않았다. 공민왕은 원의 비호 하에 자신에게 압력을 넣었던 그때의 사실을 아직껏 잊지 않고 있었던 것이었다. 공민왕은 또 원의 앞잡이 역할을 해 왔던 채하중은 물론이고 그 외조카인 정연을 청주목사로 폄출시켰다. 원의 간섭으로 왕위가 위협받을 수 있는 요소를 남김없이 잘라내기 위함이었다.

하지만 공민왕에게 가장 우려되는 건 서북방면의 불안이었다. 총지휘관인 인당을 처벌했으니 군사적 동요가 일어날 수도 있었고, 또 일부 군사의 탓이라고 둘러댔지만 기황후의 일족을 주살했으니 책임을 추궁하려고 나올 수도 있었다. 원의 속국에 처함으로써 고려의 선대 국왕들이 치른 비참한 종말과 죽음을 그는 누구보다 잘 알고 있었다. 그리 당할 수는 없었다.

공민왕은 궁리 끝에 염제신을 서북면 도원수로, 형부상서 유연과 판사재시사 김지순, 상장군 김원명을 그 부원수로 임명했다. 신임의 표시로 그들에게 담비가죽옷과 금띠까지 내려주었다. 염제신에게는 엄한 왕명을 대신할 지휘권의 표시로 부월까지 건네주고는 신신당부했다.

"경이 떠난 뒤에는 서북방을 염려하지 않아도 되겠지요."

염제신은 공민왕이 믿을 수 있는 몇 안 되는 신료인데다가 원 순제의 신임까지 받고 있었다. 서북방면의 군사를 다독이고 원과의 관계를 원만하게 풀어갈 수 있는 최적임자였다.

염제신 등이 서북방면으로 떠난 후 공민왕은 원의 반응을 기다렸다. 원은 사데이칸 편에 조서를 보내왔다.

"고려 왕이 죄를 뉘우치고 있다고 하니 관대하게 아량을 베풀어 용서하겠노라. 앞으로는 근신하는 마음으로 짐의 명을 어기지 말라."

원이 고려에 군사를 동원할 수 없다는 것은 대륙의 정세를 보면 이미 예측되는 바였다. 원은 종이쪽지에 불과한 명분만이라도 고려를 속국으로 붙들어놓고자 했다.

그 의도를 단번에 간파한 공민왕은 1356년 10월 이조년의 손자인 정당문학 이인복을 보내어 표문을 올렸다.

"폐하의 하해와 같은 성은에 백골난망이옵니다. 앞으로도 영원토록 상국으로 모실 것이옵니다."

이렇게 겉치레에 불과한 인사를 올리고서는 자신의 주장을 상서했다. 기철 일당이 반역을 꾀했기에 부득불 자신은 정당하게 조치를 취했다는 것이었다. 결국 기철 일당을 제거하고 원의 속국으로부터 벗어나기 위해 추진했던 정동행성 폐지와 영토 회복 등 현재 확보된 조치들을 기정사실화했다. 심지어 덕흥군 혜의 고려로의 송환도 요구했다. 덕흥군 혜는 충선왕과 궁인 사이에서 태어난 자인데, 공민왕이 왕이 되어 고려로 돌아올 때 환속해서 원으로 도망가 고려에 불만을 품은 자들을 끌어모아 반역을 꾀하고 있는 자였다.

원은 공민왕의 요구를 묵인할 수밖에 없었다. 국가 간의 관계에서 위협적인 언사가 통하려면 언제든지 무력을 동원할 수 있어야 하는데, 원은 그럴 계제가 되지 못했다. 그럴 듯한 명분만 주면 원은 마지못해 들어줄 수밖에 없는 처지였다. 공민왕은 이를 잘 꿰뚫어보고 있었다.

사실상 원의 묵인을 받아낸 공민왕은 조정 관료를 새롭게 다시 임명하였다. 기철 일당을 일망타진하고 옛 관제를 회복하면서 등용한 문하시중 홍언박과 수문하시중 윤환, 문하시랑 동 중서문하평장사 유탁, 중서시랑 동 중서문하평장사 허백 등에게 책임을 묻는 형식이었다. 서북면의 총지휘관인 인당에게 뒤집어씌우는 것과 같은 이치였다. 1356년 11월에 홍언박을 면직시키고 윤환과 허백, 유탁을 유배 보내고는 그 자리에 이제현을 문하시중, 염제신을 수문하시중, 경천흥을 참지문하정사, 이천선을 참지중서정사, 이인복을 정당문학 겸 어사대부, 안유를 지문하성사로 각각 임명했다.

　이런 조치는 공민왕이 바란 대로 일사천리로 진행되는 격이었다. 말로야 원을 상국으로 받든다고 하나 사실상 원의 간섭은 제어되었고, 그를 괴롭히던 권신들마저 일정 부분 제거해 버렸다. 기철 일당을 제거한 이후 모든 성과물을 공민왕이 다 챙긴 꼴이었다.

　최영이 한단 선사와 고군기를 향해 비꼬는 투로 말했다.

　"왕이 저렇게 자기 실속만을 차려서야……."

　최영은 공민왕의 처사가 결코 맘에 들지 않았다. 옛 영토와 고려의 주권을 되찾겠다고 거국의 기치를 들었다가 용도 폐기된 기분이었다. 물론 공민왕은 인당만 처형했을 뿐 그에겐 책임을 묻지 않았다. 요동 대륙을 최대한 장악하기 위해 진격하자고 강력하게 주장한 당사자였지만, 단지 서북면의 부사 자리에서 물러나게 했을 뿐이었다.

최영이 우려한 건 앞으로 펼쳐질 고려의 미래였다. 배신감 때문이 아니었다. 목숨이 아까워서도 아니었다. 고려를 위한 길이라면 불구덩이 속이라도 뛰어들 수 있었다. 속이 끓어오르는 것은 공민왕이 작금의 상황을 어느 누구보다 정확히 꿰뚫어보고 치밀한 계산 하에 움직인다는 점이었다. 최영이 걱정된다는 투로 다시 말을 이었다.

"조일신 사건이야 그렇다고 쳐도 이번 거사야 자신이 주도하고 자신이 직접 장수들을 임명한 것 아닙니까? 그런데 상황이 여의치 않다고 가차 없이 버린다면 과연 누가 그런 왕에게 충성을 바치겠느냐 말입니다. 지금이야 자기 잇속을 다 차린 것 같지만 결국엔 자기 자신이 최대의 피해자가 될 것이 뻔한데."

최영의 우려는 곧 현실로 드러나고 있었다. 사실상 원의 간섭을 제어하고 왕권을 세웠으니 조정 신료들이 공민왕의 지시를 잘 받들어야 했다. 그게 국왕의 존엄이자 권위였다. 헌데 문하시중으로 임명된 이제현은 곧바로 사직을 청했고, 서북면 도원수이자 수시중 염제신 또한 전문을 올려 사직을 청했다. 공민왕은 윤허하지 않으나 고려의 최고위직 관료 두 사람이 그런 행동을 보인 것 자체가 신료들의 마음 상태를 보여주는 격이었다.

한단 선사가 고려의 현실을 안타까워하며 입을 열었다.

"왕이 신료를 못 믿고, 신하가 왕을 믿지 못함이야. 그만큼 이 고려가 혼탁에 빠져들었던 것이네. 황실이 순수 혈통을 지키기 못하고 스스로 나서서 원과 피를 섞었고, 대신들도 너나없이 탐욕을 채우려고 원의 앞잡이 역할까지 서슴지 않았으니……. 세상 물정 알고 똑바르게 처신한다는 이제현이만 봐도 그렇지. 자기 손자 이수림이 기원 사위가 되는 것을 보고 탐탁지 않게 여겼지만 걱정만 하고 막지는 못했어. 그럴 정도이니 어디 제대로 된 곳이 한 곳이라고 있겠는가?"

"그래서 공자는 말했지요. 세상을 뜯어고치자면 3대가 지나가기 전에 끝내야 한다고 말입니다. 3대가 넘어가면 진리와 거짓이 서로 섞여져 분리하기가 힘들어지니까요. 하긴 아무리 깨끗 하려고 해도 오랜 세월 동안 먹을 가까이하면 그 먹물이 튀지 않을 리가 없겠지요. 그 근처에 가지 않는다면 모를까. 그러니 그 흙탕물 속에서 도대체 누가 감히 나서서 시시비비를 가릴 수 있겠습니까? 새로운 기치, 새로운 세력이 필요하다는 것이지요. 그게 쉽지는 않겠지만 말입니다."

고려가 처한 현실에 대한 고군기의 진단이었다. 최영에게 조급하게 굴어 분노하거나 낙담하지 말라는 조언이기도 했다. 그런데도 최영은 고군기의 말을 거들고 나섰다.

"내 말이 바로 그거네. 동생이 말을 잘했어. 그러니까 무엇보다 중요한 것은 대의명분의 기치를 똑바로 들어야 한다는 것 아닌가? 그런데 국왕이 제 스스로 그 대의를 훼손시키고 있으니……. 바로 그게 문제라는 것 아닌가? 이래가지고서야 어디 뭔 일이 제대로 풀어지겠는가 말이네."

최영이 또다시 답답하다는 듯 한숨을 토해냈다. 그런 최영을 보고 고군기가 웃음기 머금은 얼굴로 입을 열었다.

"형님, 개구리 올챙이 시절 모르면 안 되겠지요. 없는 떡이 하나 생겼는데, 하나밖에 안 남았다고 해야 하나요, 아니면 감사하게 생각해야 하나요? 어쨌든 지금 고려는 사실상 주권을 회복했으니 그건 큰 떡을 하나 얻은 격이지요. 게다가 치마폭이나 권신들의 장단에 춤추는 흐리멍덩한 왕보다는 영악한 왕이 더 낫지 않겠습니까? 그런 왕이라는 것을 염두에 둔다면 말입니다."

"듣고 보니 동생 말이 맞구먼. 내 너무 큰 걸 바라고 너무 앞서 갔어. 그러고 보니 동생에게 제대로 한방 맞았구먼."

최영이 흔쾌히 웃으며 고군기의 말을 받았다. 그리고 짐짓 진지한 체 다시 말을 이었다.

"내 이제사 하는 말이지만, 솔직히 옛 영토를 찾으려 나설 때 동생이 썩 내켜 하지 않아 서운했지. 그런데도 내가 우겨서 같이 갔는데, 그때 내 딴엔 동생을 출사시키려고 마음먹었던 거네. 동생이 나서주면 내 백만 대군을 얻는 격이라고 보았거든. 헌데 말이야. 내 출사해 보니 동생은 그리하지 않는 게 좋을 것 같네. 마중이봉이라고 삼밭의 쑥은 바르게 자라지만 진흙탕에서 싸우게 되면 개가 되거나 그렇지 않으면 꺾어지는 수밖에 없지 않은가?"

"고양이 쥐 생각해주는 격입니다 그려."

"그러게 말이여."

고군기의 말에 한단 선사가 동조하면서 세 사람이 동시에 소리

213

내어 웃었다. 그리고선 한단 선사가 중얼거리듯 말했다.

"언젠가 분명 때가 올 것이야."

희망을 잃지 말자는 다짐의 소리였지만 분위기는 다시 어두워졌다. 그만큼 지금 고려는 내우외환으로 불안하고 위기 상황이었다.

당장 원의 속박으로부터 벗어나기 위해 주권 회복의 기치를 든 격이니 원의 압력에 대비해야 했다. 지금이야 한족의 반란에 직면해 고려에 신경 쓸 여력이 없다는 것은 고려의 위안이었다. 허나 대륙의 정세가 어떻게 요동칠지 알 수 없었다. 원이 한족의 반란을 제압할 경우엔 원은 고려에 화살을 겨눌 것이고, 한족이 원을 몰아낼 경우에도 그 세력은 분명 고려에 또 압력을 가하고 나올 것이 뻔했다. 이게 국가 간의 냉혹한 현실이었다. 대륙의 정세를 면밀히 지켜보며 한시바삐 그 대비책을 강구해야만 했다. 최영이 다시 입을 열었다.

"조소생과 탁도경의 세력을 지금 응징해 두어야 하는데……."

조소생과 탁도경은 고려가 쌍성총관부를 탈환할 때 달아나 아직도 고려의 동북방 변경에 똬리를 틀고 기회를 엿보고 있었다. 그들을 제압해 두어야 대륙의 정세가 어떻게 요동치든 고려가 서북방면에 전력을 기울여 저 광활한 대륙과 만주 벌판을 회복하기 위한 결전을 벌일 수 있다는 주장이었다.

"그뿐만이 아니지요. 왜구의 침탈에도 체계적인 대비가 필요하지요. 주먹구구식으로 대응해서는 상황이 더 악화되고 말 것입니다.”

　고려는 여몽연합군을 편성해 일본을 원정하려다가 실패한 이래 함선을 건조하지도 못하고, 수군을 제대로 육성하지도 못했다. 원이 고려가 독자적인 군대를 갖는 것을 극구 경계하였기에 수군만이 아니라 국가의 방위 체계가 다 무너진 상태였다. 이런 상태에서 왜구가 침구해오면 시급하게 수전에 정통하지도 못한 장수를, 그것도 임시직으로 보내 왜적을 추포하라는 식이었다. 이런 현실을 지적하는 고군기의 말에 최영이 동조하고 나섰다.

　“내 말이 바로 그거네. 북방 정세에 대응하기 위해서도 왜적의 무리를 헤결해야 하는데, 그게 지금 고려의 처지에서는 말처럼 쉽지 않다는 거네. 그 왜구란 게 호미나 삽질을 하던 무지렁이들이 단순히 칼을 차고 나타난 게 아니란 말일세. 내 그들과 일전을 겨뤄 봐서 알지만 무사들로 조직된 정예군사라는 거네. 기동력도 갖추고 있고 수전에도 아주 능하단 말일세. 그런데 조정에서는 왜구가 침탈하면 부랴부랴 수전에 능하지도 않은 임시직의 장수를 출전시켜 무조건 추포하라고만 하니 제대로 대응이 되겠으며, 또 싸움인들 제대로 벌일 수 있겠는가?”

　고려의 실정은 왜구에게 좋은 먹잇감이 되는 격이었다. 왜구는 이런 고려의 허점을 알고 단지 해안가만이 아니라 대담하게 내륙 깊숙이 들어와 약탈과 살인, 방화를 일삼았다. 고려군이 몰려오면 유유히 물러나 또 다른 빈틈을 찾아 침탈하였다. 수전에서의 싸움 또한 고려는 고전을 면치 못했다. 적아간의 실력을 냉철히 판단한다면 무조건 적병들과 수전에 나서는 것은 병사들의 생목숨을 앗아가는 무모한 행위였다. 왜구의 침탈을 뻔히 보면서도 주저하고 도망치고, 단지 병력만 요청하는 행위가 벌어진 것은 이런 요인도 있다는 것을 최영은 익히 알고 있는 바였다. 고려로서는 속수무책이나 다름없었다. 허나 그렇다고 손 놓고 있을 수는 없었다. 적들이 눈앞에 보이는데 두려워하여 도망치는 것을 두둔할 수도 없었다. 적들을 몰아칠 궁리를 해야 하는 것이 장수된 자의 도리였다. 왜구의 침탈은 이미 남해안을 벗어나 서해안을 비롯해 전국에 걸쳐 진행되고 있었다. 수도인 개경까지 위협하는 상황이었다.

최영의 얘기에 고군기가 공감한 듯 고개를 끄덕였다. 그리고는 더 심각한 문제가 대두되고 있음을 지적했다.

"존망의 위기에 처한 이 문제를 해결하자면 전방위적인 측면에서 대책을 수립하고 강력하게 밀고 나가야 하겠지요. 그러자면 유능한 인재를 등용해야 할 텐데, 이 또한 왜구의 침구로 조운선이 마비되어 꼬여 있으니……."

고려는 왕궁에 소용되는 경비나 관리들의 녹봉을 조운에 의해 해결하고 있었다. 그런데 조운선 자체가 왜구에 의해 수시로 불태워졌다. 장사성의 반란을 진압하기 위해 원의 지원군으로 유능한 장수들이 떠나기 직전인 1354년 4월에 전라도 조운선 40여 척이 노략질당한 것을 비롯해 1355년 4월에는 조운선 200여 척도 약탈당해 버렸다. 조운선 자체의 타격도 상당했지만 언제 어디서 나타날 줄 모르는 왜구의 침탈 때문에 조운을 통해 물자를 개경으로 운반할 수 있는 길조차 막히게 되었다. 그 때문에 관리들의 녹봉 지급이 차질을 빚게 되었다.

녹봉 지급은 관리들의 국가에 대한 충성도와 관련되어 있었다. 고려가 처한 위기 상황의 해결은 고려인이 해야 하고, 그건 관리들이 앞장서서 풀어나가야 했다. 곧 관리들을 얼마나 힘 있게 동원하느냐에 일의 성사가 달려 있었다. 그런데 고려의 인사 관리 체계는 거의 마비되다시피 붕괴된 상태였다. 무신정권 시기에는 무신의 패거리들에 의해 인사가 좌우되었고, 원의 간섭을 받은 시기에 이르러서는 원의 실권자와 유착된 간신배나 왕의 폐신들에 의해 농락되었다. 뇌물과 인사 청탁이 비일비재하게 자행되었다. 뇌물로 등용된 인사는 본전을 뽑기 위해 또다시 비리를 저지르거나 백성들을 쥐어짰다. 이런 악순환이 너무도 오랫동안 거듭되어 오면서 거대한 장벽으로 화해 버렸다. 어떻게 손을 쓸 수 없을 정도로 관리들이 썩어버린 격이어서 이를 바로잡지 않고서는 고려의 개혁은 이뤄질 수 없었다. 그렇다면 관리들로 하여금 충성을 유도하도록 하여야 하건만 녹봉도 제대로 지급하지 못하는 상황인데다 도리어 왕에게 충성했다가 잘못되면 용도 폐기되는 식으로 된다면 어느 누구도 몸 바쳐 나서지 않을 것이었다.

무거운 침묵이 흘러내렸다. 참담하지만 이들이 어떻게 할 도리는 없었다. 모든 것은 공민왕의 손에 달려 있었다. 기다려봐야 했다.

최영은 아무리 아등바등 쳐봤자 쉽게 풀어질 문제가 아니라는 생각만이 엄습해왔다. 세상이 거대한 장벽으로 비춰지기까지 했다. 아버지 최원직이 뜻을 이루려고 발버둥 치다가 울화병이 도저 세상을 그리 일찍 뜬 이유를 이제야 알 것 같았다. 난국을 헤치고 나가야 한다는 생각은 단지 뇌리 속에서만 머물렀다. 유자로서 행동하는 아버지의 모습에 실망하고 무장의 길로 나아가 실력으로써 세상을 바로잡겠다는 원대한 포부를 꿈꿨건만 그게 단지 헛된 희망으로만 여겨졌다.

최영이 이리 생각하는 것은 공민왕이 한양의 터를 살피게 하더니 그곳에 궁궐을 축조하기 위한 공사를 벌인다는 소식 때문이었다. 왕사 보우가 어디서 도참설을 들었는지 한양에 도읍하면 36국이 와서 조회할 것이라고 하자 시행한다는 것이었다. 처음엔 공민왕도 무리라고 여겼는지 봉은사에 가서 태조의 진전을 참배한 후 그 가부를 묻는 점을 쳤는데 정(靜) 자를 얻자 보류하였다. 그런데 며칠 후에 문하시중 이제현에게 다시 점을 치게 해 동(動) 자를 고르자 공민왕이 치하하며 명을 내렸다.

"경이 목욕재계하고 제사를 올려 길한 괘를 얻으니 실로 나의 마음에 꼭 듭니다. 경은 한양의 지세를 살펴 궁궐을 수축하도록

218

하시오."

천도 소식을 듣고 개성윤으로 치사한 윤택이 공민왕을 알현하며 상소했다.

"묘청이 서경으로 천도하면 수많은 제후국들이 와서 조회한다고 인종을 현혹시켜 나라가 거의 전복될 뻔했사옵니다. 그 전고의 병폐가 이토록 명확한데, 어찌 그 일이 한갓 먼 옛날의 일로만 치부될 수 있겠사옵니까? 더욱이 지금은 사방에 적이 도사리고 있어 군사를 훈련시키고 양성하여도 오히려 부족할 판에 공사를 일으켜 백성을 괴롭힌다면 나라의 근본이 허물어질까 심히 걱정되옵니다. 남경의 궁궐 수축 공사를 중지하여 주시옵소서."

공민왕은 윤택의 주장을 받아들이지 않았다. 물론 최영은 묘청의 서경 천도 주장에 대해서는 윤택과 의견을 달리했다. 묘청 선사가 서경으로 천도하자는 것은 국권을 장악한 문벌 세력들이 사대 모화사상과 현실 안주에 빠져 더 이상 고구려를 계승하겠다는 의지를 잃어 버린 상황이었다. 더 이상 고려의 개혁을 진척시킬 수 없었다. 그래서 묘청 선사는 고려가 진정으로 나가야 할 길은 고구려 정신의 계승이고, 고구려 영토의 회복이라고 주장하였다. 고려의 정책을 혁신시키고 국풍을 진작시키는 차원에서 서경 천도를 주장하였던 것이지, 단순히 서경의 지리적 이점을 이용하자는 것이 아니었다. 고구려 정신의 계승은 고려가 존재하는 명분이자 혼이었고, 국가의 존립과 관련된 문제였다. 헌데 한양 천도는 그게 아니었다.

최영이 탄식하는 듯한 목소리로 한단 선사를 향해 말했다.

"천시는 지리적 이점만 못하고, 지리적 이점은 인화만 못하다고 하였습니다. 그런데 왜 백성들을 하나로 모아내어 무너진 국가 체계를 정비하여 외적의 침입에 대비하지 않는단 말입니까? 이보다 더 시급한 일이 어디에 있다고 말입니다. 대의명분도 없는 공사를 일으켜 재물과 물자를 낭비하고 백성을 피로케 하고 있으니……. 그렇게 해서 궁궐을 축조하면 국왕의 권위가 세워지기라도 한단 말입니까?"

한단 선사도 안타까운 듯 한숨을 내쉬었다. 그리고는 차분하게 입을 열었다.

"왕의 주위에 사람이 없는 게야. 왕을 위해 몸 바쳐 나서 줄 충신이 없는 게지. 그래서 왕은 이 난국을 풀어가기 위해 수도를 옮겨서라도 분위기를 쇄신시키고 싶은 거지. 그런데 그 뜻을 받들어 줄 신하가 없어. 이제현이만 보더라도 나이가 들었다는 이유를 들어 사직하고 은퇴해 버리지 않았는가?"

"그런 형편이라면 과연 왕을 믿을 수 있는 것인지, 아니 믿어야 하는 겝니까? 우리가 희망을 걸 수 있느냐는 것이지요."

최영이 조심스럽게 물었다.

"그럼 다시 은거하자는 건가?"

한단 선사는 전혀 뜻밖이라는 듯 되물었다. 최영을 한참 동안 뚫어져라 바라보더니 다시 입을 열었다.

"자네도 이미 이치를 깨우친 터, 잘 알고 있겠지만 우리는 천손의 후예라네. 환웅께서는 홍익인간의 세상을 건설하시고자 하늘에서 태백산의 신단수 밑으로 내려오셨고, 그 뜻을 이어받은 단군 할아버지께서는 하늘의 이치에 맞게 백성들을 교화하고 치화하여 홍익인간의 참세상을 실현하고자 단군조선을 건국하셨네. 단군조선은 47대까지 면면히 이어져 왔지. 헌데 단군조선의 중앙의 힘이 약화되자 수많은 거수국(제후국)들은 자신들이 단군조선의 정통 계승 국가라고 주장하기에 이르렀네. 여기까지는 괜찮았어. 단군조선족은 하나로 단합하여 살아야 하니 말이네. 해모수가 자신을 해의 머슴아, 해의 사내아이라고 말하면서 자신을 천손의 후예라고 주장하는 것이나 고구려의 추모대왕(고주몽)이 옛날 단군조선의 영토를 다시 되찾자고 다물의 기치를 걸고 고구려를 건국한 것은 다 이런 움직임이었지. 헌데 어느 순간 그게 변질되어 버렸네. 천손의 후예가 한데 모여 살고자 하는 것은 홍익인간의 세상을 실현하여 모두가 남부럽지 않은 이상사회 속에서 살자는 것인데, 그런 뿌리를 저버리고 무조건 자기 왕조의 이익을 추구하기 시작한 거야. 급기야 김유신과 김춘추라는 작자는 자기 신라의 영토를 좀 넓히려는 욕망에 사로잡혀 외세인 당나라 군대까지 끌어들여 같은 천손의 후예 국가인 고구려와 백제까지 멸망시켰다네. 그 후과는 매우 컸네. 강대국이었던 고구려와 백제가 망했으니 그 소국인 신라가 자기 왕권을 유지하기 위해 대국을 받들어 모시는 사대주의에 빠지게 된 거지. 고구려와 백제는 당당히 자신들이 천손의 후예로서 황제의 나라라고 선언하고, 대륙으로까지 진출하여 그 기개를 뻗쳤다네. 그런데 신라는 그때껏 고구려와 백제가 외세를 다 방비해 준 덕에 그런 게 무엇인지도 모르고 오로지 자기 욕심만 차리다가 결국 고구려와 백제가 없으니 그런 짓을 할 수밖에 없었지. 천손의 후예는 고구려와 백제가 망했다고 거기서 멈추지 않았네. 발해는 고구려를 이은 천손의 후예임을 자처하며 그 뒤를 이었지. 헌데 신라는 자신들의 지은 죄를 반성하기는커녕 끝까지 발해에 대해 이간질을 벌였네. 그 후기신라는 다시 분열되었고, 거기서 고구려 정신을 계승하려는 고려가 창건되었네. 고려와 발해는 서로 협력하고 단결하는 방향으로 나갈 수 있었는데, 그만 고려가 재정비할 시간적 여유를 갖기도 전에 발해가 멸망하고 말았어. 태조 왕건은 발해 주민을 적극적으로 받아들이는 정책을 취하면서 명실상부한 고구려를 계승하는 방향으로 나가고자 했지. 이런 태조 왕건의 정책은 고려의 앞날을 밝게 만드는 것이었네. 헌데 신라 이후 한번 물든 사대모화사상은 쉽게 사라지지 않았어. 사대주의자들은 천손의 얼과 혼을 말살하고 거기에 모화사상의 역사를 심었어. 그 결과 천손의 후예로서 자긍심을 세우고자 했던 고려는 원의 속국으로 전락하는 비참한 상황에 처하게 된 거야. 허나 그렇다고 해서 절망할 필요는 없네. 한때 온갖 영화를 누렸던 수많은 족속들이 자신의 존재마저 유지하지 못하고 사멸해 버렸지 않는가. 그러나 천손의 후예인 고려는 비록 속국이라도 나라는 유지하고 있지 않는가? 오랫동안 영화를 누려온 단군조선의 얼과 혼을 온전히 지키지는 못했어도 그 기본 바탕이 깔려 있었기에 가능한 것이었네. 이게 바로 천손의 후예라는 저력인 거네. 지금 당장 되지 않을 것 같다고 불안해하거나 초조해야 할 하등 이유가 없네. 번갯불에 콩 구워 먹듯 그리 쉽게 될 것 같았으면 단군조선이 망한 이래 고구려와 발해, 고려를 이어올 때까지 수백 년, 아니 수천 년이 흐르는 동안 왜 선인들이 그토록 그 세상을 갈망하고 기다려 왔겠는가? 결국 그 기다림의 예비 속에 우리가 이렇게 뭉친 것이네."

한단 선사의 조용하지만 힘 있는 어조가 계속 울려왔다. 숙연해진 분위기 속에 한단 선사가 잠시 말을 끊더니 단호한 어조로 다시 말을 이었다.

"우리에게는 맡겨진 책무가 있네. 외세를 끌어들여 와 같은 천손의 후예의 나라를 망하게 하더니 사대모화사상에 빠져 정신적 사상적 불구가 되어 이제 스스로 영토마저 포기하는 꼴을 당해야 하겠는가? 우리는 우리가 부여안은 책무를 기필코 완수해 내야만 한다네. 여기에 우리 천손족의 영광과 번영이 있기 때문이네."

최영은 한단 선사의 지적에 부끄러움을 감출 수 없었다. 여기 이 세 사람, 즉 얼과 혼의 화신과 책략가, 무장의 수호신이 모인 것 자체가 옛 선인들이 오랜 기다림 끝에 예비해 준 복안이었다. 그런데 그 책무를 부여안은 한 축의 담당자가 그 예언에 너무도 쉽사리 불신을 표명하는 꼴이었다. 공민왕의 행동과 무관하게 그 예언을 굳건히 믿고 무장의 수호신으로서 제 역할을 다하는 것이 그의 책무였다. 더욱이 긴 호흡으로 보면 공민왕이 엉큼하게는

223

보여도 나라의 주권과 영토 회복 자체를 포기하거나 거부하고 있는 것은 아니었다.

"잘 알아듣겠사옵니다. 제 책무를 기필코 수행할 것이옵니다."

최영이 선선히 자기 잘못을 인정했다. 그러자 분위기를 전환하려는 듯 고군기가 최영에게 너스레떨듯 입을 열었다.

"형님, 너무 심려하지 않아도 될 것입니다. 너무 왕이 영리한 것이 좀 그렇긴 하지만 그래도 영특하니 알아서 하시겠죠. 지금 왕에게는 무엇보다 자신의 생각을 관철시켜 줄 사람이 절실히 필요하거든요."

"동생이 나를 걱정해주는 건가? 그런데 만약 용도폐기하면 어쩌려고? 그때는 동생이 책임져야 할 거야."

최영의 농담에 세 사람이 소리 내어 웃었다.

최영은 한단 선사 및 고군기와 헤어진 후 공민왕의 움직임을 주시했다. 그의 행동에 맞춰 준비해야 했기 때문이었다.

공민왕은 1357년 6월에 채하중을 귀양 보내 놓고도 성에 안 찼는지 끝내 역모 혐의로 수감하여 신문하게 하였다. 국문을 견디지 못한 채하중이 허위 자백하고 목을 매어 자살하자 큰 거리에 시신의 목을 베어 걸어 놓았고, 그에 연루된 자들까지 처벌하였다.

이 사건의 발단은 달선이라는 중이 채하중의 유배지로부터 전찬을 찾아와 몇 마디 말을 나눈 것에서 비롯되었다. 그 대화 중에

"채 정승이 공과 더불어 대사를 도모하려고 한다."는 말이 오갔는데, 그만 그 말이 누설되었다. 그리하여 달선을 순군옥에 가두어 신문하였는데, 이 소식을 들은 전찬이 달아나자 채하중을 체포하여 국문하게 된 것이었다. 그로 인해 채하중과 연루되어 도망쳤던 전찬은 체포되어 참형되었고, 그와 연계된 전우상과 신귀, 조휘, 조만통, 홍개도, 이칭, 정연(채하중의 외조카), 강찬, 홍상재(채하중의 사위) 등을 장형에 처한 후 유배 보냈다. 채하중을 직접 국문했던 이인복은 죄 없는 것을 알면서도 사리를 밝혀 처리하지 못해 옥사가 이뤄지게 했다고 탄식했다. 이로 미뤄 보면 단지 말 몇 마디 한 사건에 불과했다. 그렇지만 최영은 이인복처럼 채하중이 죽지 않았어야 한다고 본 것은 아니었다. 죽이는 명분이 참으로 가당치 않았다. 채하중은 충숙왕을 배반하고 심왕 왕고를 고려왕으로 세우려고 획책한 자였다. 게다가 왜구가 준동하고 있는 터에 장사성과 홍건적의 반란 진압에 고려의 원정군을 보내도록 음모한 매국적 행위는 만고역적 죄인으로서 죄를 물어 처형해야 마땅했다. 대의명분을 바로 세우지 못한 것이었다. 이건 공민왕이 그 무엇보다 왕권의 안위를 가장 중시하는 태도를 보여준 것이었다.

허나 공민왕은 영특하고도 기민했다. 대륙의 정세를 주시하며 홍건적의 움직임이 향후 고려에 미칠 파장을 누구보다 염려했다. 한족의 반란 세력이 승리하든, 원이 제압하든 고려는 사전에 그에 대비해야 했다. 북방 대책이 시급했다.

공민왕은 1357년 8월에 김득배를 서북면홍두군왜적방어 도지휘사로 임명하고, 대장군 최영을 동북면 체복사, 이부상서 홍유구를 동북면 병마사로 임명했다. 임시직이긴 하지만 최영을 다시 등용한 건 고군기의 예측이 맞는 것이었다.

공민왕은 이들이 임지로 떠나기 전에 연경궁으로 불러들였다.

"대륙의 정세가 심상치 않소. 그런데 왜구들의 준동은 끊이지 않고 있소. 내 경들을 믿고 임명한 것이니 맡은 바 임무에 만전을 기해주기 바라오. 나라의 안위가 여러분들께 달려 있다는 것을 명심해주기 바라오."

"명을 받들겠사옵니다."

세 사람이 모두 목소리 높여 대답했다. 충성의 표시였다. 공민왕이 무엇을 요구하는지 잘 아는 그들은 그 입맛에 맞추고자 함이었다. 왕권의 권위에 도전하는 자는 결코 용서치 않는다는 것도 잘 알고 있었다.

공민왕이 고개를 끄덕이더니 최영을 향해 다시 말을 이었다.

"장군은 장사성의 반란 원정군에도 직접 참전하였으니 대륙의 정세가 어떻게 요동치고 있는지 잘 알고 있을 것이요. 그들 간의 승부가 결정되면 그 파장의 불꽃이 분명 고려에 영향을 줄 것을 생각할 때 동북면의 후방은 특히 중요하오. 쌍성총관부에서 도망친 조소생과 탁도경 일당이 아직도 시시때때로 기회를 엿보고 있는 형국이오. 그들이 그런 맘을 먹지 못 하도록 임지에 나가 기강을 굳건히 세워주기 바라오. 내 장군을 믿고 이제부터는 그쪽은 더 이상 걱정을 하지 않을 것이오.”

“심려 놓으시옵소서. 꼭 그리하겠사옵니다.”

최영은 공민왕의 명을 받은 후 동북면의 쌍성과 삼살 방향으로 향했다. 공민왕은 즉시 도당에서 행성으로 상서하도록 조치했다.

“쌍성과 삼살은 본래 고려 영토이온데, 도망친 반역의 무리인 조소생과 탁도경이 시시때때로 넘보면서 쌍성에서 금의 채굴을 핑계로 허위사실을 날조해 문제를 일으킬 수 있사옵니다. 그러면 복잡한 문제가 발생할 것이니 관방을 설치해 출입을 통제할 것이며, 해마다 조달하는 금 등의 물품은 고려에서 유능한 사람을 보내어 그 채굴과 관리를 감독하게 할 것입니다. 이로 인해 문제가 발생하지 않도록 조치하여 주시기 바라옵니다.”

최영은 공민왕이 취한 조치들을 보면서 탄복했다. 그러면서도 참 딱한 왕이라는 생각도 들었다. 이런 정도의 왕이라면 인사가 만사라고 불의하고 무능한 자를 과감하게 도려내는 인적청산을 해야 한다는 것을 모르지 않을 것이었다. 허나 한단 선사의 지적대로 공민왕은 목숨 바쳐 나서 줄 신하가 없는 관계로 자신의 안위에 걸림돌이 되는 자들은 과감하게 청산하지만, 부정과 불의를 저지르면서 나라를 좀먹는 존재라고 해도 자기 주위 사람은 내치지도 못하고 그대로 등용하여 자신의 실속을 차리는 방식으로 대응하는 꼴이었다. 대의명분의 상실이었다. 그러니 뜻 있는 신하들은 나섰다가 언제 토사구팽 당할지 모른다고 여기고 움직이려고 하지 않았다. 복지부동이었다. 단지 공민왕의 입맛에만 맞추면 그만이었다. 묘한 악순환의 진행이었다.

최영은 착잡한 심정이었지만 공민왕이 엄명한 지시를 이행해야 했다. 백성들의 모습은 참으로 안타까웠다. 나라가 안정되지 못하고 탐관오리가 판치는 곳에서 백성들의 삶이 편할 리 없었다. 쌍성총관부 지역도 크게 다를 바 없었다. 원의 지배를 받으나 고려에 편입되나 그 지역의 백성들로서는 큰 의미가 없을 것이었다. 기철 일당을 척결하고 쌍성총관부를 공격할 때 고려에 내응을 했던 세력인 조돈이나 이자춘 등이 여전히 영향력을 행사하고 있었다.

최영이 말을 타고 쌍성으로 들어서자 수많은 사람들이 모여 웅성거리고 있었다. 그들의 대표인 듯한 부로 세 사람이 최영을 향해 다가와 정중하게 인사를 올렸다.

"기다리고 있었사옵니다. 어서 오시옵소서."

"소장을 아시옵니까?"

"알다마다요. 왜구들을 단칼에 무찔러버리고, 또 장사성의 반란군 원정 때에는 칼바람을 일으켜 꼼짝달싹 못 하게 했던 장군의 용맹을 어찌 모르겠사옵니까?"

최영은 부로들의 말을 듣고는 말에서 내렸다. 그리고는 그들이 안내한 곳으로 나아가니 채반에 약주 한 사발이 놓여 있었다. 조촐한 음식이었다. 최영이 영문을 몰라 부로들을 훑어보았다. 그러자 부로 중의 한 사람이 그 이유를 설명하듯 차분하게 입을 열었다.

"여기 살고 있는 우리 천손의 후예들은 지금껏 우리 뿌리도 찾지 못하고 사는 것을 원통하게 여기고 살아왔습니다. 이번에 반역의 무리인 조소생과 탁도경 일당을 몰아내니 얼마나 기쁜지 몰랐습니다. 그런데 조정에서 다시 원의 속국으로 남겠다고 하는 것을 보고 조정이 다시 우리를 버릴까 전전긍긍하였습니다. 다시 우리의 뿌리를 잊고 살아가야 한다면 이 얼마나 원통한 일이겠습니까?"

"이제는 더 이상 그렇게 살아갈 수 없습니다. 그런데 용맹무쌍하신 장군께서 동북변체복사로 오시게 되었다는 소식을 듣고서야 마음을 놓게 되었습니다. 이 약주 한 사발 드시고 우리의 이 간절한 소원을 외면하지 말아주십시오."

최영은 부로들의 말에 눈시울이 붉어졌다. 솔직히 최영은 이 임지로 오면서 참 묘한 감정이 교차했었다. 화랑도 출신인 김유신에 대한 생각 때문이었다. 신라 진흥왕은 화랑도를 국가 기구에 편입시키면서 신라 왕실의 이익을 지키는 수단으로 전락시켰다. 이 때문에 화랑도들은 점차 내부 갈등을 겪게 되었고, 천손족을 배반하는 길을 걷지 않으려는 화랑들은 스스로 은거하여 버렸다. 그런데 김유신이라는 작자는 화랑도 출신으로서 단지 신라 왕실의 이익만을 앞세운 김춘추와 손잡고 당나라라는 외세를 끌어들이는 길에 들어서서 단군 조선의 얼과 혼을 배반하는 배족의 길을 걸었다. 공민왕과 자신의 관계는 이런 것은 아니었다. 하지만 단지 공민왕의 실속을 차리기 위한 용도로만 사용되고 폐기될 것이라는 생각이 은연중에 맴돌고 있었다. 그런데 부로들의 말을 듣고 보니 그건 한갓 기우였다. 백성들을 믿고 나간다면 두려울 게 없었다. 최영은 단호하게 말했다.

"우리 고려는 여러분을 절대 버리지 않을 것입니다. 지금 전하께서도 이곳이 고려 땅임을 분명히 밝히셨고, 그것을 명확히 하기 위해 저를 파견하신 것입니다. 내 여러분께 분명히 밝히건대 이곳만이 아니라 아직도 찾지 못한 우리 천속족의 옛 영토를 반드시 되찾고 말 것입니다. 그러니 염려하지 않으셔도 됩니다."

최영은 부로들이 건네준 약주를 단숨에 마셨다. 그들과의 약속을 지키겠다는 의사 표시였다.

최영은 백성들의 환대를 받고 곧장 이판령으로 나아갔다. 그리고는 꼭 그곳을 지나쳐야만 하는 좁은 길목에 관방의 설치를 지시하고 엄히 경계할 것을 명하였다. 아울러 조소생과 탁도경이 웅거하고 있는 국경 지역에 병사들을 대동하고 나아가 무력 시위하였다. 이곳을 넘볼 생각을 꿈도 꾸지 마라는 경고였다. 마음 같아서는 저 잔당들을 단칼에 응징하고 싶었다. 허나 원과의 관계가 결부된지라 그리할 수 없었다. 최영은 자신이 취한 조치들을 공민왕에게 상세하게 보고를 올렸다.

공민왕은 국정을 쇄신시켜 운영하려고 노력하였다. 그러나 신하들은 잘 따르지 않았다. 국가에 재정이 바닥나고 있는지라 소금과 철에 대해 세금을 거둬들이기 위해 염철별감을 파견하는 문제가 대두되었다. 좌간의 이색과 기거사인 전녹생, 우사간 이보림, 좌사간 정추 등은 불가하다고 상서하였다.

"세금을 걷는다는 핑계로 잇속을 차리는 행태가 비일비재하였는데, 염철별감을 또 보내게 되면 백성들의 고달픔만 가중시킬 것이옵니다."

상서를 받아본 공민왕은 재상과 대성을 불러 직접 의견을 듣고자 하였다. 그런데 이색과 이보림은 병을 핑계로 나오지 않았고, 전녹생과 정추는 상서한 말만 그대로 읊어댔다. 이런 상황에서 좌간의 남궁은 공민왕이 무엇을 원하는지 알아보고는 파견하는 것이 좋겠다는 식으로 대다수의 의견과 달리 대답하였다.

공민왕은 남궁의 의견을 좇아 염철별감을 파견하라고 하였지만 복지부동한 관리들의 모습에 지극히 실망하였다. 혼자서 북 치고 장구 치고 해야 하는 꼴이었다. 도저히 안 되겠다고 판단한 공민왕은 첨의부와 밀직사의 양부들을 불러 격노한 목소리로 꾸짖었다.

"지금 사방에 병란이 일어나 백성들의 생활이 매우 곤란함에 내 이를 몹시 민망하게 여기고 있습니다. 그런데 어찌하여 경들은 나라 걱정을 하기는커녕 매를 기른다고 하면서 매와 개들을 풀어놓아 벼와 곡식을 짓밟게 한단 말입니까?"

이런 공민왕의 채근에도 조정의 분위기는 쉬 바뀌지 않았다. 도리어 왜구의 준동은 더 거세졌다. 1357년 5월에도 왜구가 강화도 교동을 침구해와 수도 개경까지 경계령을 내려야 할 정도였다. 9월엔 승천부의 흥천사를 침탈해 와 선왕을 모신 충선왕과 계국대장공주의 영정까지 탈취해 갔다. 나라의 망신이었다. 이 왜적이 윤 9월에 또다시 교동을 침략해왔다.

공민왕은 상장군 이운목과 장군 이몽고대를 보내 왜구를 끝까지 추적해 격멸하라고 지시하였다. 이운목은 적을 섬멸하지 못하면 현륙을 받겠다고 결의를 내보이며 출전했다. 허나 이운목과 이몽고대는 막상 왜구를 보자 겁을 먹고 교전을 회피하였다. 왕 앞에서는 입바른 말로 비위를 맞추고 임지에 나가서는 제 한 몸 건사하며 잇속을 차리려는 모습의 정형이었다. 공민왕은 화가 나서 이운목과 이몽고대를 하옥시켰다. 그럼에도 관리들과 장수들은 공민왕의 움직임에 여전히 호응해주지 않았다. 1358년 3월에 왜구가 경상도 각산수에 침입해 선박 3백 척을 불살라 버렸는데도 서북방면의 정주부사 주영세와 전라도 만호 강중상은 한가롭게 공민왕을 찾아와 알현을 청했다. 공민왕은 격노하였다.

"지금 나라에 외환이 겹쳐 서쪽으로는 홍건적, 동쪽으로는 왜적들의 우환 때문에 변경의 백성들이 편하게 살지도 못하는 형편이오. 내 그래서 그 경비를 확실히 하라고 보냈건만 어찌하여 내 허락도 없이 감히 제멋대로 임지를 함부로 떠날 수 있단 말이오?"

공민왕은 이들을 당장 순군옥에 하옥하라고 명하였다. 공민왕의 독전에도 불구하고 왜구의 침구에 방어마저 제대로 이뤄지지 못했다. 수도마저 위협받겠다고 여긴 공민왕은 1358년 3월에 경도의 외성을 수축하라고 지시하였다. 이미 공민왕은 경성의 수축에 기로들의 의견을 물은 적이 있었다. 성의 수축은 방비를 위해 중요하지만 그 일을 할 수 있는 형편이 되느냐가 문제라는 의견이었다. 공민왕도 이를 알았기에 잠시 유보해 두었는데, 이제 그 결정을 내린 것이었다. 그러나 외성을 쌓자고 해도 당장 침입해 오는 왜구를 막아야 했다. 그런데 1358년 4월 합포진변사 유인우는 왜구의 침탈을 막아내지 못했다. 공민왕은 화가 머리끝까지 나 그 방어하지 못한 책임으로 유인우 또한 하옥시켰다. 그리고는 최영을 불렀다.

"한 해를 거르지 않고 침구해 온 왜구의 소요로 내 두 발을 뻗고 잠을 못 잘 지경이오. 장군을 양광도 전라도 왜적 체복사로 임명할 것이오. 군대의 기강을 똑바로 세워 외적의 침입에 만전을 기하도록 하시오. 만약 왜적을 제대로 방어하지 못할 경우 안렴사 이하 전원을 군법에 걸어 논죄해도 좋소."

공민왕의 명을 받은 최영은 곧바로 임지로 떠났다. 장차 대륙의 정세 여하에 따라 고려의 운명이 또다시 요동칠 수 있었다. 그에 대비하기 위해서라도 시급하게 안정을 되찾아야 했다.

허나 왜구의 침탈은 심히 위협적이었다. 1358년 4월에 양광도 한주와 전라도 진성창을 침구하였고, 5월에는 착량(수원)까지 침입해 들어왔다. 조정에서는 이들의 진입을 막기 위해 추밀원부사 이춘부를 방어사로 임명하고 각 영의 군사를 동원해 동·서강으로 진격하게 하는 한편 찰방으로 정지상을 임명했다. 마침내 왜구가 강화도 교동으로 향해 그곳을 불태우자 또다시 개경 일대의 경비를 엄중히 하도록 명하고, 동시에 각 방리의 장정들을 징발해 전투에 동원할 군사를 차출했다. 이춘부를 서강병마사, 안우를 동강병마사, 전호군 이원림을 교동왜적추포부사로 임명하여 떠나보냈다.

그러자 고려의 방비를 살펴본 왜적의 선단은 어디론가 사라져 버렸다. 왜적이 눈에 보이지 않자 고려에서는 안우와 이춘부를 소환했다. 왜적의 선단과 맞받아칠 수 있는 수군이 형성되지 못해 바다로 나가 싸울 수도 없었고, 조운선을 운항할 수가 없어 관리들의 녹봉조차도 줄 수 없는 형편에 계속 방어를 위해 대비하고 있는 군사들에게 군량을 대줄 수가 없었던 것이었다. 눈에 띄지 않으니 철수할 수밖에 없었다.

고려군의 철수 소식에 최영은 또 다른 방면에서의 왜구 침탈이 걱정되었다. 대선단을 동원한 왜구가 별반 소득 없이 떠나갈 리 만무했다. 왜구의 움직임을 주시하고 있는 터에 고군기가 급히 찾아들었다.

"왜 선단이 북상하고 있습니다. 아무래도 이쪽의 방어진이 쳐진 것을 보고 북쪽으로 이동해 침구하려는 속셈입니다. 당장 대책을 세우셔야 합니다."

"나도 그리 생각하네만 도대체 그곳이 어디겠는가 하는 것이네. 뭐 짚이는 곳이 없는가?"

최영이 고군기에게 구체적인 장소를 특정해 달라고 주문했다.

"아마 서해도 오차포(황해도) 해안 지대일 것입니다. 강화 지역에서 북상했으니 더 위쪽일 것이고, 약탈한 재물을 운송하며 돌아갈 것을 고려하면 너무 먼 북쪽은 아닐 것이니 십중팔구는 그곳일 것입니다."

최영은 그 즉시 서북면홍두군왜적방어지휘 겸 부만호로 임명된 김원봉에게 파발을 띄웠다. 아울러 서해도 지역 오차포의 관리와 군사 지휘관에게도 파발을 보내 백성들을 대피하게 하면서도 침구해 온 왜적을 응징할 준비를 갖추라고 명하였다. 그것도 공민왕의 엄명임을 빌려 이행하지 않을 경우 군법에 논죄하겠다고 엄히 지시하였다. 그리고는 곧장 말을 달려 오차포로 향했다.

최영이 오차포 해안에 도착하자 군사들이 속속 집결하고 있었다. 최영은 군령을 엄히 내세워 자신의 지시를 무조건 집행할 것을 다시 한번 명하였다. 그리고는 병사들을 재촉하여 불화살을 만들고 삼군으로 편제하라고 지시하였다.

어느덧 멀리서 왜구의 선단이 들어오고 있다는 소식이 전해졌다. 최영은 다시 한번 군령을 엄히 전하였다.

"오차포에 들어온 왜놈들을 한 놈도 살려줄 수 없소. 내 명이 있기 전까지는 절대 움직이지 마시오."

군사들이 몸을 숨기고 지켜보는 가운데 왜구는 해안으로 상륙하여 진영을 구축하려고 하였다. 그 순간 최영은 말을 타고 앞으로 나서며 명을 내렸다.

"지금이다. 한 놈도 살려두지 마라. 자, 공격하라."

최영의 외침에 고려군의 불화살이 왜구의 진영으로 쏟아졌다. 그와 동시에 최영을 선두로 한 고려군이 왜구를 향하여 돌진하였다. 불의의 기습 공격에 왜구는 갈팡질팡하면서 그 무리 대오가 흩어졌다. 전의를 잃고 왜구들은 배로 향해 도주하기에 급급하였다. 최영은 중군으로 하여금 배에 올라탄 왜구와 그렇지 못한 왜구들을 가르도록 명했다. 아울러 좌군은 배를 향해 불화살의 공격을 계속 가하고, 우군은 배에 오르지 못한 적이 내륙으로 들어가지 못 하도록 막으라고 명하였다. 그 자신은 직접 중군을 이끌고 왜구의 전선을 가르기 위해 앞장서서 장칼을 휘둘렀다. 최영의 번개처럼 휘두르는 칼날에 왜적은 생선 대가리마냥 싹둑 잘려 나갔고, 배에 오르지 못한 왜구는 독안에 든 쥐가 되어 모조리 섬멸되었다. 배에 올라 간신히 도주한 왜구들도 고려의 불화살 공격에 수많이 파괴되어 물귀신이 되었다. 사람들은 어림잡아 400여 척은 넘었을 것이라고 하였다. 고려군의 대승이었다. 고려 수군이 막강하게 건재하였다면 끝까지 추격하여 모조리 섬멸했을 것이었다. 그렇지 못해 여전히 살아남아 도망친 배들을 그저 바라보아야만 하는 것은 커다란 아쉬움이었다.

오차포 전투를 성공적으로 마무리할 즈음 다른 곳에서도 승리 소식이 전해졌다. 1358년 7월에 전라도 도진무 유익환이 왜적과 전투를 벌여 수십 명을 죽이고 사로잡았으며, 경상도 진무 우승

길과 고성 현령 위양용도 일곱 명을 살상하고 사로잡았다. 왜구는 한 무리가 아니라 각 방면으로 침공하는 작전을 쓰고 있었다. 전국적인 방어망과 바다에서 격멸할 수군의 육성이 절실했다. 정예 수군이 없으니 단순히 방어만 할 뿐 적극적인 대책을 뾰족이 수립할 수 없었다. 그 때문에 왜적이 양광도 한주와 전라도 진성창을 침구했을 때 전라도 진변사 고용현은 연해변의 창름을 내지로 옮길 것을 청하였고, 공민왕은 이를 받아들였다.

그런데 고려 수군의 사정을 모르는지 난감한 일이 벌어졌다. 조정에서 관리들에게 녹봉을 줄 수 없는 처지였기에 호위 병력을 대동하여 조운선을 운반하라는 명이 떨어진 것이었다. 결국 조운선을 운반하는 도중에 왜구의 선단과 맞붙게 되자 왜구가 바람을 이용하여 불을 놓아 태우는 바람에 호위 병력들은 제대로 싸우지도 못하고 대거 희생되는 참사를 빚게 되었다. 아직 고려 수군이 왜구의 수군을 상대할 만큼 육성되지 못했다는 점을 알지 못한 참극이었다.

국가 재정이 고갈되고 병란으로 백성들의 고통이 가중되자 참지정사 경천흥이 공민왕에게 상소했다.

"사방에 병란이 일어나서 백성들은 상처투성이고 기근에 시달리고 있사옵니다. 그런데 지금 만일 성을 쌓는다면 백성들이 더는 견디어내지 못할 것이옵니다."

공민왕은 어쩔 수 없이 재추들에게 의논하게 한 다음 공사를 중지시켰다. 그래 놓고 공민왕은 도성이 안전하지 않다고 여겼는지 수도를 옮길 뜻을 품었다. 1358년 9월 동지추밀원사 유숙과 판사천대사 진영서, 우필흥을 수안과 곡주 지역으로 보내 도읍지로 적합한지 살펴보고 오라는 명이 떨어졌다.

최영은 공민왕의 처사를 납득할 수 없었다. 수도의 이전이 국가의 안전을 담보할 수는 없었다. 더욱이 당장 눈앞에서 왜구가 활개치고 있는데, 이를 방어하기 위한 적극적 대책을 외면하는 것은 국왕의 도리가 아니었다. 임시방편적으로 대응하니 항상 사후약방문격이었다. 이것은 왜적 앞에 백성을 무방비상태로 방치하는 것이나 다름없었다.

답답한 마음을 지울 길 없었던 최영은 서북방면에서 들려온 소식에 아연 긴장했다. 1359년 2월에 홍건적이 고려에 협박성의 문서를 보내온 것이었다.

"오랫동안 몽골 오랑캐의 손아귀에 놀아나는 것을 통탄하였는바, 우리가 의를 일으켜 그 오랑캐를 북쪽으로 몰아내고 천하가 우리의 발아래 무릎 꿇고 있다. 천하의 대세에 순종해 우리에게 귀순한다면 잘 대해 줄 것이지만 어리석게 반항한다면 강력히 처벌할 것임을 알리노라."

고려로 하여금 그들을 받들어 모시라는 협박으로 장차 고려를 침략할 의도를 노골적으로 드러낸 격이었다. 왜구의 침구가 끊이지 않는 가운데 설상가상으로 서북방면으로부터도 전운의 먹구름이 점차 몰아쳐 오는 형세였다.

홍건적의 난입

    고려의 가장 큰 위협은 북방으로부터의 침공이었다. 국가의 안위와 직결된 문제였다. 고려로서는 항상 경계하며 그에 대비해야 했다. 공민왕도 홍건적의 움직임이 심상치 않음에 이미 1358년 8월에 경천흥을 서북면 도순문사, 한방신을 동북면 병마사로 임명하여 대비시키고 있었다. 그런데 1359년 2월에 홍건적이 직접 문서를 보내 위협까지 가해 옴에 북방의 경계에 더욱 신경 쓰지 않을 수 없게 되었다.

    북방 정세의 관건은 원과 홍건적의 대결이 어떻게 귀결되느냐였다. 그에 따라 고려의 대응은 사뭇 달라질 수 있었다.

    홍건적은 1351년 반란을 일으킨 이래로 반원적인 입장을 분명히 하고 있었다. 그 세력의 등장은 1351년 황하가 범람하자 원이 치수를 위해 인근의 농민들을 대대적으로 징발하였는데, 그에 대한 반발로부터 비롯되었다. 민심이 흉흉해진 그 혼란을 틈타 송 휘종의 8대손이라 자처하며 미륵불을 모시고 있던 백련교주 한산동은 유복통 등과 함께 반란을 일으켰다. 이들은 홍건적의 동계 반란군이었다. 그걸 시작으로 대륙 서쪽 지역에서도 서수휘 등의 반란이 뒤따르며 서계 반란군이 형성되었다. 서계 반란군은 강서 일대를 점령하면서 세력을 확장하였으나 점차 내부 갈등을 겪으며 1357년 이후 진후량, 명옥진 등으로 분립되어 나갔다. 반면 동계 반란군은 초기 하남에서의 봉기 계획이 누설됨에 따라 한산동이 사로잡혀 살해되면서 실패로 돌아갔다. 그러나 유복통 등은 한산동의 아들 한림아를 내세우며 그 잔당을 이끌고 1355년에 영주를 함락시키고 대대적인 반원봉기를 이끌었다. 이들은 송나라를 건립하고 한림아를 소명왕이라고 칭하면서 세력을 확장하여 1357년에 3로군을 편성해 대대적인 북벌을 개시했다. 1358년 5월 옛 북송의 수도인 개봉으로 수도를 삼는 등 큰 전과를 올렸으나 내부 갈등과 원의 반격으로 개봉까지 탈환당하며 쫓기게 되었다. 그 때문에 산서 방면으로 북상하여 원의 상도 개평부까지 함락시키고 요양까지 진격했던 중로군은 대도 공격이 여의치 않게 되었고, 퇴로까지 막히게 되었다. 이 중로군의 향방이 문제였다. 이 중로군의 홍건적이 고려에 위협적 문서를 보내왔고, 이들을 어찌 대할 것인가는 당장 고려에 발등에 떨어진 불이었다.

공민왕은 대륙의 정세를 관망하면서 홍건적이 내부 분열과 갈등을 겪고 원에 몰리게 된 상황을 먼저 뇌리에 떠올렸다. 그래서 1358년 10월 홍언박의 아들 홍사범을 황태자의 생일을 축하한다는 명목으로 원에 보냈다. 장사성과 방국진의 화친 요구에 대해서도 적극 응해 나갔다. 장사성은 염전 출신으로 세력을 형성해 원에 대항했다가 화친을 맺어가고 있었고, 방국진은 해상 세력을 장악하여 자기 세력을 형성한 세력이었다. 이들 세력은 홍건적 세력과는 큰 관련이 없었고, 자신들의 이해관계에 따라 원과 화친과 반목을 반복하고 있었다.

공민왕은 아직까지는 원이 건재하다고 보고 원 측에 가담한 모양새를 취했다. 그러나 원은 급속도로 쇄락해가고 있었다. 반면에 원에 거병하여 중국 대륙에서 세를 형성하고 있는 세력들은 장사성, 방국진, 진후량, 명옥진, 유복통(한림아), 그리고 1356년에 곽자흥이 죽은 후 실권을 장악한 주원장 등으로 군웅할거하고 있었다. 이 세력들이 오랫동안 서로 난립하면 고려로서는 좋을 것이지만, 그건 고려의 바람이고, 언젠가 하나의 세력으로 통합되는 경우까지 염두에 두어야 했다. 고려는 그 모든 사태에 적극 대비해야만 했다. 더욱이 홍건적이 직접 고려에 협박을 가하고 있는 상황에서는 북방에 대한 대책이 무엇보다 시급할 수밖에 없었다. 만약 북방 지역이 이들 세력에 의해 유린당하기라도 한다면 고려를 중흥시키기 위한 꿈은 엄청난 타격을 받을 수밖에 없었다.

최영은 마음 준비를 단단히 하고 공민왕을 알현했다.

"소장, 전하께 오늘 죽을 각오를 하고 주청을 올리고자 하옵니다."

"몸 사리는 신하들만 있는 줄 알았는데, 내게도 이런 충신이 있었다니 내 기쁘기 한량이 없소."

긴장한 얼굴을 한 최영을 보고 공민왕이 사뭇 기꺼운 표정으로 화답하고 나왔다. 공민왕은 그만큼 신료들이 자신에게 속마음을 말하지 않는다는 걸 잘 알고 있는 것이었다. 최영이 단호하게 입을 열었다.

"우선 수도 이전을 위한 공사나 도성의 외성을 수축하는 공사를 더 이상 추진하지 마시옵소서. 이런 일들은 평시에도 고역이옵니다. 하온데 지금 전란의 시기이옵니다. 이 시기에 이를 진행하는 것은 전란에도 대비하지 못하게 하여 백성들의 고통을 더욱 가중시킬 것이옵니다. 지금 시도 때도 없이 침구해 오는 왜적의 침탈 앞에 백성들의 고통은 이루 말할 수 없사옵니다. 더욱이 지금 홍건적은 호시탐탐 고려를 넘보고 있사옵니다. 전란의 위협에서 백성들을 구해내고 편안히 살아가게 하는 것이야말로 임금의 권위일 것이며, 어느 누구도 넘보지 못하는 존엄이 될 것이옵니다."

공민왕의 얼굴이 일순간 일그러졌다. 왕의 권위까지 거론하는 것에 마음이 상한 것이었다. 왕의 권위는 그가 가장 중히 여긴 바였다. 허나 언제 그랬냐는 듯 다시 얼굴 표정을 누그러뜨리며 말했다.

"그 얘기는 다른 신료들도 이미 거론하는 바가 있었으니 그 정도 얘기하려고 온 것은 아닐 테고, 그냥 하고 싶은 말을 해 보세요."

허심탄회하게 나오는 듯한 공민왕의 태도에 최영이 본론의 말을 꺼내 들었다.

"지금 이 나라의 북쪽엔 홍건적이 위협하고 있고, 아래로는 왜구의 침탈을 받고 있지만, 그에 대한 대비가 주먹구구식이고 임시방편에만 그치고 있는 실정이옵니다. 근본적인 대책을 세워야 하옵니다."

"내 그 문제 때문에 두 발 뻗고 잠도 못 자고 걱정이 이만저만이 아니오. 그 방안이 있다면 어서 말해 보시오?"

공민왕의 눈이 반짝거리며 최영의 얼굴을 주시했다.

"우선 거듭 침구해오는 왜적을 상대하기 위해서는 중요한 각 거점 지역에 진을 설치하여 군사를 배치하여야 하옵니다. 그리고 역참제도와 봉수제도를 활성화시켜 적의 침구가 오는 경우 즉시 알리도록 하여 주위의 진에 포진해 있는 군사로 하여금 즉각 대치할 수 있게 해야 합니다. 허나 이것은 지금 형편에서 취하는 일시적인 대책일 뿐이옵니다. 근본적인 처방은 왜적을 우리 땅에 들여놓지 않아야 할 것이옵니다. 전함을 구축하고 수군을 강력하게 육성하는 길로 나아가야 하옵니다. 바다에서 격멸한다면 백성들의 피해는 더는 일어나지 않을 것이옵니다."

공민왕은 지그시 눈을 내리깔았다. 바다에서 왜구를 격멸할 수만 있다면 왜구에 대한 모든 시름은 사라질 것이었다. 허나 그게 가능하냐는 것이었다. 최영이 다시 말을 이어 나갔다.

"다음은 홍건적에 대한 대책이옵니다. 지금 당장 홍건적과 적대할 하등의 이유가 없다는 뜻을 그들에게 알려야 합니다. 원의 강박으로 어쩔 수 없이 한 것일 뿐 고려의 의사가 아니라는 것이지요. 그렇지만 이것 또한 시간을 지연시키는 것에 불과하옵니다. 진정한 대책은 고려의 전연방어선에 성을 강력하게 구축하여야 합니다. 이것은 지금 당장 발등에 떨어진 홍건적의 침략에 대비하기 위해서만이 아니라 향후 대륙의 정세 여하에 따라 고려가 겪게 될 위기를 튼튼히 방비해 줄 것이옵니다. 한족들이 오랫동안 군웅할거 한다면야 좋겠지만 그걸 바라고 있을 수만은 없사옵니다. 군웅할거시대를 끝내고 한 세력으로 통일된다면 원은 쫓겨나게 될 것이고, 그들은 다시 고려를 넘보게 될 것이옵니다. 설사 원이 승리한다 하더라도 원은 고려를 더 틀어쥐기 위해 더 강력한 압박을 가해 올 것입니다. 지금껏 대륙에 강력한 세력이 형성되면 우리를 침략하지 않는 나라가 없었사옵니다. 수와 당이 그랬고, 거란과 금, 원이 다 그랬사옵니다. 앞으로 그 어떤 세력이 대륙의 강자가 되든, 그들과 일전을 불사할 때 고려의 안위와 중흥을 위한 만년대계의 발판을 마련한다는 마음가짐으로 대비하여 나가시옵소서."

공민왕의 얼굴은 착잡하기 그지없었다. 근본적인 대책을 세우고 국가적인 방어체계를 세워야 하는 것은 지극히 타당했다. 허나 지금 고려의 형편에서 그걸 어떻게 감당할 수 있겠느냐는 것이었다. 공민왕이 심드렁한 투로 되물었다.

"장군은 나보고는 공사를 일으키지 말라고 하고선……. 방어성을 쌓는다는 것이 그리 쉬운 일이 아니지 않소? 장군의 말대로 왜구의 침탈이 이어지니 그들을 방어하면서 전함도 만들어야 하고, 또 그런 속에서 성을 쌓는 일까지 감당해야 할 것인데, 과연 그게 가능하겠소?"

공민왕이 의문을 제기하는 것은 당연했다. 고려의 현실이 그러했다. 하지만 고려를 중흥의 길로 이끌어 내자면 꼭 해내야만 하는 일이었다. 지금 당장 이 모든 것을 한꺼번에 다 하지 못하더라도 홍건적의 움직임이 심상치 않은 조건에서 북방에 대한 대책만은 세워나가야 했다. 최영이 다시 단호히 입을 열었다.

"전하, 아무리 어렵다손 치더라도 다시 고려를 중흥시키려는 의지를 포기하지 마시옵소서. 지금 당장 이 모든 걸 하기 어렵다면 홍건적에 대한 대책만이라도 세워 나가야 하옵니다. 지금껏 그래왔듯이 북방에서 침략해오는 세력은 대군이 될 것이옵니다. 나라의 존망과 관련된 일이옵니다. 전연 방어선을 형성했을 경우 수와 당은 고구려에 패배하였고, 고려만 보더라도 몽골군이 세상을 호령할 듯 기세등등해 보였지만 서북면도병마사 박서와 김경손 장군이 이끈 귀주성과 자주 부사 최춘명이 이끈 자주성은 끝내 함락하지 못했사옵니다. 하지만 성에 의거하여 싸우지 못하고

245

전연방어선이 뚫린 경우 서경이 곧바로 위협받고, 개경 또한 그 위협에서 벗어나지 못하게 되옵니다. 전연방어선이 굳건하면 적들은 후방의 안전이 위협받게 되기에 전투를 오래 끌 수도 없사옵니다. 아무리 어렵고 힘들더라도 이 부분만큼은 지금 국운을 걸고 추진하여 나가셔야 하옵니다. 성 방어 진지를 공고하게 쌓지 못해 홍건적의 침략에 의해 국토가 유린되게 되면 그 후과가 너무 클 것이옵니다. 대비하지 못해 나중에 땅을 치고 후회하는 일이 없도록 부디 통촉하여 주시옵소서."

공민왕은 고개만 끄덕이고는 가타부타 대답하지 않았다. 북방에 대한 대책이 시급한 것은 인정하지만 지금 고려의 처지에선 추진할 수 없다고 판단한 것이었다.

공민왕을 알현하고 나온 최영은 한없이 답답하기만 했다. 꼭 죄인이 된 심정이기도 했다. 자신이 공민왕을 설득시키지 못함으로 해서 고군기가 제시한 구국의 혜안을 실현시키지 못하게 되었기 때문이었다. 홍건적의 침략으로 국토가 유린되고 백성들이 겪을 고초를 생각하며 가슴이 미어질 듯 아파왔다. 왜구의 침구까지 끊이지 않는 조건에서 홍건적에까지 국토가 유린되면 이 고려를 다시 일으켜 세우기가 힘들게 되는 후과를 겪을 수도 있었다. 고려 중흥의 꿈은 점점 더 멀어지는 격이었다. 죄책감에 빠져 있는 최영을 보고 한단 선사와 고군기가 위로하고 나왔다.

"형님 탓이 아닙니다. 아직도 무사안일적인 사고방식에서 빠져

나오지 못하고 있기 때문인 게지요. 영특하시기는 하나 웅지가 없고 뚝심 있게 밀고 나갈 배짱이 없는 것이지요."

"참으로 안타깝고 슬픈 일이야."

한단 선사가 앞으로 닥쳐올 고려의 미래를 예감하며 가슴 아픈 듯 혼잣말처럼 읊조렸다.

"임금이라면 그래도 이런 상황에서는 뼈를 깎는 고통을 감내하면서라도 결단을 내려야 하는 것 아니겠습니까?"

최영의 반문에 고군기가 다시 말을 받았다.

"그리해야겠지만 공민왕으로서도 쉽게 받아들일 수가 없었겠지요. 지금껏 대의도 없고 오직 끼리끼리 탐욕을 추구하던 신료들이 아닙니까? 그렇지 않은 신료라고 해도 왕이 자기 뜻에 반하면 제거하는 형국인데 어떤 신료가 감히 나서려고 하겠습니까? 하나같이 무사안일주의에다가 당장 눈앞의 닥친 일만 처리하고 보자는 심사가 태반일 것입니다. 백성들 또한 살길 찾아 유랑하거나 아니면 권세가에 의탁하여 살아가는 판이 아닙니까? 이런 상황을 누구보다 잘 알고 있는 공민왕이 그 무엇으로 그 거창한 공사를 벌이도록 관리들과 백성들을 설득할 수 있다고 보겠습니까? 자연 불가능하다고 보고 망설여지는 것이지요."

최영은 공민왕이 미덥지 못하게 느껴지면서도 일견 이해되기도 했다. 허나 당장 앞으로 닥쳐올 일을 걱정하지 않을 수 없었다. 어떻게 해서든 홍건적이 고려를 침략하지 않도록 최대한 노력해야 했다. 고군기는 그것이 자기에게 맡겨진 임무라는 듯 요동 방면으로 유람이나 다녀오겠다고 하면서 길을 떠나갔다.

공민왕은 최영의 방책을 수용하지는 않았으나 위기 상황을 맞
이하여 나름대로 극복하기 위해 노력해 나갔다. 허나 왜구에 대
한 대책이 임시방편적이다 보니 왜구는 끝없이 침탈해왔다. 공민
왕은 더 이상 안 되겠다고 여겼는지 태묘에서 적을 퇴치해 달라
고 기도까지 올렸다. 허나 그것을 비웃는 양 왜구는 1359년 2월
전라도 해남현을 침구한 데 이어 5월에 예성강에 침입하여 들어
와 옹진현을 불태우고 나왔다. 장사성이 보내온 사자에 대해서는
대륙의 정세를 유리하게 이용하기 위해 이색을 시켜 답장을 보내
게 하면서 우의를 다지고자 하였다. 자기 직분에 어긋나는 행위
를 하는 신료들에 대해서는 단호하게 처벌하며 기강을 확립하고
자 날을 세웠다. 홍주창을 감독하는 지면주사 곽중룡이 미곡 20
석을 임의로 출고해 관기와 관노들에게 지급하자 관직을 박탈하
고 군졸로 복무하게 만들었고, 동북면 병마사 정휘가 해동청을
바쳐오자 한심하다는 투로 꾸짖고 나섰다.

"지금 전쟁에 대비하느라 한창 바쁘고 검약을 중시해야 할 판
에 이 진귀한 새를 어디에 쓴단 말인가? 당장 이 새를 하늘에 날
려 보내도록 하라."

공민왕의 독려에도 조정의 분위기는 쇄신되지 않았다. 도리어
홍건적의 침략이 임박했음을 알리는 조짐이 스멀스멀 나타나기
시작했다. 동북방면의 조소생과 탁도경의 움직임이 그것이었다.

248

조소생과 탁도경은 1358년 4월 해양(길주)을 점거했고, 그 때문에 해양 사람 완자불화가 병사 1천3백 명을 거느리고 고려로 투항하였다. 그럼에도 고려는 특별한 조치를 취하지 않았다. 그런데 조소생과 탁도경은 홍건적의 추이를 지켜보면서 고려를 직접 넘보려는 기미를 보이고 있었다. 1359년 7월에 동북면 병마사 정휘는 조소생과 탁도경이 쳐들어올 것 같은 형세를 보고하며 병사를 보내어 방비할 것을 요청했다. 조정에서는 단지 예빈경 조돈을 보내 효유하는 차원으로 대처하였다. 조소생과 탁도경 세력이야 그처럼 대응해도 되겠지만 그들이 그런 기미를 내보인 것 자체가 홍건적 때문이니 그에 대한 대치가 적극 필요한 것이었다. 그 내비가 부족하면 주위에서 모락모락 피어나는 연기는 끝내 불꽃으로 화할 것이었다.

아니나 다를까 대륙으로 떠났던 고군기가 최영을 다급하게 찾았다.

"홍건적이 머지않아 움직일 것 같습니다. 그들에겐 식량이 없습니다. 그걸 고려에서 해결하려고 합니다."

고군기는 중로군 홍건군의 수장인 모거경을 만나 고려의 침공을 포기하게 하려고 시도했다. 고려와 척을 지게 되면 원과 고려의 협공을 받을 것이라고 위협했다. 지난 시기엔 원의 강압에 의해 어쩔 수 없이 한족과 싸웠던 것이지 고려의 의사가 아니었다고 주장하였다. 고려가 기씨 일당은 물론이고 원의 앞잡이들인 부원배를 척결하여 원으로부터 주권을 찾아가려고 노력하는 것

249

이 바로 그 증좌라는 것이었다. 홍건군과 고려는 서로 같은 이해 관계를 갖고 있으니 서로 싸워야 할 하등 이유가 없고, 도리어 함께 힘을 합쳐 원과 대적해야 한다는 논리였다. 홍건군이 선의의 조치를 취하면 고려 또한 마땅히 그리 대응할 것이라고 밝혔다.

고군기의 위협과 설득에 홍건군은 고려에 대한 침공을 잠시 보류하였다. 허나 그 시간이 얼마 남지 않았다는 것을 고군기는 이내 간파하였다. 그들은 군량의 보급을 약탈로 해결하고 있었기에 요동지역에서 오래 버틸 수 없는 처지였다. 벌써 그 지역에 오랫동안 이주해서 살고 있었던 고려인들은 홍건적의 약탈 행위에 견디지 못하고 고려로 돌아오고 있었다. 1359년 11월에 들어서서는 요양과 선양 지역의 유민들 2,300여 호가 고려로 귀부해왔다. 약탈할 주민이 없다면 홍건적은 다른 지역을 침략해서 그 출구를 찾으려고 할 것이었다. 퇴로가 막혀 남쪽으로 내려가지 못하니 고려는 자연 그들의 탈출구가 될 것이었다.

최영의 탄식이 이어졌다.

"이 일을 어찌하면 좋단 말인가? 어렵고 힘들다고 해서 성 방어 대책을 세우지 않고 차일피일 미루다가 결국 이 지경에 처하게 되었으니……."

고려군은 기강조차 확립되지 못한 한심한 상태였다. 1359년 11월 홍건적의 선발대 3천여 명이 압록강을 건너와 약탈하고 다시 되돌아갔는데도 아무 일 없다는 듯이 보고도 올리지 않았다. 침탈을 막아내지 못한 것도 지휘관의 자격 요건의 미달 사항에 해당되건만 그 사실조차 숨겼다는 것은 용납할 수 없는 죄악이었다. 보고가 되지 않으면 국가에서 대응할 수가 없었다. 다행히 백성들의 입소문에 의해 홍건적의 침투 사실이 알려지게 되었다. 그러나 공민왕은 호부시랑 정지상을 보내어 도지휘사 김원봉을 질책하는 선에서 마무리하였다. 그리고는 부랴부랴 경천흥(경복흥)을 서북면 원수, 안우를 그 부원수로 임명하고 파견하였다.

　홍건적의 수장 모거경은 고려의 대응이 변변치 않음에 확신을 갖고, 드디어 1359년 12월 군사 4만을 이끌고 압록강을 건너 고려를 침공해 왔다. 전방에 방어성을 굳건히 쌓아 대비하지도 않고, 무사안일에 빠져 있던 고려군은 변변히 대응조차 하지 못했다. 의주 부사 주영세와 백성 1천여 명이 살해당했다. 홍건적은 파죽지세로 밀고 넘어와 서북면도지휘사 김원봉까지 전사시키고 정주를 함락한 후 인주까지 점령했다. 다급해진 조정은 수문하시중 이암을 서북면 도원수, 경천흥을 그 부원수, 김득배를 서북면 도지휘사, 이춘부를 서경윤, 이인임을 서경존무사로 각각 임명해 홍건적의 침략에 국가적인 대비태세를 서둘러 형성해 나갔다. 홀치와 위사, 충용위, 3도감, 5군에는 3년상도 폐지하였다. 최영도 서북병마사로 임명되어 방어전에 임하게 되었다.
　선발대로 출발한 군대가 얼마나 적의 예봉을 꺾고 진격을 저지시키느냐가 관건이었다. 그 틈을 타 방어전선을 구축하고, 적의 후미에서는 유격활동을 전개하여 적의 퇴로를 위협하여야 했다.

고려군과 홍건군은 철주와 청천강 일대에서 일진일퇴를 거듭했다. 안우와 이방실은 철주로 침입한 적을 처음엔 물리쳤으나 적은 재차 침입하며 남진해 왔다. 안우가 청천강에 의지하여 진을 치자 적의 기병 서너 명이 다리 위에 올라 창을 휘두르며 기세 높였다. 병마판관 정찬이 질 수 없다는 듯 크게 소리치며 칼을 휘두르고 나아가 적장 한 명을 단숨에 베어 버렸다. 이때를 놓칠세라 안우, 이방실, 이음(이암의 아들), 이인유 등의 고려 군사가 함성을 지르며 다리를 건너 적을 대파하며 인주와 정주로 몰아냈다. 전승 소식을 들은 공민왕은 안우에게 금으로 입힌 허리띠를 하사하며 치하하였다. 장수들에게 전의를 북돋아주기 위해서였다.

적들은 이번엔 선주 지역에 스며들어 곡식을 약탈하고자 하였다. 이에 안우와 김득배는 보병과 기병 1천을 이끌고 뒤쫓았다. 그런데 적의 둔진 곳쯤에 이르렀을 때 그만 복병에 걸려 천호 오중홍과 장군 이인우가 전사하는 등 대패하고 말았다. 홍건적은 이 여세를 몰아 청천강을 건너 안주에까지 다다랐다. 그런데 안주에 진을 치고 있던 경천흥은 머뭇거리며 나아가 싸우려고 하지 않았다. 그로 인해 안주가 홍건적의 수중에 떨어지게 되었다.

공민왕은 대노하며 경천흥을 단호하게 군법에 논죄하려고 하였다. 그러자 명덕태후의 조카인 홍언박이 경천흥을 두둔하고 나섰다.

"경천흥은 공정하고 청렴하며, 또 근실하고 독실하기는 하나 장수의 지략은 몸에 익히지 못했습니다. 경천흥의 실책은 등용한 사람의 과실이옵니다."

안주가 점령되자 서경이 곧바로 위협받았다. 전방에 방어성을 공고하게 구축하지 못한 결과 밀려드는 적들의 대군을 막을 수가 없었다. 적들의 진격 기세가 너무나 빠른지라 방어선을 구축해야 할 고려군은 채 집결하지도 못했다. 장수들 또한 두려워하는 기색이 역력했다. 하는 수 없이 서북면도원수 이암은 방어선의 후퇴를 명하게 되었다.

"서경을 능히 지킬 수 없으니 뒤로 물러나 요해처인 황주에 방어선을 구축해야 하겠소. 지금 당장 부고를 불태우도록 하시오."

하지만 김득배의 동생이자 호부 낭중 김선치가 이의를 제기하고 나섰다.

"부고를 불태워서는 아니 됩니다. 식량을 내주지 않고자 부고를 불태우게 되면 적은 먹을 양식이 끊어져 곧장 수도 안으로 쳐들어올 것이 분명하지 않습니까? 그것은 옳은 계책이 아닐 것입니다."

양식을 내주고 시간을 벌자는 주장이었다. 이암이 수긍하고 받아들였다.

서경이 무너지고 고려 군사가 황주로 퇴각했다는 소식이 들려오자 나라의 민심은 흉흉해졌다. 개경에선 피난 갈 생각으로 곡식을 내어 휴대하기에 편리한 물품들로 바꾸려고 난리법석이었다.

조정에서는 여러 관사의 서리들을 징발하여 서북면의 군사로 보충하게 하고 승선 이상에게는 각 말 1필을 내게 하였다. 또 선종과 교종 각사의 승려와 인마를 모아 군용에 보충하도록 하였다.

1359년 12월 홍건적이 서경을 점령하자 조정에서는 호부상서 주사충으로 하여금 모시베와 마구, 술과 안주 등을 가지고 가 적장에게 선물을 주면서 동태를 정탐하게 하였다. 그리고는 서경을 지키지 못한 책임을 물어 이암을 물러나게 하고 평장사 이승경을 임명하였다. 또 전 첨의찬성사 권적으로 하여금 승병을 이끌고 정벌에 나서게 명했다. 아울러 지문하성사 정세운을 서북면 도순찰사로 임명하고, 전공을 세운 사람들에게 은그릇과 솜, 비단, 의복을 내려주며 군사의 사기를 진작시키고자 하였다.

그러면서도 공민왕은 어사대에 지시해 모든 관리들에게 수십 일간 구정에서 숙위하게 하며 피난사태에 대비하게 했다. 밤이면 노국공주와 함께 좋아하지도 않고 무서워하기까지 하는 승마까지 연습했다.

적들이 서경의 양식을 약탈하며 즐기는 사이 고려군의 전선은 착착 구축되어 갔다. 새로 서북면 도원수로 임명된 이승경의 활약이었다. 이승경은 침식까지 거르며 장수와 군사들을 독려하고 나섰다. 적극적으로 토벌하려고 나서지 않는 장수들의 태도에는 울화병이 도질 정도로 참지 못했다. 후방에서도 유격군의 활동이 전개되기 시작했다. 판사 김진은 의주와 정주의 주변에 흩어진 백성들을 규합해 잔류시킨 적병 150명을 죽이고 적들이 쌓아놓은 양곡을 빼앗았다. 공민왕은 이를 가상히 여겨 형부상서를 내려주었다. 형부상서 벼슬을 받은 김진과 환자 김현은 다시 서경으로 가는 길에 적병 300명을 만나자 접전을 벌려 100명을 죽였다. 상장군 이방실도 철화에서 적을 만나자 100여 명의 목을 베었다.

전선이 구축되는 속에 주사충이 돌아왔는데, 적들의 회답은 아예 고려를 자신들의 발아래 두고 지배하며 발가벗겨 먹겠다는 것이었다. 고려로서는 어쩔 수 없이 군사적 힘으로 홍건적을 응징해야만 했다.

1360년 1월 서경을 수복하기 위해 총 2만에 달하는 고려군이 생양역에 속속 도착했다. 그런데 겨울 채비를 제대로 갖추지 못한 바람에 혹한이 닥치자 동상에 걸리고 사망하는 군사가 속출하였다. 홍건적은 고려군이 곧 진공하려는 움직임을 보이자 포로로 잡은 의주와 정주, 서경의 백성들을 닫치는 대로 살해하였다. 근 1만 명이나 되는 시체가 쌓여 언덕을 이룰 지경이었다.

고려군은 홍건적의 무자비한 살상 행위에 치를 떨며 서경을 포위해 들어갔다. 지금껏 최영은 적들의 개경 진입을 막기 위한 방어선에 위치한 관계로 교전을 벌일 수가 없었다. 이제야 서경에 도착한 최영은 적들의 학살 만행에 울분을 토하지 않을 수 없었다. 최영은 천백배의 응징을 가하자며 군사의 사기를 드높였다. 분노에 찬 고려 병사들은 서경 수복의 명령이 떨어지자 죽을 각오로 성벽을 타고 넘어가 성문을 열어젖혔다. 그와 동시에 최영은 5천 기병의 선두에 서서 성내로 진입하여 시뻘건 피를 품어 내었다. 적들은 우왕좌왕했고, 그때 북쪽의 공격을 담당했던 안우와 이방실의 군사가 맹렬하게 들이닥쳤다. 후미가 강타당하자 적들은 더 이상 버티지 못하고 서쪽 방면으로 패주하기 시작했다. 이 전투로 적군의 수천 명이 죽었지만 고려군의 전사자도 1천 명이 넘었다. 공민왕은 이때 크게 공을 세운 안우를 안주군민만호부도만호, 이방실을 상만호로, 김어진을 부만호로 각각 임명했다.

홍건적은 용강과 함종에 이르러 진지를 다시 구축하고 나왔다. 적이 퇴각로를 북방으로 잡지 않고 서쪽 방면으로 택한 것은 서쪽 해안 쪽에서 호응하기로 되어 있는 수군과의 연계를 갖기 위함이었다. 그 연합 작전을 차단하기 위해서는 시급히 육지의 적을 격파하여야 했다.

안우가 다급한 마음에 함종으로 진격하다가 적의 매복에 걸려 군사 1천여 명이 전사하였다. 적들은 기병을 앞세워 후퇴하는 고려군을 끈질기게 추격하여 왔다. 안우와 이방실, 김어진, 그리고 대장군 이순 등이 군사의 후미에 서서 분전하며 싸웠다. 때마침 동북면 천호 정신계가 병졸 1천 명을 이끌고 적의 후미를 강타한 관계로 적들을 물리칠 수 있었다.

함종에서 다시 아군과 적군이 대치하는 속에 적군의 후방에서도 고려군의 타격이 이뤄졌다. 숙주의 산골짜기에 주둔하고 있던 적병 4백여 명이 서경에서 패했다는 소식을 듣고 다시 의주로 방향을 틀어 돌아가고 있었다. 중랑장 유당과 낭장 김경, 소주 천호 장윤은 즉각 이들을 공격하여 정주성까지 달아나는 적들을 추격해 모조리 섬멸하였다.

마침내 1360년 2월 고려군은 총 화력을 집중하여 함종산성에 웅거하고 있는 적을 공략하였다. 적아간에 서로 한 치도 물러설 수 없는 전투였다. 치열한 공방전 속에 판개성부사 신부와 장군 이견이 전사했다. 그럼에도 고려군은 적들이 저질렀던 악행에 격노하며 공격을 늦추지 않았다. 연이은 고려군의 공격에 적들은 상황이 불리해지자 목책 안으로 들어가서 방어하였다. 고려의 기병들은 그들을 쫓아가 목책을 돌며 화살을 쉼 없이 날렸다. 그 틈을 이용해 최영을 위시한 고려군이 목책을 뚫고 쏟아져 들어가며 적 2만 명을 목 베고 적장 황지선을 사로잡았다. 또 다른 적장 모거경은 패잔병의 무리를 거느리고 증산현 쪽으로 도주하기에 바빴다. 이방실이 정병 1천 기로 적을 추격하여 연주강에 이르렀고, 안우와 김득배, 김어진 등의 정병도 잇따라 도착했다. 적들은 고려군의 기세 앞에 싸울 엄두를 내지 못하고 연주강을 다급히 건너 도주하려고 하였다. 허나 얼음이 꺼지는 바람에 그대로 수천 명이 물에 수장되었다. 나머지 적군들도 안주와 철주 사이를 도주하는 도중에 굶주림과 피곤에 지쳐 길가에 쓰러져 죽어갔다. 이방실이 고선주까지 쫓아가 수백 명의 적을 베었고, 겨우 3백여 명만이 살아남아 압록강을 건너갔을 뿐이었다.

　이승경은 그만 병이 들어 개경으로 돌아왔다. 생양역에 있을 당시 장수들이 사력을 다해 적을 토벌하지 않는다고 분개하며 음식까지 먹지 않은 게 그만 탈이 나 버린 것이었다. 하지만 아무도 싸움을 독려하며 분전했던 그의 마음을 알아주는 이가 없었다.

결국 이조년의 조카였던 이승경은 이로부터 3개월이 지난 후 씁쓸히 생을 마쳤다.

경천흥과 안우, 김득배는 공민왕에게 승전 소식을 전해 올렸다. 이를 받아 본 공민왕은 호부상서 주사충에게 홍건적을 평정한 사실을 원에 알리라고 지시하며 원으로 떠나보냈다.

그러나 또 다른 부류의 홍건적이 해상으로 침투하여 왔다. 육지의 군사가 괴멸되었으니 오래 버틸 수는 없을 것이었다. 이방실을 예주로 파견하여 적병 30여 명을 베며 기세를 보이자 그들은 배를 타고 도주하였다.

홍건적의 침입을 격퇴한 후 공민왕은 군신 간의 연회 자리를 마련하였다. 장수들을 위로하기 위해서였다. 공민왕은 그 자리에서 특별히 이방실에게 옥대와 옥영을 하사하였다. 홍건적과의 전투에서 큰 전공을 세운 것을 치하하기 위함이었다. 공민왕의 행동에 노국공주가 놀랍다는 듯 공민왕에게 물었다.

"전하께서는 귀중한 보물을 아끼지 않으시고 왜 남에게 주시는 것이옵니까?"

"종묘사직이 구허가 되지 않게 하고, 백성이 고기밥이 되지 않게 한 것은 모두 이 장군의 공이지요. 살을 베어서 주더라도 오히려 다 보답하지 못할 것인데, 하물며 이런 정도의 물건이야 대수겠습니까?"

공을 세운 장수를 우대하며 상벌을 명확히 하겠다는 공민왕의 의지였다.

최영은 씁쓸하기 짝이 없었다. 엄청난 희생을 치르고서 상을 주는 것보다 희생 없이 상을 안 주는 것만 못할 것이었다. 홍건적에 대한 승리는 병사들의 목숨으로 일군 것이었다. 비록 힘겨웠을지라도 자신의 주청을 받아들여 대비하여 나갔다면 이토록 큰 희생을 치르지 않을 수 있었을 것이었다.

고려의 상황은 점점 악화되어만 갔다. 전란을 겪은 데다가 기근까지 겹쳐 수많은 백성들이 굶어 죽어갔다. 거기에다가 4월이 지나도록 비가 오지 않아 가뭄마저 극심했다. 공민왕은 죄수들을 사면하고 근신하는 마음으로 하루에 한 끼만 먹었다. 허나 그게 해결책이 될 수는 없을 것이었다.

최영은 조정의 흘러가는 모습에 답답한 마음을 지울 길이 없었다. 홍건적에게 침입 당한 후과를 하루빨리 정리하고 이 이후에 있을 또 다른 침략에 대비해야 했다. 아직도 요동에 홍건적의 대군이 웅거하고 있는 이상 이들이 다시 침공해 오지 말라는 법이 없었다. 그런데 도무지 적극 나서서 해결하려고 하는 자가 없었다.

한단 선사와 고군기도 굳은 얼굴 표정으로 더 이상 말이 없었다. 도저히 못 참겠는지 최영이 입을 열었다.

"하루빨리 백성들의 생업을 안정시키고 이후에 있을 홍건적의 침략에 대비해야 하건만. 그러자면 근본적인 조치를 취하고 이 나라를 혁신시켜 나가야 할 터인데, 그걸 외면하고 그저 근근이

하루하루 버티는 식으로 처리하고, 그러다가 일이 터져서야 아우성치고 허둥대기만 하는 꼴이라니……. 언제까지 이런 일을 반복해서 겪어야 합니까? 홍건적이 침입해 올 경우 더 큰 대군으로 공격해 올 것인데, 장차 이 일을 어찌하면 좋겠습니까?"

홍건적의 침입으로 나라가 어수선하게 되니 왜구의 침구는 으레 일어나는 일상사가 되어 버릴 정도였다. 왜구는 고려의 혼란을 이용해 1360년 5월에 전라도의 회미와 옥구를 침구하더니 경기도의 평택, 아주, 신평에 이어 용성 등 10여 현에 이르기까지 불태우며 약탈했다. 조정에서는 해 오던 관성대로 전 평장사 유탁을 경기병마도통사, 판추밀원사 이춘부를 동강도병마사, 이자춘를 판군기감사·서강병마사로 임명하고 군사를 동원했다. 허나 사후약방문으로 이미 백성들은 해를 다 당한 뒤였다.

"더 많은 시간이 필요한 거지. 그게 어디 한 사람의 힘만으로 될 일인가? 시중 이암도 준재에다 기개가 남다르다고 하지만 시류를 어찌하지 못하고 있고, 강직하다던 김경직 또한 재추들의 한심한 꼴을 보고 한숨만 쉬었다 하지 않는가?"

최영을 위로하려는 한단 선사의 말이었다. 조급해하지 말라는 뜻이었다.

고려 관리들의 복무 실태는 그만큼 엉망이었다. 홍건적의 침입을 당한 그 후과가 다 가시지도 않는데, 왜구의 침구가 이어지자 부랴부랴 군사를 동원하다 보니 백관들에게도 전쟁을 지원하

260

라는 명이 떨어졌다. 미래를 예비해서 진행하기보다는 당장 발등에 떨어진 불부터 꺼야 하는 형국이었다. 그래서 간관마저 전쟁터에 출전하기 위해 궁문에 나아가 하직 인사를 올리게 되었다. 이를 본 참지정사 정세운이 공민왕에게 조심스럽게 아뢰었다.

"간관이 종군한다는 말은 예전에 듣지 못한 바이옵니다. 나라의 체모가 어찌 되겠사옵니까?"

공민왕이 정세운의 청을 받아들여 면제해주자, 그것을 본 국자박사 등이 상언하고 나섰다.

"신등은 공자의 묘정을 모시고 있사온데, 학관이 종군하였던 일은 예진에 그 전례가 없었던 섯으로 이옵니다."

시중 염제신과 이암이 어이없어하며 동시에 반문했다.

"그대들이 비록 공자를 모시지 않을지라도 공자가 어디 도망가기라도 한단 말인가?"

하급관리들만 이런 것이 아니었다. 한심하기는 재추들 또한 마찬가지였다. 김륜의 아들 김경직이 대궐에 나갔다가 장기, 바둑을 두며 실없이 농지거리하는 재추들의 모습을 보고 억장이 무너진 듯 집에 돌아와 탄식하였다.

"나라가 장차 망할 것이로다. 태평한 세상에도 재상은 놀이에 빠져서는 안 되는데, 하물며 지금 전쟁으로 어수선하고 흉년이 거듭 닥쳤는데도 그걸 걱정하지는 않고 도리어 오락에 빠져 희희낙락거리고 있으니 망하지 않으려고 한들 그리되겠는가?"

261

착잡한 분위기 속에 고군기가 스스로의 마음을 다지듯 단호하게 의지를 밝혔다.

"제방이 무너졌는데, 어떻게 물 흐르는 것을 막을 수가 있겠습니까? 허나 썩으면 환골탈태하겠지요. 아니 그리하도록 만들어야지요. 그걸 준비해야 할 것입니다. 수백 년의 긴긴 세월을 기다려 왔는데, 아무리 어렵고 힘겹다고 한들 그 얼마를 못 참고 못 견뎌내겠습니까? 이제 근본을 확 뜯어고쳐 천지를 개벽시킬 수 있도록 차분히 준비해 나가야 할 것입니다."

최영은 이들과 헤어진 뒤에도 답답하고 우울하기만 하였다. 실상 고군기가 제시한 것처럼 밑에서부터 차분히 준비하는 수밖에 다른 길이 없었다. 더 큰 환란이 몰아쳐 올 것이 분명하기에 대비하는 것이 마땅하건만 임금과 신료가 움직여주지 않으니 그로서도 어찌할 도리가 없었다. 당장 눈앞에서 벌어지는 안타까운 참상에는 가슴만 쓰라려 올 뿐이었다. 왜적이 1360년 윤 5월에 강화를 침탈해 3백여 명을 죽이고 미곡 4만여 석을 약탈해 갔다. 심몽룡이라는 무인은 그걸 혼자서라도 막겠다고 나서서 왜적 13명을 죽였지만 중과부적으로 목숨을 잃은 것이었다.

공민왕은 1360년 7월 백악에 행차해서는 천도할 지세를 살펴보더니 궁궐을 짓는 공사를 또다시 일으켰다. 성을 쌓아 방어 진지를 공고히 하라는 주청은 받아들이지 않고 궁궐 공사나 벌인 것이었다. 또다시 있을 줄 모르는 홍건적의 침입에 대비하는 것이 급선무이건만, 여전히 방치하는 꼴이었다.

그래 놓고도 공민왕은 대륙의 정세에는 민감하게 반응했다. 지난번에 호부상서 주사충을 원에 보냈지만 길이 막혀 되돌아왔는데, 다시 익산군 이공수와 호부상서 주사충, 환관 방도적을 원에 하례한다는 명목으로 다시 떠나보낸 것이었다. 길이 막혀 그들이 다시 돌아오자 호통까지 치고 나왔다.

"형세를 살피고 오라고 했거늘, 어찌하여 그냥 돌아온단 말이오? 비록 죽을지라도 그냥 돌아와서는 아니 될 것이오."

대륙의 상황을 파악해오도록 하면서 공민왕은 1360년 11월 공사를 일으켰던 백악으로 거처를 옮기고 교시를 내렸다.

"신하와 백성들이 도읍을 건설하기 위해 흘린 노고와 그 비용을 어찌 모르겠으며 가슴 아파하지 않았겠는가? 그러나 이 일은 국가를 이어나갈 큰 계책이라 감히 도모하지 않을 수 없었다. 앞으로 신료들은 각자 마음을 다해 짐이 덕으로 통치하는 일을 성심을 다해 돕도록 하라."

황궁을 옮겨서라도 조정의 분위기를 쇄신시켜 보려는 공민왕 나름의 행동이었다. 허나 또다시 침략해 올 것이 명확한 외적을 두고 시급한 방어 대책을 세워 나가지 않는 것은 그만큼 시간을 낭비하는 꼴이었다.

공민왕은 1361년 1월 최영을 서북면 도순찰사로 임명해 하루 빨리 서북면을 수습해 줄 것을 주문했다. 나름 최영을 신임한 것

263

이었다.

최영이 서경으로 나아가니, 길가에 널브러져 있는 사람들이 한 둘이 아니었다. 홍건적의 전란을 겪은 데다가 곧이어 기근까지 겹쳐 온지라 백성들이 대책 없이 굶주려가는 모습이었다. 시체를 껴안고 통곡하는 자도 있었고, 1년여의 시간이 흘렀는데도 아직 채 치우지 못한 전사자의 유골도 부지기수로 눈에 띄었다. 장례를 치를 비용이 없는 것이었다. 홍건적이 침공한 후과는 고려가 당장 아무것도 할 수 없게 만들어 논 꼴이었다. 무슨 일을 하려고 해도 사람부터 살리는 것이 급선무였다.

최영은 당장 여러 곳에 진제장을 설치하여 관에 있는 양곡으로 죽을 써 나눠주도록 조치하였다. 허기를 달래는 정도였다. 그 다음 병사들로 하여금 곳곳의 널려 있는 유골을 매장하도록 하고, 장례를 치러주도록 조치했다. 이것은 임시방편이었다. 올해를 넘기고 내년을 살아가자면 어떻게 해서라도 농사에 대비해야 했다. 그는 백성들에게 종자를 지급하도록 하여 농사를 짓도록 독려하여 나갔다. 그가 그토록 주장했던 홍건적에 대한 방어 대책은 언감생심 꿈도 꾸지 못할 지경이었다. 당장 백성들을 안착시키기가 급한지라 어디 다른 데에 신경 쓸 겨를이 없는 나날이었다.

공민왕은 1361년 3월 백악에서 다시 개경으로 돌아왔다. 수도를 이전할 만큼 충분한 준비 없이 옮긴 격이었으니 오래 있을 수는 없는 일이었다. 게다가 환경이 바꼈다고 해서 갑작스레 조정

신료들이 공민왕의 말 몇 마디에 쇄신의 방향으로 나아갈 리도 만무했다. 근본은 사람이 바뀌어야 했다. 철저한 인적 청산과 조정 정비가 필요했다. 그런데 그리하지 않으니 만사가 도로 아미타불이었다.

공민왕은 도첨의사사에서 올린 상소를 보고 너무 어이없어 했다.

"흉년이 들어 굶어 죽는 사람이 속출하고 있으나 구제할 방도가 없사옵니다. 스스로 먹고 살 수 없는 경우에 부유한 자로 하여금 먹여 살리는 대신 그 양민 가족 중의 한 명에 한해 노역시킬 수 있게 하고, 노비를 소유한 자가 그 노비를 먹이지 못할 경우에는 먹여 살리는 사람이 영구히 그 노비를 차지할 수 있게 하시옵소서."

백성들이 굶주림에 허덕이고 있으면 구제책을 내와야 하건만, 도리어 권세가들은 그 상황을 악용해 사사로이 노비로 삼아가겠다는 심보였다. 공민왕은 그 상소문을 당장 태워 버리라고 호령했다.

관리들의 해악은 전라도 안렴사 전녹생의 상소문에서도 드러나고 있었다.

"주현의 폐단은 왜적을 막는 일이 제일 크옵니다. 경인년(1350년) 이래로 방수소가 열여덟 곳이나 이르는데, 왜구를 방어했다는 말은 듣지 못하고 단지 백성들만 해침을 보게 되니, 여러 방수소를 혁파한 다음 주군에서 봉수를 철저히 하고 척후 활동을 엄밀하게 하여 그때그때의 변고에 응하도록 하는 것만 같지 못하옵니다."

265

공민왕은 상벌을 엄히 하여 관료들의 기강을 확립하려고 적극 독려했지만 별다른 효과가 없었다.

최영은 공민왕이 참 딱하게만 보일 뿐이었다. 엄한 명만 내린다고 해서 기강이 잡힐 수는 없었다. 임금이 앞장서서 모범을 보여야 하건만, 그 자신이 근본적인 대책을 세우려고 하지 않고 임시변통으로 처리하려고 하니 신료들도 당연히 일이 닥치면 그때그때 임시변통으로 대처하면 그만이라는 식으로 나오고 있는 것이었다.

공민왕도 신료들의 모습에 실망했는지 최영을 좌산기상시로 임명하였다. 원칙적이면서도 근원적 개혁을 바라는 최영을 간쟁과 봉박의 실질적인 책임자로 임명함으로써 조정의 분위기를 쇄신시켜 근원적인 혁신의 길을 추진해보라는 뜻이었다.

최영은 굳은 결의를 다지듯 마음을 단단히 먹었다. 지금까지와 같이 근본적인 방어 대책을 취함이 없이 마냥 시간이 흘러가면 후에 더 큰 환란을 겪을 것이었다. 어떻게 해서든지 홍건적과 왜구에 대한 국가적인 차원에서 방어 대책을 세워 나가도록 만들어야 했다. 당장 고통스럽고 힘들다고 할지라도 그 길만이 고려를 중흥시키기 위한 방안이었다. 허나 최영이 그 뜻을 펼치기도 전에 그토록 우려했던 더 큰 환란의 조짐이 1361년 9월경에 드러났다.

독로강의 만호 박의가 천호 임자부와 김천룡을 살해하고는 반란을 일으켰다. 이것은 서북면의 강계 지역에서 일어난 것이니만큼 그 지역 주민의 정서와 대륙의 정세를 일정 반영한 것이었다. 공민왕은 즉시 형부상서 김진에게 토벌하도록 하고 동북면의 상만호 이성계에게 지원을 지시하였다. 이 반란은 곧바로 진압되었으나 큰 환란은 이제부터였다.

1361년 10월 홍건적의 평장 반성, 사유, 관선생, 주원수 등이 거느린 20만의 대군이 압록강을 건너 삭주를 침략해 왔다. 이건 홍건적의 1차 침략을 겪을 때부터 예상된 바였다. 원과 싸워야 하는 홍건적이 고려와 대적하였으니 너욱 군력이 딸리게 되고, 그러면 약탈하기 쉬운 상대라고 여긴 고려로 화살을 돌리게 될 것은 필연적 이치였다. 그것도 사력을 다할 것이니 훨씬 더 많은 대군으로 침략해 올 것이었다.

고려는 그에 대비했어야 했지만, 기근이 겹치고 쓸데없이 백악에 궁궐에 지어 황궁을 옮기는 데에 국력을 낭비한 데다가 복지부동한 관리들의 태도에 허송세월을 다 보낸 것이었다.

공민왕은 추밀원부사 이방실을 서북면 도지휘사로 임명하고 동지추밀원사 이여경을 보내 절령(자비령)에 목책을 설치하라고 다급하게 지시했다. 목책 같은 것이 방어막이 될 수 없다는 것이야 누구나 아는 사실이었지만 그만큼 고려로서는 다급한 실정이었다. 공민왕은 또 사신을 파견해 각 도의 군사를 점검하고 그 경내의 사찰에서 전마를 차등 있게 내도록 지시하였다. 개경의 백성에게는 성문을 수리하게 했다.

홍건적이 이성을 유린하자 참지정사 안우를 상원수, 정당문학 김득배를 도병마사, 동지추밀원사 정휘를 동북면도지휘사로 임명하였다.

그러나 고려는 전방 방어선이 확고히 구축되지 못했고, 그 여파로 홍건적은 파죽지세로 밀고 내려왔다. 홍건적이 무주(영변)에 진지를 구축하자 이방실은 중과부족이라며 병력을 후퇴시키고, 절령 이북의 백성과 양곡을 절령의 방어선으로 옮길 것을 건의했다. 공민왕은 허락할 수밖에 없었다. 공민왕은 난국을 맞아 적극 대응하기 위해 나이 많은 염제신을 파직시키고 이종사촌지간인 홍언박을 문하시중으로 임명했다.

첫 전투는 개주와 연주, 박주, 등주에서 벌어졌다. 안우와 이방실, 지휘사 김경제 등은 곳곳에서 적과 연거푸 싸워 격파하고 적군 3백여 명을 죽였다. 공민왕은 이 승전보에 사기를 진작시키기 위해 사실상 이들을 이끌고 있는 안우를 도원수로 임명하였다. 허나 이런 유격투쟁의 승리는 대세를 가르지 못했다. 전방 방어 진지였던 안주가 적의 습격에 무너졌다. 이 전투에서 상장군 이음(이암의 아들)과 조천주(조돈의 동생)가 전사했고, 지휘사 김경제가 포로로 잡혔다. 적들은 사로잡힌 김경제를 원수로 내세우며 110만이 되는 군사가 동쪽으로 지원 오고 있으니 투항하라고 통첩장을 보내왔다.

공민왕은 위급한 병난을 맞아 관리들에게 벼슬 등급에 따라 전투마를 공출하라고 지시했다. 아울러 참지정사 정세운을 서북면 군용체찰사로 임명했다. 이어 전 밀직제학 정사도와 김규를 보내 절령의 목책을 수비하게 하고, 평장사 이공수는 죽전에서 진을 치게 했다. 그리고 평장사 김용을 총병관, 전 형부상서 유연을 병마사로 임명하여 이 전쟁을 총괄적으로 이끌어가도록 명했다.

허나 홍건적의 남하를 저지할 수가 없었다. 전방 방어선이 전혀 구축되지 않아 깡그리 무너지는 바람에 적들은 후방의 안위를 걱정할 필요가 없었다. 게다가 안주가 너무 일찍 붕괴되어 방어 전선을 강력히 구축할 시간마저 없었다. 목책 방어선 또한 견고할 수가 없었다. 적들은 안주에서 서경을 넘어 절령의 방어선까지 파죽지세처럼 밀고 들어왔다. 그리고는 고려의 방어선인 절령 책 옆에 1만여 명을 매복시켰다가 새벽닭이 울 무렵 철기 5천으로 목책으로 쌓은 방어망인 책문을 간단히 부숴 버리고 공격해오니 막을 도리가 없었다. 고려군은 괴멸되며 뿔뿔이 흩어졌고, 안우와 김득배 등은 단기로 빠져나왔다.

"적들의 기세가 여간 만만치 않소."

안우가 총병관 김용과 최영에게 홍건적의 전세 분위기를 전한 말이었다. 예측한 바이기는 하지만 최영은 고려군이 이리도 급속하게 무너질 줄은 미처 몰랐다. 지체하지 말고 또 다른 방어선을 즉각 구축해야만 했다.

"더 이상의 적의 남하를 저지하기 위해선 하루빨리 이 금교역에라도 방어 진지를 꾸려야 할 것이오."

방어 전선을 시급히 구축하자는 최영의 주장에 안우가 동조하며 대답했다.

"알겠소. 그럼 나는 즉각 흩어진 고려의 군사를 수습하여 오겠소."

안우가 떠나가자 총관 김용이 불안해하며 입을 열었다.

"이 군사로는 적들의 남하를 막을 수가 없을 것이오. 우리 군사가 턱없이 부족하단 말이오. 아무래도 좌산기상시 최영께서는 주상께 수도의 관군을 요청해 주셔야 하겠소."

최영은 촌각을 다투는 사안인지라 곧장 말을 타고 달려 공민왕을 찾았다. 공민왕은 깜짝 놀라워하며 말했다.

"사태가 벌써 그 지경에 이르렀단 말이오?"

공민왕은 위급한 상황임을 이내 파악했다. 최영은 곧바로 경군을 이끌고 생양역으로 나아갔다. 공민왕은 피란을 준비하며 먼저 성의 부녀와 노약자를 성 밖으로 나가 피신하라고 지시하였다.

적의 선봉은 벌써 개경이 눈앞에 바라보이는 홍의역에 다다르고 있었다. 공민왕과 노국공주는 명덕태후를 모시고 남쪽으로 떠날 채비를 서둘렀다.

왕의 피란 소식을 듣고 최영을 비롯한 제 장수들은 새벽녘에 급히 말을 달려 공민왕을 찾았다. 김용과 안우, 이방실 등이 소리쳐 외쳤다.

"경성을 지켜야 하옵니다."

공민왕도 재신들도 눈만 껌뻑거리기만 할 뿐 어떻게 대답하지 못했다. 수도가 적에게 유린당할 것을 생각하매 최영의 눈에는 하염없이 눈물이 쏟아졌다. 성 방어 대책을 세우지 않는다면 큰 환란을 겪고 말 것이라고 익히 예감했지만 이렇게 빨리 눈앞에서 그 고초를 겪게 될 줄이라고는 차마 생각하지 못했다. 통곡의 눈물이 눈앞을 가렸다. 허나 어떻게 해서든 이 치욕에서 벗어나야 할 길을 찾아야 했다. 마지막 방책은 국왕이 목숨을 내걸고 결사전의 자세로 나서주는 것이었다.

"주상 전하, 조그만 더 머무르시옵소서. 전하께서 여기에 계시는 한 조정 신료와 백성들은 결코 이곳을 버리지 않을 것이옵니다. 당장 나라의 장정을 불러 모아 종사를 지키도록 명 하시옵소서."

최영의 호소에 공민왕은 날이 샐 무렵 어가를 타고 항상 사람들로 흥청거렸던 민천사에 행차하였다. 왕이 직접 나서서 의병을 모집하기 위함이었다. 근신들이 거리에 나가 장정들을 찾았으나 그 많던 사람들은 어디론가 다 사라지고 응한 자는 겨우 몇몇 사람뿐이었다. 평소에 애국의 마음을 드높여 주어도 위기 시에는 잘 따르지 않을진대, 무사안일에 빠져 있다가 갑자기 말 몇 마디의 호소에 자기 목숨을 내걸고 나설 자는 많지 않을 것이었다. 하는 수 없이 안우 등이 공민왕에게 아뢰었다.

"신등은 여기에서 적들을 방어할 것이오니, 청컨대 전하께서는 출발하시옵소서."

271

공민왕과 신료들은 서둘러 숭인문을 빠져나갔다. 숭인문 바깥에는 사람들의 울음소리로 천지가 진동하였다. 서로 앞당겨 빨리 가려고만 하려다가 자식과 어미가 헤어져서 울고, 늙은이와 어린이가 엎어져 뒤에 오는 이에게 짓밟히고 깔리게 되어 우는 비명소리였다.

통제원에 이르렀을 때 경성에서 온 파발꾼이 적이 가까이 다다랐다고 말하자, 공민왕의 일행은 임진강을 부랴부랴 건너기에 바빴다. 강을 건너 두솔원에 도착해서야 한시름 놓게 된 공민왕은 어가에서 내려 이리저리 걸으며 산천을 훑어보았다. 파천하는 가련한 왕의 신세였다. 신하와 백성들 볼 낯도 민망스러웠다. 그토록 세우고자 했던 국왕의 권위가 땅에 처박힌 꼴이었다. 허나 공민왕은 애써 낮은 음성으로 지신사 원송수와 승선 이색에게 짐짓 여유 있는 척 한마디 건넸다.

"이처럼 풍경이 아름다우니 경들은 연구의 시를 지어보는 것이 어떻겠소?"

왕의 행차가 사평원을 거쳐 광주에 머무르자 중랑장 임견미가 계속 도주만 하고 있는 조정의 모습에 실망하며 재추들에게 건의했다.

"적이 이미 경도에 들어왔으니, 임진강 이북은 우리의 관할이 아니게 되었습니다. 청컨대 여러 각 도의 군사를 징발하여 토벌하게 하소서."

그러나 재추들은 아무런 대답을 하지 않았다. 수복하려는 의지마저 없는 모습에 임견미는 눈물을 글썽이며 공민왕을 직접 찾아가 다시 아뢰었다. 공민왕도 한숨 어린 말만 할 뿐이었다.

"창졸간에 벌어진 일을 어떻게 하겠는가?"

공민왕이 경기도 이천현에 머물 때 진눈깨비가 내려 그 일행은 추위에 떨었다. 이날 파죽지세로 내려온 홍건적은 개경을 함락하였다.

공민왕의 일행이 음죽현에 이르렀는데 지방의 아전과 백성은 모두 도주해 버리고, 판각문사 허유가 쌀 2말을 바칠 뿐이었다. 외적을 막아내지 못해 황급히 쫓겨가는 상황에서 빚어진 일이었다. 허나 공민왕에겐 이런 것이 왕을 업신여기는 행위로만 보였다. 화가 솟구친 공민왕은 즉시 명을 내려 이 지역 안렴사 안종원과 안무사 허강을 쇠사슬로 목을 묶어서 끌고 오라고 지시했다. 이런 때에 그 고을 사람 배원경이 재추에게 슬며시 귀띔하였다.

"제가 우리 동네 사람 10여 호 사람들에게 같이 머물러 임금의 행차를 기다리게 하였습니다."

재추로부터 그 소식을 전해들은 공민왕은 배원경에게 산원 벼슬을 내리고 음죽현의 감무로 임명하였다. 또 홍선이 유선장군을 자청하자 그 뜻을 가상히 여겨 남경윤 양광도관군상만호로 임명하고, 조희고를 양광도부만호로 임명했다. 반면에 괘씸한 마음에 화가 풀리지 않아 허강과 안종원은 순군에 하옥시키고, 이지태를 새로 안념사로 임명하였다.

1361년 12월에 공민왕은 경상도 복주(안동)에 이르렀다. 그때까지 도주만 하였을 뿐 그 어떤 대책도 지시하지 않았다. 신료들도 이 위난을 맞아 적극 나서는 자가 없었다. 그저 불가항력이라 여기며 침통해 할 뿐이었다. 참지정사 정세운은 이런 조정의 태도에 분개하였다. 공민왕에게 여러 번에 걸쳐 호소하며 주청하였다.

"전하, 분연히 일어나시옵소서. 빨리 애통한 마음의 교서를 내려 민심을 위로하시옵소서. 그리고 여러 도에 사자를 보내 군사를 모집할 것을 독려하게 하시옵소서. 그리하여 경성을 회복하고 홍건적을 소탕하게 명 하시옵소서."

자포자기 상태에 빠져들었던 공민왕은 연저수종공신인 정세운의 충언에 다시 마음을 추슬렀다. 그리고는 교서를 내렸다.

"천하가 편안하면 정승에게 마음을 두고, 천하가 위태로우면 장수에게 마음을 두는 것이다. 과인이 편안히 지내는 데에만 익숙하여 군사에 관한 일은 전폐하고 강구하지 아니하다가 홍건적의 침범을 당해 파천하여 남쪽으로 내려오게 되었으니, 종사를 생각하면 어찌 이 고통을 견딜 수 있겠는가? 이제 여러 장수를 각 도에 나누어 보내노니, 군사를 합하여 적을 공격하도록 하라. 정세운을 총관으로 임명하고 부절과 부월을 주어 군사들을 동독하게 하노니, 명령을 받들고 받들지 않는 자에 따라 상벌을 내리도록 하라."

공민왕의 명을 받은 정세운은 우선 도당에 나아가 자신의 뜻을 분명히 밝혔다.

"나는 매우 한미한 출신의 사람입니다. 허나 이 국가적 위기를 맞아 제 소임을 다할 것입니다. 죽령 이남의 대가를 호종하는 자는 양식을 주지 않고 종군하게 하는데, 지금에 와서 어찌 이것을 지키지 않는 것입니까? 조정 대신들의 기강이 이러할진대 어찌 능히 이 난국을 극복할 수 있겠습니까? 이것부터 당장 고쳐 시행하도록 하십시오."

생사여탈권을 부여받는 정세운의 엄명에 도당 사람들은 불만스러웠지만 따르지 않을 수 없었다. 정세운은 다시 유숙을 향해서도 엄히 말했다.

"내일 군사를 출발시킬 것인데, 공이 가서 군사를 불러 모을 수 있겠습니까?"

"군사는 이미 죽령 대원에 이르렀소."

유숙이 걱정하지 말라는 투로 대답했다. 정세운은 유숙을 지긋이 응시하였다. 조정의 몇 안 되는 개혁 관료였지만 안일하게 처리하는 모습이 실망스러울 뿐이었다. 이 분위기를 쇄신하기 위해선 군령을 엄히 시행하는 본을 세워야 했다.

"그렇다고 해도 만일 기한보다 군사가 늦는다면 공 또한 그 책임을 절대 피하지 못할 것이라는 것을 아셔야 할 것입니다."

책임을 묻겠다는 정세운의 말에 유숙은 그 길로 즉시 군사들을 독려하기 위해 떠났다.

정세운은 김용을 향해 답답함을 호소했다.

"정승들이 나라에 들어온 도적을 구경만 하고 몰아내려고 도모

275

하지 않으니, 나라꼴이 어찌 되겠소? 적을 소탕하지 못하면 비록 산골짜기에 도망해 숨는다고 하더라도 어찌 살 수 있겠으며, 나라를 보존할 수가 있단 말이오?"

김용은 대답 대신 불편한 기색으로 정세운의 얼굴만 쳐다보았다. 임금의 총애를 받았다고 너무 설치는 것 아니냐는 표정이었다. 허나 시중 이암이 민망해하며 입을 열었다.

"지금 도적이 함부로 들어와 군신이 파천하여 천하의 웃음거리가 되었는데, 공이 대의를 주창하여 부월을 짚고 군사를 출동시키니, 사직의 운명이 이번 거사에 달려 있게 되었소이다. 공은 오직 거기에 힘써 주기 바라오."

정세운의 강력한 조치에 고려군은 다시 방어 전선을 형성시켜 나갔다. 공민왕은 정세운에게 힘을 더 실어주기 위해 중서평장사로 승진시켰다.

한편 고려군과 백성들도 점차 반격해 나섰다. 황해 염주의 검교중랑장 김장수는 군사를 모집해 적군 유격기병 140여 명을 목베었다. 그 고을의 최영기가 행재소에 보고하자 공민왕은 김장수를 상장군 겸 만호, 최영기를 서해도 안무사로 임명했다. 또 홍건적 기병 300여 명이 원주까지 함락시킨데 이어 적도 29명이 안변부에 이르자 고을 사람들이 거짓 투항하며 음식을 대접한 후 이들을 모조리 쳐서 죽였다. 강화부에서도 적에게 음식을 대접해 안심시켜 놓고, 매복시킨 군사로 적의 비장 왕동첨 이하 모두 죽이고, 적이 경내로 들어오지 못 하도록 철저히 경계하였다.

전국 곳곳에서 모집된 고려군은 개경을 향해 진격하였다. 바야흐로 홍건적을 경성에서 몰아내기 위한 싸움이 본격적으로 펼쳐지기에 이르렀다.

고려의 혼란을 틈탄 원의 안팎 공격

1362년 1월 고려군은 총병관 정세운의 독려에 안우, 이방실, 황상, 한방신, 이여경, 김득배, 안우경, 이구수 등은 군사 20만을 인솔해 동교의 천수사 앞에 진을 쳤다. 최영도 경성 방어군을 이끌고 이에 합류하였다. 최영은 좌산기상시였지만 공민왕의 파천 길에 함께하지 않고 홍건적의 남하를 저지하기 위한 방어 전투를 벌여오고 있었다. 힘겹기 짝이 없었다. 대군 앞에 병사들은 두려워했고, 장수들은 몸을 사렸다. 조정에서는 대책을 세워주지 않고 피난가기에만 급급할 뿐이어서 지원군도 거의 합류하지 않았다. 나라의 일대 위기 상황이었다. 그런데 정세운이 나서서 그 사태를 정리해 나갔다. 정세운이야말로 고려를 구한 충신이라 할 만했다.

정세운은 엄히 군령을 세우며 다시 한번 진격해 경성을 포위하도록 장수들에게 엄히 독촉했다. 병사들도 홍건적의 악행에 치를 떨며 전의를 불태웠다. 고려의 장졸들은 서로를 붙잡고 눈물을 흘렸다. 홍건적이 개경에 입성한 이래 곳곳에서 새어나오는 비명 소리 때문이었다. 적들은 한겨울의 추위를 피하기 위해 닥치는 대로 궁궐을 파괴하며 불을 피워댔다. 그것은 악행의 시작이었다. 배고픔을 달래고자 임신부의 젖을 구워 먹었고, 급기야 포로로 잡은 사람들을 도륙하여 인육까지 먹기 시작했다. 인간으로서 해서는 안 되는 잔학한 짓마저 서슴없이 자행했다.

홍건적의 갖은 만행이 버젓이 저실러지고 있는데도 공민왕은 안동 영호루에서 안렴사의 향연을 받고 배를 타고 활쏘기를 즐겼다. 사람들은 이것을 보고 "소는 크게 울고 용은 바다를 떠나니, 얕은 물에서 맑은 물결을 희롱하네."라는 우대후(牛大吼)의 참언이 맞았다고 하면서 조정을 비판하고, 또 탄식하며 통곡하였다.

적의로 불타오른 고려군은 경성을 사면으로 포위해 들어갔다. 최영도 병사를 이끌고 남쪽의 승평문 쪽으로 진격해 들어갔다. 적들의 경계망은 만만치 않았다. 적들은 소나 말을 죽여서는 그 가죽을 성벽 위에 쭉 펴고는 물을 뿌려 얼리게 해서 얼음판까지 만들어 놓고 있었다. 그 때문에 고려 군사가 기어오르기가 힘들었다.

그날따라 진눈깨비가 내리며 날씨는 스산하였다. 그 분위기 탓에 적들의 경계가 느슨해졌다. 숭인문을 담당하고 있는 서군 이여경 휘하의 호군 권희가 건의하였다.

"정탐한 바에 의하면 적의 정예군이 이쪽에 진지를 구축하고 있사옵니다. 적들의 경계가 느슨할 때 이곳부터 기습 공격한다면 승산이 있을 것이옵니다."

먼동이 틀 무렵 권희가 수십의 기병과 함께 요란한 소리를 내며 선차로 공격하였다. 기습 공격에 적들은 깜짝 놀라 우왕좌왕하며 혼란에 빠졌다. 고려군이 밀고 들어가면서 적아 간에 서로 엉겨 붙어 전투가 벌어졌다. 이 틈을 타 고려군의 전면적인 공격이 이어졌다. 동군의 동북면 상만호 이성계는 정병 2천을 이끌고 성 위에 난입하여 전투를 벌이며 적들을 베어 나갔다. 그와 동시에 최영의 군사를 비롯에 사면에 포위해 있던 고려 군사가 성 안으로 들이닥쳤다. 최영의 칼날은 연신 피를 품었다. 그 전투는 해질 무렵까지 진행된 혈전이었다. 적의 괴수 사유와 관선생 등이 참수되고, 10만 이상의 적의 시체가 성내에 쌓였다. 궁지에 몰린 적들은 고려군이 일부러 열어 놓은 숭인문을 통해 탄현을 넘어 도주하기에 바빴다.

이제 적을 끝까지 추격하여 한 놈도 살아서 돌아가지 못하게 섬멸시켜야 했다. 그런데 고려군 전선에서 갑자기 이상 기류가 흐르기 시작했다. 전 공부상서 김림이 안우와 이방실을 찾은 이후부터였다. 김림은 전 총병관 김용의 조카였다. 김림은 김용의 밀지를 가져왔는데 총병관 정세운을 죽이라는 내용이었다. 김용은 정세운과 안우, 김득배, 이방실 등이 승리하여 개선할 경우 그들에게 임금의 총애가 기울게 되고, 그렇게 되면 자신이 전 총병관으로서의 임무를 완수하지 못했던 책임을 추궁받을 것을 염려하였다. 그래서 가짜 밀지를 보내 정세운을 살해하게 하고, 그 책임을 안우와 김득배, 이방실 등에게 덮어씌워 그들을 다 제거하고자 획책한 것이었다. 안우와 이방실은 처음엔 의아해하며 따르려 하지 않았다. 김용은 안우와 이방실을 계속 꼬드기며 행동을 재촉했다.

"총병관 정세운이 경들을 꺼려했다는 건 이미 모두가 다 아는 사실 아니오? 적을 몰아낸 뒤에는 반드시 화를 면치 못할 것이오. 그런데 밀지가 있는데도 어찌 먼저 도모하려고 하지 않는단 말이오?"

밀지라는 말에 안우와 이방실의 얼굴이 새파래졌다. 왕명을 따르지 않았다간 앞날을 장담하기 어려웠다. 이들은 김득배의 군막을 찾아가 상의했다.

"김용이 보낸 글이 이와 같소이다. 그런데다 지금 총관 정세운은 적을 두려워하여 앞으로 나아가지 않고 있소이다. 이것을 보면 이 밀지를 따르지 않을 수 없을 것 같소이다."

불가피하다는 이방실의 주장에 김득배가 사리에 맞지 않다며 반대 의견을 밝혔다.

"이제 겨우 도적들을 평정하게 되었소. 그런데 어찌 우리끼리 살육을 한단 말이오. 이는 마땅하지 않소이다. 고사에도 옛날 제

나라 사마양저가 총신 장고를 제 마음대로 죽였지만, 전한 위청은 패하고도 혼자 살아남아 돌아온 소건을 죽이지 않았소. 이는 고금의 밝은 귀감으로 여겨지고 있는 바요. 그리해서는 아니 될 것이오. 정 부득이하다면 주상 앞에 잡아다 놓고 전하의 처분을 받아 처리하는 것이 옳을 것이오."

김득배의 설득에 안우와 이방실은 병영으로 돌아갔다. 그러나 그들은 왕의 밀명을 따르지 않는 것에 여전히 마음이 놓이지 않았다. 안우와 이방실은 다시 김득배를 찾았다.

"정세운을 토죄하라는 것은 임금의 명령이란 말이오. 왕명을 따르지 않으면 지금 임금이 어찌 처분하실지 잘 알지 않소? 나중에 우리가 경을 치르게 될 것이 분명한데, 뭣 때문에 우리가 그런 고초를 겪어야 한단 말이오?"

안우와 이방실은 이미 마음의 결정을 내린 뒤였다. 그들은 김득배의 반대 주장을 더 이상 귀담아 들으려고 하지 않았다. 그만큼 공민왕은 왕의 권위를 거역하는 자는 용서치 않았다. 이들은 모의 끝에 주연을 빙자하여 정세운을 초청하였다. 그리고는 낭장 정찬에게 눈짓을 보내 살해를 명했다. 정세운은 이들과 홍건적의 추격 작전을 논의하려다가 갑작스런 공격 앞에 변변히 반항조차 못하고 한스런 세상을 마쳤다.

정세운이 피살된 줄도 모른 공민왕은 행재소에서 그의 전승보고서를 받아보고 내첨사 이대두리를 시켜 정세운에게 의복과 술을 내려주도록 명했다. 그런데 전방에서 돌아온 목인길의 사촌동생인 목충이 황급하게 공민왕에게 보고했다.

"전방의 장수들이 총관 정세운을 살해하고 쉬쉬 하고 있사옵니다."

공민왕의 안색이 어두워졌다. 장수들이 반란을 획책하는 조짐이었다. 문하시중 홍언박, 평장사 김용, 경천흥, 찬성사 유탁, 추밀원사 유숙 등은 이 사태를 어찌 해결할지 숙의하였다. 홍언박이 먼저 입을 열었다.

"총병관이 군사를 출동시킬 때 그렇게 거만하게 굴더니 그로 인해 화가 미친 것임에 틀림없사옵니다."

정세운이 토벌을 적극 독려하기 위해 행했던 행동을 꼬투리 잡아 책임을 전가하는 말이었다. 홍언박의 주장에 김용이 누구보다 소리 높여 찬성하고 나섰다. 공민왕도 고개를 끄덕였다. 전란의 상황에서 반란의 발생을 막는 것이 우선 시급했다. 장수들을 다독여야 했다. 공민왕은 지휘관을 살해한 장수들의 죄를 용서한다는 교지를 내렸다. 아울러 직문하 김진에게 안우와 이방실, 김득배로 하여금 빨리 안동의 행재소로 입소하게 하라는 지시를 내렸다. 김진은 명을 받고 황급히 떠나갔다. 그런데 복주수 박지영이 또 다른 소식을 전해왔다.

"이방실이 단독으로 정세운과 안우 등을 살해하려고 모의하였다가 또 해를 당했다 하옵니다."

변란이 사실상 시작되었다는 보고였다. 장수들을 다독이는 차

283

원을 넘어서고 있음이었다. 공민왕은 즉시 김진을 불러들이고 토벌할 군사를 징발하고자 했다. 그때 마침 판태의감사 김현과 홍언박의 아들인 상장군 홍사우가 여러 장수들이 연명하여 정세운의 죄를 열거한 글을 올렸다. 정세운에게 모든 죄를 뒤집어씌움으로써 나머지 장수들에게로 사태가 확산되는 것을 막을 방안이었다. 공민왕은 안도의 한숨을 내쉬며 결론을 내렸다.

"상관을 살해한 것은 큰 죄이기는 하나, 이 모든 사건의 발생은 총병관 정세운에 의해 자초된 것이오."

공민왕은 다시 김진를 떠나보냈다. 김현과 홍사우에게는 금은과 포백까지 하사품으로 내렸다. 반면에 박지영을 향해 엄히 꾸짖었다.

"그대는 어찌하여 망령된 말을 함부로 한단 말인가? 그대가 많이 늙었기에 고신까지는 하지 않겠소, 당장 벼슬을 내려놓고 향리로 돌아가시오."

최영은 전투 중에 최고 지휘관을 죽여 버리는 참변에 입을 다물지 못했다. 조정이 어찌 돌아가는지 알 수가 없었다. 장졸들도 사태를 주시하며 관망만 할 뿐이었다.

최영의 군막에 최담이 답답하다는 투로 찾아왔다. 최담은 최영의 아들이었다. 아비처럼 체격이 듬직한 그는 무인의 길을 선택했다. 벌써 24살에 이르러 중낭장의 직위에 올라 이번 전투에도 참가하고 있었다. 아들을 보니 자기 나이가 벌써 47살에 이르렀다는 것이 실감되었다. 반가움이 앞섰지만 최영은 그걸 내색하지 않고 엄히 꾸짖었다.

"어찌하여 너는 군영을 함부로 이탈한단 말이냐? 당장 바로 가지 못할까?"

"하오나 아버님, 이 사태가 반란이옵니까? 아니면 임금의 명인 것이옵니까? 그걸 알아야 어찌 대처할지 알 수 있을 것 아니겠사옵니까?"

"허허, 그거야 군영에 가 있으면 명이 내려올 터, 그 지시를 받으면 될 것 아니냐?"

최영은 함부로 움직였다가 아들의 목숨이 위태로울 것 같아 한시바삐 떠나보냈다. 공민왕은 자신의 안위가 위협받으면 가차 없이 칼날을 내리친다는 것을 최영은 익히 알고 있는 바였다.

이 사건의 소식을 처음 들었을 때 즉시 떠오른 건 인당의 죽음이었다. 고려의 장졸들도 입 밖으로 꺼내지 않았지만 임금의 명일지도 모른다는 의구심을 품고 있었다. 일부 장수들이 정세운의 죄를 논한 것도 그런 왕의 뜻에 따르기 위함이었다. 그런데 장수들을 용서한다는 교서를 내리는 걸 보면 공민왕이 그리한 것은 아닌 듯싶었다. 그렇다면 안우와 이방실 등이 모의해서 죽였다는 것인데, 도무지 그 이유가 납득되지 않았다. 반란을 획책했다면 군사를 동원해야 할 것이건만 그들은 전혀 그리 행동할 의사가 없어 보였다. 더욱이 그들은 1차 홍건적 침입 때에 누구보다 앞장서서 싸웠고, 이번 전투에도 적극 나선 장수들이었다. 분명 흑막이 있을 것이었다. 그들이 행재소에 입성하면 밝혀질 수 있었다. 허나 이 사태로 해서 도주하는 적들을 섬멸하지 못한 건 통탄할 일이었다. 살아서 돌아간 적은 침략의 안내자가 되어 다시 쳐들어온다는 것은 고금의 이치였다. 지난날 애국 용장들이 침략해 온 적들을 한 놈도 살려 보내지 않으려 한 것은 그 때문이었다. 그런데 고려군이 주춤하고 있는 사이 홍건적의 수장 파두반은 고려군의 추적을 피해 남은 잔당 10여 만을 이끌고 압록강을 건너 도주해 버렸다. 이들은 다시 고려를 넘보는 후환 세력이 될 군사들이었다. 적들이 살아 돌아가도록 만든 자는 역적질을 한 것이나 다름없었다.

그런데 그 진상을 밝히는 일이 묘하게 꼬여 버렸다. 공민왕은 안우가 함창현에 도착했다는 말을 듣고 심상치 않은 사태가 벌어질 경우를 대비하면서 시중 유탁을 보내 맞이하게 하였다. 유탁은 안우를 보자 무릎을 꿇으며 술을 올렸다.

"청하건대 원수께서는 그냥 서서 마시소서."

"시중께서는 어찌 이러십니까? 어서 일어나십시오."

안우가 몸 둘 바를 몰라 하며 한참 연장자인 유탁을 일으켜 세우려 하였다.

"공이 삼한을 수복하였으니, 제가 어찌 작위나 연배 따위에 연연하겠습니까? 그러니 먼저 한 잔을 서서 마시라고 청하는 것입니다."

유탁이 눈물을 흘렸고, 안우도 눈물을 흘렸다. 홍건적의 침공은 고려에 이리도 큰 상흔을 준 것이었다.

마침내 안우가 행궁에 나아가 진상을 밝히고자 공민왕의 배알을 청했다. 공민왕은 그 청을 받아들이고 전지를 써 내려갔다.

"너희들이 멋대로 정세운을 죽여 몸뚱이와 머리가 각기 다른 곳에 가 있게 하였는데도 너희들을 참하지 않는 것은 큰 공이 있는 점을 감안했기 때문이니라."

안우는 공민왕을 뵙기 위해 김용의 지시를 받은 목인길의 안내를 받으며 중문으로 따라 들어갔다. 그런데 갑자기 몽둥이를 든 자가 그의 등 뒤에서 머리를 후려쳤다. 안우를 제거하라는 김용의 사주를 받은 자였다. 안우는 몸을 가누기가 힘들었다. 그러나 진상만을 꼭은 밝혀야 한다는 강력한 의지로 허리에 차고 있는 주머니를 계속 가리키며 소리쳤다.

"잠깐만 늦추어라. 죽더라도 주상 앞에서 이 주머니의 글을 바치고 나서 죽게 되기를 바란다."

주머니에 들어 있던 글은 김용이 안우 등을 속이어 정세운을 죽이도록 한 가짜 밀지였다. 그러나 몽둥이는 그의 머리를 계속 강타했다. 안우는 너무나 원통한지 눈마저 감지 못했다. 그의 시체는 뜰아래로 끌어 내려졌다.

김용은 안우를 죽이고 나서 자기 조카 김림마저 살해하였다. 은밀히 모의한 것을 누설할지 모른다는 두려움 때문이었다. 그리고는 공민왕을 찾아 아뢰었다.

"안우는 죽었사옵니다. 지엄한 죄를 받은 것이옵니다."

공민왕은 고개를 갸웃거렸다. 용서했으니 그 이유를 물어보고자 한 것인데 그걸 알 수 없게 되어 버린 것이었다.

"안우 등이 제멋대로 상관을 죽였으니, 이는 전하를 전혀 염두에 두지 않는 행동인 것이옵니다. 그 불충한 죄는 결코 용서할 수 없사옵니다. 이제 김득배와 이방실도 추포하여야 하옵니다."

김용의 강력한 주장에 공민왕은 적잖이 혼란스러웠다. 미심쩍기도 했다. 하지만 연저수종공신으로 총애를 받는 김용이 자신을 배반할 리 없었다. 아마도 자신이 직접 처리하기가 힘들 거라고 그 심중을 읽고 대신 해치운 모양이었다. 하긴 아무리 공이 크다한들 지엄한 왕을 능멸한 죄를 그대로 봐 줄 수는 없는 일이었다.

공민왕은 교지를 내려 김득배와 이방실을 추포하라는 방을 붙이도록 지시하였다. 대장군 오인택, 어사중승 정지상, 만호 박춘과 김유 등에게는 그들을 하루빨리 추포하라며 출동까지 명했다.

이방실은 행재소에 가려고 용궁현에 이르렀다가 이들과 조우하였다. 박춘이 교지를 받들라고 말하자 이방실은 아무런 의심 없이 왕명을 받들기 위해 뜰아래로 내려가 꿇어앉았다. 그 틈을 타 오인택이 칼을 빼어 내려쳤다. 이로써 이방실도 제거된 듯했다. 그런데 혼절했던 이방실이 다시 살아나 담을 넘어 달아나기에 이르렀다. 박춘이 뒤따라가 붙잡으면서 서로 엉겨 붙어 싸우게 되었고, 그 뒤를 쫓아온 정지상 등에 의해 이방실도 결국 어이없는 죽임을 당하고 말았다.

288

김득배는 기주에서 이런 변고를 전해 듣고 산양현의 선영 곁에 숨어 지냈다. 허나 추포된 친척들의 모진 고문을 더 이상 볼 수 없는 그의 부인이 김득배가 숨어 있는 곳을 자백함으로써 김유, 박춘, 정지상 등에 의해 체포되어 효수되었다. 사람들은 그의 시체를 보고 슬퍼하며 탄식했다. 김득배의 문생인 직한림 정몽주가 공민왕에게 간곡히 청하여 시신을 거두고, 제문을 올렸다.

"태산과 같은 공으로 하여금 도리어 칼날의 피가 되게 하였으니, 아아, 하늘이여! 그의 죄가 도대체 무엇입니까? 아아, 황천이여! 그는 대체 어떤 사람이었습니까? 하늘이 정한 운수가 사람을 이긴다는 것은 과연 어떤 이치이며, 사람들의 중론이 하늘을 이긴다는 것은 또한 어떤 이치입니까?"

정세운과 안우, 김득배, 이방실의 죽음에 백성들은 안타까움과 슬픔을 감추지 못했다. 홍건적을 몰아낸 이들의 공을 잊지 못한 백성들은 10살 남짓한 안우의 아들이 저잣거리에 나와 놀 때면 그에게 서로 먹을 것을 주면서도 연민의 눈물을 훔쳤다.

개경의 궁궐은 흔적도 없이 파괴되었다. 민가도 모두 허물어져 폐허가 되었고, 백골이 언덕을 이룰 정도였다.

공민왕은 황폐화된 개경에 관리들의 임시 사무소를 우선 설치하게 했다. 그리고 평장사 이공수와 참지정사 황상, 추밀원사 김희조를 보내 개경을 지키게 하였다.

최영과 한단 선사, 고군기의 얼굴은 침통하기 그지없었다. 한단 선사가 착잡한 음성으로 입을 열었다.

"경성이 이토록 처참하게 파괴되다니. 하늘도 무심한지고! 이를 빨리 수습하고 극복하여야 할 터인데. 헌데 나라 돌아가는 상황을 보면……. 허나 어쩌겠는가? 간신들은 충신들을 시기하고 질투하기 마련이고, 심지가 굳지 못한 사람은 간신들의 달콤한 유혹에 쉽게 넘어가니 말이네."

"옳으신 말씀이기는 하지만 무엇보다 심각한 것은 전쟁이 벌어질 때마다 지휘관들이 죽어간단 말이옵니다. 그것도 걸걸한 장수들이 말입니다. 그 원인이 어디에 있느냐 하는 것인데, 그게 바로 임금 탓인 겁니다. 임금이 대의명분을 바로 세워 신하들을 대하지 못하고 자기 안위만 염려하면서 폐신들을 감싸고돌고, 도리어 제 안위가 위험하다 싶으면 나라를 위해 나섰던 신하들을 헌신짝 버리듯 하니 신하들이 그걸 보고 도대체 무얼 느끼겠습니까? 나라를 위해 몸 바칠 이유가 없고 적당히 때우면서 자기 잇속만 채우면 된다는 것 아닙니까? 이번 사건만 봐도 그렇습니다. 김용이라는 자가 가장 의심스럽지 않습니까? 사실 연유를 파악한 후에 처결해도 될 것이건만 장수들을 아예 죽여 버리니 진상은 영영 묻혀 버렸지 않습니까? 그로 인해 무슨 대의가 세워졌단 말입니까? 공이 아무리 크다 하나 지엄한 임금의 명을 어긴 것을 결코 용서할 수 없다고 하는데, 장수들이 임금의 눈치를 보고 살아남기 위해 임금의 지시라고 사칭한 명 때문에 그런 불상사가 일어났다고 왜 생각 못 하느냐 하는 것입니다. 그럼 그놈을 잡아야지요. 이건 아무리 봐도 임금이 김용이라는 폐신을 감싸고도는 것이고, 그걸 아는 신료들은 설사 다른 의심을 품었다 하더라도 자기 일 아니라는 듯 나서지 않고 있는 것이옵니다. 이래 가지고서야 어디 나라꼴이 제대로 굴러가기나 하겠습니까?"

최영이 격분해하며 거침없이 말을 토해냈다. 한단 선사와 고군기는 그런 최영의 말을 조용히 듣고만 있었다. 고려의 장수로서 직접 왕의 명을 받아 행해야 하는 사람으로서 겪는 고초라는 것을 두 사람은 기꺼이 이해해 주었다. 최영이 다시 말을 이어 나갔다.

"지금 국왕은 관제를 옛날 충렬왕 때의 원의 속국 시기로 복구시켰사옵니다. 스스로 원의 속국이 되겠다는 것인데, 그럼 기철 일당을 제거한 것은 도대체 뭐란 말입니까? 왕위의 보장 말고 남는 게 도대체 뭐가 있는 것입니까? 허나 그리한다고 해서 나라의 안위와 왕위가 보장되는 겁니까? 홍건적의 침략으로 나라가 피폐해졌으니 원의 선처에 기대어 해결하려고 하는가 본데 그게 가당키나 하느냐 말입니다. 벌써 홍건적의 침입으로 동북쪽의 군사가 차출되어 비게 되니 조소생과 탁도경은 행성 승상으로 자처하고 있는 나하추를 끌어들여 삼살과 홀면을 장악해 나서고 있는 판국입니다. 그들은 분명 옛 지역을 다시 찾고자 침략해 올 것입니다. 게다가 홍건적의 잔당이 언제 준동할지도 모르고, 설사 원에서 홍건적의 문제를 해결하더라도, 그러면 도리어 그들은 그걸 기화로 해서 고려를 손보고자 할 것인데, 어찌하여 남의 힘에 의지하여 풀고자 한단 말입니까? 어찌하여 근본적 대책을 세워 나라의 안위를 자기의 힘으로 지킬 생각을 아니 하시느냐 말입니다. 이렇게 나라가 위난에 처해 있는데, 조정에 간신적자까지 숨어 있는 꼴이니, 또 어찌하면 좋단 말입니까?"

"그런 난신적자야 형님 말씀대로 원이 움직이기 시작했으니 서서히 그 본모습을 드러내겠지요. 그러나저러나 우리는 우리 일을 해야지요."

고군기의 말에도 최영의 얼굴은 침울하기만 했다. 나라는 위난에 빠져 있는데, 아직도 조정 관리로서 그의 위치는 위태위태했다. 임금의 눈에 들지 않았을 때 언제든지 내쳐지는 상황이었다. 그런 최영의 얼굴을 본 고군기가 착잡한 분위기를 바꾸자는 듯 화제를 전환하고자 했다. 실상 더 고려의 상황을 거론해 보아야 좋은 말이 나올 수 없었다. 홍건적의 침입에 의해 수도 개경까지 완전히 황폐화되었으니 고려로서는 최악의 상황이었다. 이를 극복하자면 국왕이 중흥의 기치를 앞장서서 내걸고 조정 신료들이 그 왕을 뒷받침해 주어야 하건만, 국왕은 폐인을 감싸기만 하고 있고, 신료들은 복지부동이었다. 이런 상황에서 그 어떤 해결책을 기대한다는 것은 썩은 씨앗에서 새싹이 돋아나기를 바라는 꼴과 같았다. 고군기가 다시 말을 이었다.

"나는 요즘 애들과 어울리다 보니 세상사의 시름이 절로 없어지고 세상 살맛이 나오이다. 뭐 속이는 것도 없고, 그저 자신의 뜻을 그대로 겉으로 드러내니 달리 받아들일 이유도 없고. 어쨌든 이 어린애들이 앞으로 이 나라를 이끌어나갈 동량이 되겠지요. 내 그리 만들 것입니다. 형님 조금만 힘내시고 버텨 주구려."

기운을 잃지 말고 힘 내어 계속 추진해 나가자는 고군기의 뜻에 따라 최영도 침울해진 얼굴을 펴며 대꾸했다.

"동생이 새로운 인재를 양성하기 시작했다니 내 무엇보다 기쁘기 한량이 없소. 동생 같은 인재가 더 많이 나온다면야 이 나라의 미래가 얼마나 밝아지겠소. 동생의 말을 들으니 그래도 좀 힘이 나는구먼. 나는 동생이 잘 해낼 것이라고 믿네."

기꺼이 환한 표정을 지으며 화답해주는 최영의 모습에 한단 선사도 합류했다.

"고군기 동생의 말이 꽤 큰 힘을 준 모양이군. 그럼 나도 한 마디 거들어야 하겠구먼. 이번에 시중 이암이 퇴직하였지 않는가?"

공민왕이 원의 속국인 상태의 관제로 다시 바꾸자 1362년 3월에 이암은 사직을 요청했고, 공민왕은 이를 받아들여 유탁을 좌정승으로 임명했다. 최영은 귀를 기울이며 한단 선사의 얼굴을 주시하였다.

"이제 이암이 단군조선의 얼과 혼을 세우는 작업을 할 것이네. 그 작업이 끝나게 된다면 수많은 사람들에게 단군조선의 정신이 가슴에 심어지게 될 것이야."

최영은 한단 선사와 고군기가 성과를 내어가고 있는 것에 고무받으며 그 자신도 맡은 책무에 결실물을 내어오고자 각오를 새롭게 다졌다.

공민왕은 1362년 4월 밀직부사 이구수를 전라도 진변사, 전리판서 최영을 양광도 진변사, 상호군 이성계를 동북면병마사로 임명했다. 홍건적의 침입을 받아 국정이 마비되다시피 한 상황에서도 왜구의 준동이 계속되고 있으니 그에 대처하기 위해 이구수를, 이제 복주를 출발해 개경 쪽으로 올라가야 하니 양광도의 안전이 중요한지라 최영을, 나하추의 침략이 염려되니 동북면을 방어하라고 이성계를 등용한 것이었다. 공민왕이 나름의 인사 등용책을 편 것이었다. 특히 이성계를 동북면병마사로 임명한 것은 파격이었다. 1361년 2월에 이자춘을 동북면병마사로 임명했을 때 신료들은 이자춘이 동북면 지역의 천호라며 임명을 극구 반대했다. 그럼에도 공민왕은 강행했는데, 이번에도 죽은 이자춘의 아들인 이성계를 그 자리에 등용했다. 경성 수복 전투에서 벌인 이성계의 활약상을 보고 기대를 건 것이었다.

공민왕은 홍건적을 몰아내기 위해 출병한 장병들을 먼저 위로하였다. 또 왕이 복주에 머물렀을 때 잘 대접하였다고 하여 복주목을 안동 대도호부로 승격시켰다. 반면에 수원부는 군으로 강등시키고 안성현을 군으로 승격시켰다. 양광도 수원부가 제일 먼저 홍건적에게 항복함으로써 홍건적이 계속 남하하게 되었는데 안성현에서 잘 싸워 이를 저지시켰기 때문이었다.

원에서 1362년 5월 태자첨사원첨동 기전룡을 보내왔다. 왕에게 의복과 술을 바친다는 명목이었으나 고려의 사정을 내탐하기 위함이었다. 공민왕은 홍건적의 침략으로 그들과 적대 관계로 된 상황에다가 국정의 기능이 거의 정상적으로 작동하지 못한 상태이기에 원과 협력해야 한다는 판단에 따라 이들을 융숭하게 대접했다. 10만이나 살아남은 홍건적의 잔당도 여전히 골칫거리였다. 그자들은 언제든지 다시 고려로 침략의 손길을 뻗칠 수 있는 세력이었다. 다행히 요양성 평장 고가노가 4월에 홍건적의 괴수 파두반을 생포하고 4천명을 격멸하였다. 그러나 남은 잔당의 반격 또한 만만치 않아 5월엔 고려에 지원병을 요청할 정도였다. 공민왕은 동지밀직사사 안우경을 서북면 도병마사로 임명하여 홍건적의 움직임에 대처하도록 하였다. 원에는 전법판서 이사송을 보내 홍건적을 평정한 사실을 알리고 노획한 옥새, 금패, 은패 등 원의 물품들을 돌려주도록 조치하였다. 고려가 홍건적을 격퇴함으로써 원에 큰 도움이 되었다는 것을 직시하게 하고자 함이었다. 원의 지지를 이끌어 내려는 의도였다.

그러나 원의 심중은 공민왕의 바람과 완전 달랐다. 홍건적의 침공으로 나라가 피폐해진 상황을 이용해 더 목을 조르고 나왔다. 나하추의 움직임이 그것이었다. 국가 간의 관계는 그만큼 냉혹한 것이었다. 나하추는 몽골제국의 건국자 징키스칸의 4구 4준이라는 불리는 8명의 용감한 장수들 중의 한 사람인 무칼리의 후손이었다. 이 후손들은 지속적으로 요동 방면의 지역을 지배해 왔는데, 이때 나하추는 행성의 승상을 자처하고 있었다. 조소생과 탁도경은 이 나하추 세력을 끌어들여 자신들의 옛 지역을 차지하고자 나선 것이었다. 원에서도 고려가 홍건적의 난입에 의해 그 후과가 채 정비되지 못해 제대로 대응할 수 없을 때 이 세력이 고려의 동북면을 장악한다면 고려에 대한 압력을 더욱 배가시킬 수 있을 것이었다.

최영은 비록 한시직이기는 하나 양강도 진변사로서의 역할을 충실히 집행해 나갔다. 왜구의 끝없는 침구에다 홍건적의 침탈까지 겪다 보니 나라의 관리 제도는 정상적으로 작동되지 못했다. 임시방편으로 처리되기 일쑤였다. 오랜 기간 이어진 전란의 수습을 국가적 차원에서 근본적인 대책을 세워주지 못하니 백성들 스스로 온전히 감당하게 되는 꼴이었고, 그건 끝없는 고통의 연장이었다. 허나 이제라도 침탈을 최소화하자면 관리 체계를 정상화시키고 방어 대책을 세워 나가야만 했다.

최영은 방어 실태를 꼼꼼히 파악하며 복구시켜 나갔다. 그러면서 동북면의 상황을 예의주시하였다. 그쪽의 상황이 어떻게 귀결되는가에 따라 향후 홍건적의 침입이든, 원과의 대결이든 고려가 어떤 위치에서 대적하는가가 결정되기 때문이었다. 한 가지 위안이 된 것은 동북면의 상만호 이성계는 여느 장수와 달리 28살의 젊은 나이답게 의기충천하다는 점이었다. 그런 그가 어떻게 전투를 이끌어갈지도 관심을 끄는 대목이었다.

1362년 7월 나하추는 드디어 홍건적의 난입으로 채 정비도 안

된 고려를 향해 칼날을 뽑았다. 나하추는 군사 수만 명을 이끌고 탁도경, 조소생과 함께 함경남도 홍원의 달단동에 진지를 구축하였다. 선봉으로 합랄 만호 나연첩목아와 동첨 백안보아를 내세우며 군사 1천 명을 거느리고 공격하게 하였다.

이성계는 이번 싸움에서 물러설 수 없는 처지였다. 고조할아버지 이안사 때부터 원에 귀화하여 아버지 이자춘에 이르기까지 이곳에서 원의 벼슬을 받고 이곳을 통치해 왔다. 그러나 아버지 이자춘은 원의 쇠락하는 정세를 읽고 고려에 귀부함으로써 이곳을 여전히 지배해 올 수 있었다. 만약 이 전쟁에서 진다면 고려 처지로 볼 때 중앙군의 지원도 받기 힘든 상황이었다. 설사 지원을 받는다 할지라도 그의 지지기반을 잃게 되거나 최소한 입지가 약화될 수밖에 없었다. 그리되게 할 수는 없었다. 그만큼 그에게는 위기 상황이었다.

이성계는 이 전쟁에서 기선을 제압하는 것이 무엇보다 중요하다고 보고 처음부터 직접 전투에 나섰다. 전투 초반부터 적극 공세로 나서서 적의 선봉대를 덕산동 원평에서 격파하고, 함관령, 차유령 두 고개까지 넘어 추격하여 거의 섬멸시켜 버렸다. 다시 답상곡으로 물러나 진지를 구축하였다. 나하추는 선봉대의 패전 소식에 노발대발하며 군대를 덕산동으로 전진시켰다. 이성계는 적들이 진지를 굳게 구축하기 전에 야음을 틈타 또다시 공격하였다. 이를 견디지 못한 나하추는 다시 달단동으로 퇴각하였고, 이성계는 사음동으로 나아갔다. 척후병이 이성계에게 급하게 달려

오며 보고를 올렸다.

"적들이 산에 올라 땔나무와 풀을 베고 있사옵니다."

이성계는 적의 약한 병사들을 먼저 치는 것이 유리하다는 판단 하에 즉시 이들을 공격하게 하여 사로잡거나 살상하게 하였다. 적들의 반격에 대비해 자신이 직접 정예 기병 6백 명을 거느리고 차유령을 넘어 고개 아래까지 진격하였다. 이에 적들이 마주 나와 대적해 왔다.

이성계는 열 명쯤 되는 기병만 앞세우고 나섰다. 적의 비장을 끌어 내어 죽이고자 함이었다. 지금껏 고려군이 패한 이유를 알아본즉 붉은 깃털로 장식한 철갑을 입은 적의 비장이 용감무쌍하게 창을 휘두르고 돌진해오면 아무도 대적하지 못해 패배한다는 것이었다. 이성계는 곧 적의 비장을 찾아내어 싸우다가 일부러 패배한 척 도주하니 과연 그 자가 급히 달려 나오며 창을 거세게 내질렀다. 이성계는 곧장 말다래에 달라 붙여 몸을 피했고, 적의 비장은 창이 빗나가는 바람에 땅바닥에 거꾸러졌다. 그 틈을 이용해 이성계는 다시 안장에 오름과 동시에 화살을 꺼내 쏘아 죽였다. 적장이 죽자 기세가 꺾인 적들은 우왕좌왕하며 패주하니 적의 진지까지 추격하다가 날이 저물자 퇴각 명령을 내렸다.

이성계가 다시 함관령을 넘어 달단동까지 진격하니 나하추도 진을 치고 맞서 나왔다. 이성계와 나하추의 정면 싸움이 벌어지게 되었다. 나하추는 10여 기를 이끌고 나와서는 이성계를 향해 회유하고 나왔다.

"이 만호, 자네의 부친도 원의 신하였지 않는가? 우리가 뭐 때문에 서로 싸워야 하겠는가? 자네의 용맹한 재주는 잘 알고 있으니 자네가 내게 항복한다면 자네의 영역은 내 보장할 뿐만 아니라 내 귀빈으로 예우해 주겠네."

"무슨 헛소리를 지껄이는 것이냐? 나는 고려의 장수이니라. 고려는 고구려를 계승한 나라로서 너희가 차지하고 있는 땅도 다 고구려의 땅이니라."

이성계는 자신의 전의를 보여주기 위해 나하추 곁의 장수를 향해 화살을 쏘았다. 그 장수가 쓰러지자 이번엔 나하추의 말을 쏘아 거꾸러뜨렸다. 나하추가 다시 말을 갈아타자 그 말마저 쏘아 죽였다. 적의 군졸이 급히 말에서 내려 나하추에게 말을 건네주자 나하추는 그 말을 타고 도주하였다. 이렇게 일진일퇴를 거듭하며 싸우다가 날이 저물어 퇴각 명령을 내리고 후미에 서서 적들의 공격에 대비했다.

예측대로 적들은 용맹한 장수들을 보내 후미를 강타해왔다. 이성계는 곧바로 화살을 꺼내어 두 명의 적장을 죽인 다음 반격 명령을 내려 적군을 격퇴시켰다. 이때의 전투에서 적장의 용맹무쌍하다는 장수들을 세 명이나 화살로 처리하였다. 나하추는 이 적장들의 힘을 믿고 설치고 있었는데, 이를 간파한 이성계는 이들을 먼저 처리한 것이었다.

중추가 되는 적장을 제거한 이성계는 병졸들에게 충분히 휴식을 취하게 한 다음 요충지에 복병을 배치했다. 그리곤 삼군으로 나눠 좌군은 성곶을, 우군은 도련포를 경유해 진격하게 하고 자신은 중군을 지휘해 송원으로 거쳐 진격하여 함흥 들판에서 나하추와 다시 마주쳤다.

이성계가 적들을 유인하기 위해 단신으로 말을 타고 용맹을 과시하니 날랜 적장 3명이 달려 나왔다. 겁을 먹고 도주하는 척하니 그들이 앞 다투어 추격해왔다. 이성계가 말을 타고 도주하다가 갑자기 말을 오른쪽으로 돌려 뛰게 하니 그들은 말을 세우지 못하고 추월하게 되었다. 그 틈을 이용해 이성계는 뒤쪽에서 화살을 쏘아 그들을 쏘아 쓰러뜨렸다. 이곳저곳에서 전투를 벌이며 요충지까지 유인하기에 이르자 단호히 명을 내렸다.

"공격하라. 한 놈도 살려 두지 마라."

매복했던 군사가 양편에서 협공하고 도주하던 군사가 다시 반격을 가하자 독안에 든 쥐가 된 적들은 비명을 지르며 쓰러졌다. 이 전투를 계기로 이성계와의 싸움에서 용맹한 장수들을 다 잃어버린 나하추는 더 이상 전투를 벌일 수 없게 되었다. 나하추는 급히 흩어진 군사를 수습해 퇴각 명령을 내렸다. 이성계는 노획한 은패와 동인 등을 공민왕에게 바치면서 동북면을 평정하였음을 보고하였다.

나하추 세력을 격파하니 여진의 다루가치인 소음산과 총관인 부카가 조소생과 탁도경을 비롯해 그의 가족과 부하 50여 명을 살해하고 나왔다. 이들로 인해 여진인이 고려와의 껄끄러운 관계가 형성되는 것을 사전에 방지하고자 함이었다. 나라의 힘이 강해지면 주변 세력이 스스로 좋은 관계를 가지려고 노력한다는 것을 보여준 사건이었다.

허나 고려 조정은 크게 달라지지 않았다. 개경이 파괴되었기에 이에 대한 복구를 지시하며 한시바삐 대책을 세워야 했다. 감찰사에서 주청을 올리기는 하였다.

"수원에 궁궐을 짓는 것은 왜구의 침탈이 걱정되니 아니 되옵고, 개경이 복구되기 전까지 청주에 머무른 것이 상책이옵니다. 아울러 외적이 해를 거듭해 침략하는데 매양 위급한 지경에 이르러서야 병졸을 모으니 백성들을 동요시킬 뿐만 아니라 구제됨이 없사옵니다. 이제부터 장정을 선발해 단련시켜 위급한 때를 대비하시옵소서."

공민왕은 이 주청을 받아들여 도첨의사에 논의하라고 하였으나 흐지부지되고 말았다. 전란의 후유증으로 국정이 정상적으로 작동하지 않는 조건에서 장령들을 선발하여 단련시킨다는 것은 언감생심이라고 여기고 어느 누구 하나 적극 나선 이가 없는 것이었다.

1362년 7월 홍건적이 또다시 침구하려 한다는 보고가 올라오자 공민왕은 서둘러 판개성부사 이인임을 서북면도지휘사로 임명하고 사자를 보내 홍건적의 상황을 탐문하라고 지시하였다. 임시방편적인 대응이었다. 그러면서 밤에 평복 차림으로 남몰래 말

타는 연습을 하였다.

양광도 안렴사 이지태에게는 공주의 창고에 있는 쌀 50석을 폐인들에게 하사하라고 명을 내렸다. 이지태는 양부를 통해 왕명이 내려지지 않고, 또 군량은 사사로이 사용할 수 없다고 여기며 그 명을 이행하지 않았다. 그러자 공민왕은 격노하며 이지태를 결박시켜 오라고 지시하였다. 유숙이 공민왕을 말려 간신히 무마되었다.

왕이 이렇게 폐신들을 감싸고도는 형국이니 관료들의 기강이 제대로 설 리 만무했다. 어가가 청주에 이르자 지난날 행패를 겪어봤던 청주 사람들은 또다시 그 해를 당하지 않기 위해 모조리 가족들을 데리고 피신해버렸다. 상주에 머물렀을 때에도 목사 최재가 풍족하게 물자를 공급했는데 신하들에게 선물을 주지 않아 눈 밖에 나 파직당하기도 했다. 목인길은 임금의 총애를 기초로 대관의 관직을 호소하였다. 감찰사에서는 부당하다고 진언했는데도 공민왕이 강행하려 하자 간관 전녹생 등이 상소하였다.

"목인길은 전법판서 이자송을 환송하는 자리에서 술에 취해 광포한 짓을 제멋대로 저지른 자입니다. 그런데도 부끄러움을 모르고 대신의 자리를 호소하니 이는 전하의 은총을 믿고 전하의 이목을 가리고자 하는 것이옵니다. 이는 공도가 아니오니 임명을 물리쳐주시옵소서."

공민왕이 마지못해 목인길을 파직시켜 전리로 돌려보냈으나 이를 본 감찰대부 김속명(공민왕과 외가 재종형제지간)은 더 이상 조정에 미련을 버린 듯 사직을 청했다. 물론 공민왕은 윤허하지 않았다.

이런 꼴을 보다 못한 판밀직사사 송경이 홍언박을 찾아가 비판했다.

"사람들이 공이 정승이 되기를 바랐는데, 지금 총재가 되어서 어찌 여망에 맞게 일을 처리하시지 못하는 것입니까? 파천하여 종묘사직이 적에게 함락되고 천하에 웃음거리가 된 것은 공이 일찍이 도모하지 못했기 때문입니다. 아들이 부병을 장악하고 사위가 헌사의 장이 되어 부귀가 이미 극에 이르렀는데, 어찌 나라를 근심하지 않는단 말입니까?"

홍언박은 이 말을 듣고 불쾌하게 여기며 송경을 파직시켰다. 그리고는 그 또한 한심스러운지 한숨 쉬며 탄식했다.

"주청을 해도 전하께서 따르는 것을 보지 못하니. 어찌하여 신하의 말을 그토록 귀담아 듣지 않으신단 말인가?"

원에서는 1362년 8월 요령성의 개주와 해주의 홍건적의 여적을 협공하기 위해 고려에 군사 징발을 요구했다. 홍건적의 침공으로 국토가 유린되면서 원과 협력하기 위해 속국으로 자청한 상황이었으니 원의 요청을 무시할 수가 없었다. 전국 각지에 영을 내려 4만여 군사를 징집하기에 이르렀다. 제주도에서는 묵호가 반란을 일으켰다. 원의 속국이라며 원으로부터 관리 파견을 요청하고 나온 것이었다.

조정은 어수선하고 혼란스럽기만 하였다. 공민왕은 최영을 순문진변사라는 임시직에서 도순문사라는 외직으로 다시 임명하였

303

다. 다행인 것은 홍건적이 궤멸되었다는 소식이 전달되어 고려에서 군사를 징발해 원으로 보내지 않아도 된다는 점이었다.

공민왕은 원에 신년 하례와 천추절의 축하 사절단을 보내며 원과 협력 관계를 갖기 위해 무진 애를 썼다. 홍건적의 침공 후과로 인해 고려의 위신이 추락되고 고려의 국익을 적극 주장할 상황이 되지 못한 것이었다. 그러나 그 노력에 대한 보람도 없이 1362년 12월에 서북면 만호 정찬으로부터 보고가 올라왔다.

"원에서 덕흥군 혜를 국왕으로 삼았다는 소식이옵니다."

공민왕은 즉각 홍언박의 아들인 이부상서 홍사범을 서북면 체복사로 임명해 그 진위를 파악하도록 파견하였다. 아울러 이수산을 동북면도순사로 정해 여진과의 경계를 확정지으며 그쪽에서의 혼란을 우선 마감 짓고자 하였다.

원에서는 탐라를 직접 관리하고자 문아단부카를 제주 묵호로 임명하여 보내왔다. 원의 속국으로 자처했으니 그들을 융숭하게 대접할 수밖에 없었다. 허나 제주도를 포기할 수 없는지라 성준덕을 제주 목사로 임명하였고, 밀직부사 유방계를 접반사로 임명해 그들을 위로한다는 차원으로 딸려 보냈다. 그러면서 찬성사 유인우를 원에 보내 황제의 생일을 축하하게 하고, 또 첨의평리 황순을 보내 황제가 의복과 술을 보내준 데 대해 사의를 표하게 했다. 1363년 1월에 들어와서도 김용에게 원의 사신인 기전룡의 모친을 위로하게 하고 토전까지 내려주렸다. 또 이몽고대의 딸을 선발해 단장시켜 원나라로 보내면서 베 1천5백 필을 내려주고 그

친인척들에게 벼슬까지 내렸다. 원으로부터 사실상 주권을 회복했던 관계는 그 옛날의 일이 되어 버리고 또다시 왕위의 안정을 위해 원의 눈치를 봐야 하는 여정이 시작된 꼴이었다.

이럴수록 빨리 개경으로 돌아와 국정을 하루빨리 정상화시키는 것이 시급했다. 환도 문제가 거론되자 양부의 재추와 국가원로들은 하나같이 말했다.

"송도는 종묘가 있는 곳으로 국가의 근본이옵니다. 조속히 환가하여 백성들의 소망을 위로함이 마땅하옵니다."

하지만 서운관에서 음양의 꺼리는 이치를 들어 반대하였다.

"일단 도성 남쪽 흥왕사에서 머물다가 강안전의 수리를 마친 후에 입성하는 것이 좋을 것이옵니다."

그리하여 어가는 1363면 2월부터 흥왕사에 머물게 되었다. 공민왕은 서북면이 신경 쓰이는지 첨의평리 이인임을 서북면 도순문사 겸 평양윤으로 임명했다. 자신의 안위도 불안한지 김용을 순군제조로 임명하였다. 1363년 3월엔 기황후의 이종사촌 오빠인 찬성사 이공수와 밀직제학 허강을 원에 보내 진정표를 올리게 하면서 자신의 왕위를 보장받도록 하라고 명을 내렸다.

최영은 공민왕의 행동에 안타까움을 금할 길 없었다. 나라가 위기에 처할수록 왕이라면 가장 앞장서서 힘을 내야 할 것이었다. 홍건적의 침략에 의해 수도 개경이 파괴되었다 할지라도 의기만 있다면 다시 일어설 수 있을 것이었다. 허나 공민왕의 모습은 그게 아니었다. 기철 일당을 척결할 때 보여주었던 그 옹골찬

패기와 기상은 다 사라져 버린 듯했다. 폐신들을 두둔하는 것은 전왕들의 모습과 하나도 다를 바 없었다. 원의 눈치를 보며 왕위를 보장받으려 하는 행위에는 안타까움을 넘어 연민마저 들었다. 오로지 힘의 역관계에서 결정된다는 것을 모르지 않을 터인데, 어찌하여 저리 나약해졌는지 알 수 없는 일이었다.

허나 무엇보다 걱정되는 것은 원에서 국왕까지 바꾸겠다고 하는 판이라면 걸걸한 장수들을 죽인 김용이 그들과 무슨 협작을 벌일지 알 수 없다는 점이었다. 그놈을 순군제조로 임명했으니 강도에게 칼까지 쥐어준 형국이었다. 국가적 위기를 맞아 불상사가 발생하는 것을 막는 것이 시급하였다.

최영은 김용의 움직임을 예의 주시하였다. 역시나 김용의 일당 김수와 조연 등 50여 명은 1363년 윤삼월 초하루 밤 5경에 행궁인 홍왕사에 들이닥쳤다. 다짜고짜 문 앞의 경비병들을 살해하고는 목청 높여 소리쳤다.

"우리는 황제 폐하의 명을 받들어 왔다."

공민왕의 환관 강원길은 역도들이 임금의 침전을 향해 곧장 뛰어오는 발길 소리에 사태의 심각성을 즉각 파악하였다. 그는 곧장 환관 안도적과 이강달을 향해 다급히 말했다.

"내가 여기서 최대한 시간을 끌 것이니 어서 주상을 피신시키시오."

밖에서는 김용의 당류들이 벌써 도착해 전투가 벌어진 듯 소란스러운 소리가 들려왔다. 지체할 시간이 없다고 여긴 환관 안도적은 이강달에게 다급하게 소리쳤다.

"내가 여기서 왕의 행세를 할 것이니 주상을 어서 모시고 가시오."

왕을 대신해서 죽으려하는 안도적의 비장한 얼굴을 본 이강달은 마지못한 듯 고개를 끄덕였다. 안도적은 곧장 공민왕의 용포를 벗기어 입었고, 이강달은 공민왕을 엎쳐 메고 바라지창을 넘었다. 그리고는 대비의 밀실로 가서 모포로 덮어 숨겼다. 노국공주에게는 지게문 앞에 앉아 있게 하였다. 밖에서는 거사가 성공했다며 "만세"의 함성소리가 울려 퍼졌다. 환관 안도적이 왕과 용모가 비슷한지라 왕의 복장을 하고 왕 대신에 침실에 누워 있었는데, 그를 살해하고서 기뻐 날뛰는 모습이었다.

그들은 내친 김에 시위 첨의평리 왕재와 판전교시사 김한룡 등을 살해하였다. 그러나 이내 그들은 노국공주의 태도에서 공민왕이 살아 있다는 낌새를 포착하였다. 하지만 원 황족 출신의 노국공주가 목숨까지 내놓으며 강경하게 버티고 앉아 있는지라 어떻게 확인할 수가 없었다. 그들은 공민왕을 속여 스스로 나오게 하려고 소리쳤다.

"어가를 놀라게 하지 마라."

그리고는 공민왕에게 수라를 올리는 자를 재촉해서 음식을 갖추어 올리게 하였다. 공민왕이 의심하지 않고 밖으로 나오게 하려는 수작이었다. 그러나 공민왕은 꿈쩍 하지 않았다.

그들은 자기 패거리로 하여금 궁궐 안의 모든 직무를 장악하게 하였다. 또 일부는 경성으로 나아가 재상들을 살해하기 위해 움직였다. 일차적인 목표는 공민왕과 이종사촌지간인 우정승 홍언박이었다. 그들은 홍언박 집에 들이닥쳐 다짜고짜 소리쳤다.

"당장 나와서 황제의 명을 받으라."

홍언박이 의관을 정제하고 나가려 하자 아들과 아내가 서로 말렸다.

"저건 저들이 해치고자 꾸며낸 말이옵니다. 어서 뒤쪽으로 나가 피하시옵소서."

"수상의 몸으로 어찌 죽음이 무서워 도망친단 말이냐? 그런 일은 일찍이 없었느니라."

홍언박이 단호하게 대답하고는 밖으로 나가 엄히 꾸짖고 나섰다.

"너희들은 역도들이 아니냐? 그런데 어찌하여 함부로 황제의 교지를 사칭한단 말이냐?"

역도의 무리들은 홍언박의 말 같은 것은 원래부터 안중에 없었다는 듯 다짜고짜 그에게 다가가 칼을 휘둘렀다. 그 칼날에 홍언박은 너무도 허망하게 죽음을 맞이하였다.

역도들이 경성에 몰려들어 움직이는 행동이 포착되면서 행궁이 역도들에 의해 습격 받았다는 소식이 퍼져나갔다. 무엇보다 왕의 안전이 시급했다. 최영은 밀직사로서 부사 우제, 지도첨의

308

안우경, 상호군 김장수 등과 함께 경성의 군사를 이끌고 즉시 행궁으로 달려 나갔다. 문을 밀고 들어가려는데 여러 장수들이 신중을 기하자는 투로 제안했다.

"적들이 어디 있는지를 살펴본 연후에 들어가는 것이 좋을 것 같소이다."

"적들이 안에 있고, 임금의 목숨이 촌각을 다투는데, 무엇을 살피자는 것이오?"

김장수가 한심스럽다는 듯 곧장 반박하며 선참으로 문을 부수고 들어갔다. 최영도 그 뒤를 따라 들어가며 반적들을 베어나갔다. 나머지 장졸들도 밀고 들어가며 반적들을 몰아붙이면서 모조리 격멸하였다. 허나 선참으로 나섰던 김장수는 안타깝게도 역도의 칼을 맞아 전사하고 말았다.

반란이 평정되자 공민왕이 밀실에서 나왔다. 장졸들은 안도의 한숨을 내쉬었다. 최영은 공민왕을 향해 주청하였다.

"이번 반적들은 황제의 명을 사칭하였사옵니다. 이는 분명 원과 내통한 자가 있음이옵니다. 발본색원하시옵소서."

공민왕은 고개를 끄덕였다. 허나 무엇보다 시급한 것은 신변의 안전이 확보된 안정적인 거처 마련이었다. 공민왕은 곧장 경성으로 나아가 강득룡의 집에 거처를 잡았다. 백관들에게는 호위하게 하고 순찰을 돌게 명하였다. 그리고는 이인복과 정찬, 우제, 홍성복 등에게 순군에서 반적들을 국문하도록 지시하였다.

10

고려 중흥의 기치를 내걸며, 덕흥군의 침입을 막아내다

 최영은 흥왕사 변란의 주도자는 김용이 분명하다고 여겼다. 그런데 처벌받기는커녕 흥왕사의 변란을 평정한 공신으로 책정되어 토지와 노비까지 하사받았다. 그 기쁨에 염제신의 집에 들러 술자리를 갖고는 흥얼거리기까지 하였다.

 "내 세 가지 근심거리가 있었는데, 그게 다 해결되었으니 어찌 즐거워하지 아니할 수 있겠는가?"

 세 가지 근심거리가 해결된 것이란 홍언박과 정세운, 그리고 3원수인 안우와 이방실, 김득배를 제거한 것을 말함이었다. 정세운과 3원수를 살해하여 권력에 가까이 접근했지만 공민왕과 인척 간인데다 공훈을 세워 수상에 오른 홍언박이 있으니 자기 뜻대로 하기 어려웠다. 그 마지막 상대인 홍언박까지 없애버렸으니 그 앞에 걸림돌을 다 해치운 셈이었다.

　김용은 순군 제조였지만 공민왕의 총애를 믿고 흥왕사의 변란으로 체포된 90여 인 중 어느 누구도 조사하지 않았다. 최영은 보다 못해 공민왕에게 상소하였다.

　"흥왕사의 변란에 김용의 당류가 관련되어 있다는 것은 모두가 다 아는 사실이옵니다. 김용은 순군 제조로서 역도들을 심문도 하지 않고 그대로 방치하고 있사옵니다. 이는 관직의 태만을 넘어 흥왕사의 변란에 김용이 깊이 관여되어 있다는 명백한 증좌이옵니다. 김용을 엄히 징벌하시옵소서."

　좌정승 유탁도 김용의 행동을 고변하였다.

　유탁은 흥왕사의 변란이 일어날 당시 초하룻날 왕의 복을 비는 제례 때문에 재상들과 함께 묘련사에 있었다. 변고를 듣자마자 여러 사람들과 함께 병사들을 모아 적도를 토벌하고자 순군만호부로 가려고 하였다. 그런데 역도들의 선봉대가 벌써 묘련사 동네 어귀에 다다르고 있었다. 그 때문에 말에 재갈을 물리고 그들의 눈을 피해 샛길로 달려 순군부에 도착하였더니, 김용은 묘련사에 오지도 않고 홀로 순군부에 있었다. 김용은 왕의 시해가 실패했다는 기별을 이미 당류로부터 보고 받고는 군사들을 향해 반적을 토벌하자며 소리치고 있었다. 달려온 재상들에게는 큰소리로 제안했다.

　"여러분들은 이 병사들을 거느리고 먼저 행재소로 가는 것이 좋겠소. 나 역시 흩어진 사졸들을 모아서 뒤따라갈 것이오."

순군 제조인 김용은 가장 먼저 왕의 안위를 염려하고 달려 나가야 할 사람이었다. 그런데 곧바로 가지 않고 여기에 온 사람들을 먼저 떠나보내려고 획책한 것이었다. 유탁은 김용의 행위가 의심스러워 멀리서 조심스럽게 지켜보았다. 김용은 반적들이 잡혀오면 그의 문객인 순군제공 화지원과 서로 눈짓하며 신문도 하지 않고 살해했다. 죽여서 입을 틀어막고자 함이었다. 조일신이 반란을 일으켰다가 상황이 불리하게 돌아가자 자기 동료인 최화상 등을 살해하고 그들에게 죄를 덮어씌우려는 꼴과 똑같았다. 조일신의 변란에 깊이 참여했다가 그걸 배워 그대로 써먹은 수법이었다.

공민왕은 신료들의 거듭되는 주청에 더 이상 김용을 감싸고돌 수 없었다. 공민왕은 마침내 김용을 불러 명을 내렸다.

"순군에 하옥시켜 진상을 조사하는 것이 마땅할 것이나, 내 예전의 공을 생각해 죄를 경감시켜 줄 것이다."

공민왕은 김용을 밀성으로 귀양 보내도록 명하였다. 아울러 그의 도당인 대호군 고환과 전리 정랑 화지원 등도 외지로 귀양 보내도록 조치하였다.

최영은 공민왕의 처사에 지극히 실망했다. 김용의 처벌을 강력히 주장한 것은 폐신을 감싸지 말고 원칙을 세워 국정을 이끌고 가라는 의미였다. 나아가 원과 내통할 수 있는 내부의 조력자를 제거함으로써 원과 단호하게 맞서게 하기 위함이었다. 그런데 공민왕은 사적인 감정에 얽매여 김용의 당류들을 발본색원하여 처벌하는 단호한 모습 대신에 두루뭉술하게 처리한 것이었다. 또다시 부원배들이 할거할 수 있는 토양을 제공해주는 것이었다. 이것은 원의 위협에 또다시 굴복하는 것이었고, 그것은 단순히 대외 정책의 수정에 그치지 않을 것이었다. 내정 개혁은 당연히 물 건너간 꼴이었다. 고려의 미래가 암담할 뿐이었다.

그래 놓고선 공민왕은 흥왕사의 변란으로 흐트러진 국정을 바로잡는다는 명분 아래 인사 조치를 단행하였다. 염제신을 우정승, 유탁을 좌정승, 최영은 진충분의좌명공신 판밀직사사, 우제를 선력협보공신 밀직부사, 한휘를 추성익대공신 밀직부사, 오인택을 단성양절공신 전리판서, 양백연을 추성익위공신 개성윤, 김한진을 순성보절공신 판도판서로 임명했다. 신료들에게도 대대적으로 훈공을 내렸다. 흥왕사의 반란을 진압한 일에서부터 시작해 홍건적의 침입으로 파천할 때 왕을 잘 모시고 호종한 것, 그리고 군사를 소집해 왕을 보좌하거나 개경 수복 전투에 참여한 것 등에 걸쳐서까지 포상을 내렸다. 그 공적에 따라 일등공신과 이등공신으로 나누고 일등공신에게는 공신각에 초상을 걸고 부모와 처는 세 등급을 올려 작위를 봉하며 그 아들 1명에게는 7품 이상의 벼슬을 주되 아들이 없을 시에는 조카나 사위 가운데 1명에게 8품의 벼슬을 내려주도록 했다. 이등공신에게도 공신각에 초상만 걸지 않을 뿐 나머지 똑같은 혜택을 부여하였다. 신료들에게 포상을 내려 다독임으로써 충성을 유도하려는 조치였다. 왕으로서 국정을 잘못 이끌어 처참한 지경에 이르게 하였으면 책임을 통감하고 그걸 고쳐 나가려는 단호한 의지를 보여야 할 것이었다. 그리고선 신료들에게 자신을 잘 보좌하여 나라를 다시 일으켜 세워 보자고 설득해 나가야 하건만 그리하지 않는 것이었다. 홍건적의 침입을 받아 피란까지 떠나게 된 사태는 공민왕에게 그만큼 왕으로서의 위엄에 타격을 준 것이었고, 신료들에게도 그의 입지를 약화시킨 것이었다. 그렇더라도 당근 같은 것을 쥐어주는 술책으로 풀어가려 한다면 사람의 마음을 진심으로 움직이게 할 수는 없을 것이었다.

최영은 일등공신에 책봉되고 또 진충분의좌명공신으로서 판밀직사사로 임명되었으나 뭐 할 것이 없었다. 아니 적극 나서서 움직이고 싶지 않았다. 공민왕에게 기대를 건다는 것이 무의미하다는 판단이었다. 공민왕이 김용의 당류들을 엄히 처벌하지 않는 것은 폐신들을 감싸고도는 것에만 그 뜻이 있지 않았다. 홍건적의 침입으로 나라가 피폐해진 상황에서 원과 원만한 관계를 가짐으로써 왕위의 안정 문제를 해결하려고 타산했기 때문이었다. 나라의 힘을 키워 왕위의 안위 문제를 해결하려는 원칙적 입장이 아니라 원의 선처에 기대여 무사안일하게 풀어가려는 모양새였다. 왕이 이런 식이면 신하들 또한 무사안일주의로 큰 사건이 터지지 않는 선에서 적당히 넘어가면 될 일이었다. 혼란스러운 세상을 바로잡자고 적극적으로 나설 이유가 없었다. 그렇게 움직였다간 도리어 제 목숨만 재촉할 행위가 될 뿐이었다.

　공민왕은 1363년 4월 들어 밀직상의 홍순과 이제현의 손자이자 기원의 사위인 동지밀직사사인 이수림을 원에 보냈다. 어사와 중서성에는 백관들과 국가원로들의 탄원서를 전달하게 했고, 태자와 기황후의 일을 관장하는 부서인 첨서원에게도 글을 보냈다. 기황후 심복으로서 고려인인 영록대부 자정원사 박불화와 승상 초스칸(삭사감)에 의해 원의 조정이 움직여지고 있음을 타산한 것이었다.

　허나 공민왕의 그런 노력은 효과를 보지 못했다. 원 조정의 실권자인 기황후가 바로 홍건적의 침입으로 인한 고려의 혼란 상황을 그냥 지나칠 리 없고, 이 기회를 이용해 기철 오라비의 복수를 바라고 있기 때문이었다. 최유와 덕흥군 혜는 자신들의 권력욕을 채울 심산으로 더욱 기황후를 부추겼다. 이들의 방해로 공민왕의 뜻은 원 순제에게 제대로 전달되지도 못했다.

　공민왕은 그제야 원의 입장을 차차 확인하면서 내부의 조력자가 될 수 있는 김용과 그 당류를 처형하라고 명하였다.

　그러면서도 실상 공민왕은 그토록 신임을 준 김용이 왜 자신을 음해하려고 하였는지 그 행위를 도무지 이해할 수 없었다. 그래서 대호군 임견미와 호군 김두를 보내 김용을 계림부로 옮겨 가두게 하고는 안렴사 이보림과 함께 국문하게 하였다.

　"도대체 무슨 이유 때문에 주상을 시해하려고 하였느냐? 이실

직고하라."

"8년 동안 삼재의 자리에 있으면서 내가 하려는 바를 이루지 못한 적이 없었다. 그런데 어찌 임금을 범할 마음을 품었겠는가? 다만 홍 시중을 제거하려고 했을 뿐이다."

김용은 여전히 공민왕을 살해할 의도가 없었다고 주장했다. 공민왕의 마지막 선처를 기대하자면 그 길밖에 없었다. 임견미가 참으로 가당치 않다는 듯 따져 물었다.

"죽을 마당에 자기 뜻을 분명히 밝히는 것이 도리어 더 떳떳하거늘, 어찌 그리 이치에도 맞지 않는 소리를 한단 말이냐? 그럼 도대체 안도적은 왜 죽였느냐?"

김용은 대답하지 못했다. 김용은 거열형에 처해져 죽임을 당하였고, 그의 머리는 경성에 보내졌다. 그의 집 또한 적몰되었고, 그의 도당 10여 명도 참수되었다.

김용이 죽었다는 소식에 공민왕의 눈가에는 눈물이 흘러내렸다.

"이제 누구를 믿을 수 있단 말인가?"

왕을 위해 몸 바쳐 나서 줄 신하가 아무도 없다는 것에 대한 탄식의 눈물이었다. 믿을 수 있는 신하가 하나도 없다는 서글픔이었다.

신료들의 행동거지를 보면 공민왕이 딱할 만하기도 했다. 신료들이란 게 한심하기 이를 데 없었다. 김용이 귀중품으로 애지중지했던 묘아안정주라는 구슬 보석을 도당에 바치자 하나같이 대신들이 그걸 살펴보느라고 정신들이 없었다. 보다 못한 최영이 한마디 했다.

"그 물건들 때문에 김용이 심지가 흐려져 그리된 것인데, 공들은 그걸 생각하지는 않고 무엇이 그리 신기하다고 구경하며 난리 법석을 떤단 말입니까?"

공민왕은 다시 한번 인사이동을 단행하였다. 염제신을 파직시키고 유탁을 우정승, 원에 가 있는 이공수를 좌정승으로 임명하였다. 염제신을 파직한 것은 김용의 인척이라는 점과 함께 대간이 한 달이 넘도록 임명장에 서명하지 않았기 때문이었다. 홍건적의 난리로 피난 갈 때 염제신이 어머니를 모셔가지 않고 그 대신에 처자식과 제물만 잔뜩 수레에 싣고 가는 것을 보고 불효자라고 여긴 것이었다. 허나 공민왕에게 중요한 것은 기황후의 사촌 오라버니인 이공수를 좌정승으로 임명한 점이었다. 원의 실권자인 기황후에게 화친의 뜻을 내보인 것이었다.

고려의 눈길이 원에 쏠려 있을 때 왜적은 어김없이 또다시 고려를 괴롭혔다. 이번엔 213척이나 동원하여 강화군 교동 방면으로 침구하여 왔다. 공민왕은 즉각 개경에 경계령을 내리고 안우경을 왜적방어사로 임명하여 대비하게 하였다. 그런데 고려군이 바다에서 왜적을 상대하지 못하고 육지에서 방어만 하는 형세였으니, 대책 없이 고통을 당해야 하는 꼴이었다.

홍건적의 침공으로 수도 개경이 유린된 결과는 고려에 너무나도 큰 후과를 가져왔다. 국정의 기능이 거의 상실되다시피 하여 원으로부터 사실상 주권을 회복한 듯싶었는데 다시 왕의 안위까지 위협받는 상황으로 치닫게 되었고, 왜의 침구에도 적극 대응할 수 없어 전 국토가 전란에 휩싸인 격이 되었다. 그러면 신하들이라도 이 위기 상황을 극복하기 위해 적극 나서야 하는데, 신료들은 더욱 복지부동이었다.

공민왕은 이 난국을 타개하고자 단호한 태도로 1363년 5월에 교서를 내렸다.

"왕위를 이은 이후 하늘을 두려워하고 백성을 사랑하며 게으름 없이 행동하려 하였다. 그러나 자꾸 나라 안으로는 어려움이 겹치고, 밖으로는 외적들이 재차 침략해 왔다. 다행히 천지신명과 종묘사직의 영령들께서 보살펴주신 은혜와 충신 의사들의 도움으로 잘 극복해 오늘에 이르렀다. 그러나 환도해 온 지금에도 별자리 이변과 오랜 가뭄으로 그 경계를 보이고 있으니 마땅히 나 자신을 책망하며 백성들에게 은혜를 베풀어야 할 것이다. 모든 대소 신료들이여! 짐을 잘 보필해 달라. 정치를 바로 세우고 그리하여 마침내 국가 중흥의 위업을 이룩하도록 하라."

정치를 혁신시켜 나가겠다는 의사표시였다. 그것도 구체적으로 18개의 항목에 걸쳐 밝혔다. 밀직제학 백문보가 차자의 형식으로 공민왕에게 올린 글들과 지금까지 개혁을 바라는 신료들이 상소한 내용을 검토하여 내린 민생 안정책이었다.

먼저 조세의 수납 과정에서 비리를 근절하기 위한 대책을 지시했다. 향리들이 직접 계량하게 하여 농간을 부리지 못하게 하고, 각 도의 존무사와 안렴사가 각 항목의 토지 원본 대장과 대조하여 수취, 납부하게 함으로써 중간에서의 비리를 저지르지 못하게 하였다. 염법은 나라를 부유하게 하고 백성들을 편리하게 하기 위함이었는데 도리어 백성들의 근심거리가 되고 있으니 이제부터 염호의 숫자를 조사해 먼저 소금을 지급한 후에 베를 납부하도록 조치하였다. 또 고리대로 인한 폐해로 백성들의 원성이 드높은바 채무를 증명하는 문서가 없거나 채무자가 사망한 경우엔 1361년 11월 이전의 채무에 대해서는 더 이상 추징하지 말 것이며, 빚 대신에 자녀가 몸값을 제공했을 경우 일한 날짜를 계산해 부모에게 돌려주도록 하였다. 아울러 토지 제도의 폐해가 오래 지속되어 국고가 고갈되고 백성들이 궁핍한 지경에 이르렀으니 도평의사사의 주관 아래 토지를 감독하고 분배를 옳게 시행하라고 지시하였다. 이밖에도 양잠을 위해 뽕나무 심을 것을 장려하며, 전란의 피해가 심각한 지역에 대해서는 조세를 감면해주고 병든 자나 궁핍한 자는 소재 관청에서 구휼토록 명하였다. 한마디로 신료들에게 관리로서의 제 역할을 다 하라고 주문한 것이었다.

허나 신료들이 교서 한 장으로 움직일 리 만무했다. 여전히 복지부동이었다. 임금에게 충언을 올리는 것을 자기의 책무로 알고 있는 대간들조차도 쉬이 나서지 않았다. 이미 그들은 공민왕의 처세를 확인했기 때문이었다. 1362년 10월에 일어난 일도 그런 것 중의 하나였다. 천재지변이 잇달아 일어나자 공민왕은 백관과 수령들에게 정치의 잘잘못과 백성들의 형편을 낱낱이 보고하라고 지시했다. 그에 따라 감찰대부 김속명과 우헌납 황근 등이 상서를 올렸다.

"상벌이 분명하지 못하기 때문에 대소 신료들이 자신의 직무를 게을리하고 있으며, 신하로서의 도리가 혼탁하게 어지럽혀져 있사옵니다. 청컨대 지금부터 신상필벌하고 작위와 하례를 소중하게 여기고 내리시옵소서. 그러면 전후좌우에 있는 사람이 모두 올바른 사람들일 것이니, 임금이 누구와 더불어 부정한 일을 하겠습니까? 환관은 음에 속한 부류인데, 전하께서 날마다 함께 친압하고 가까이하여 비속하고 상스러운 말들을 듣기 좋아하시게 되고, 한밤중에까지 주무시지 않다가 한낮에야 일어나서 대신들을 멀리하게 되시니, 어찌 좋은 계책과 정의로운 논의를 들을 수 있겠사옵니까? 지금부터 대전과 중궁전, 왕대비전의 환관을 각기 10명씩만 남겨 두고 나머지는 다 줄이시옵소서. 그리하여 항상 올바른 사람과 단아한 선비들이 곁에서 모시게 하소서. 또 부득이한 종실과 훈구를 제외하고는 봉작을 허락하지 마시고, 이미 봉한 자는 청컨대 그 작호를 거둬들이도록 하소서. 마을의 평안과 근심 걱정은 수령에게 달려 있사옵니다. 지금 비록 대간에 보증 천거하라는 명이 있지만, 모두 안면과 인정에 따라 진행되고 있어, 심지어 글자도 읽지 못하는 자까지 천거되고 있는 실정이옵니다. 원하건대 지금부터는 주상께서 편전에 나와 인견하시고 그 명성과 실상을 확실히 조사하여 천거가 적합하지 않으면 그 천거자를 반드시 벌주도록 하소서."

공민왕은 상소문을 보고는 노발대발하며 문책하려 하였다. 관리들의 기강이 바로 서지 않고 조정이 문란해진 가장 큰 책임이 왕에게 있다고 지적하면서 공민왕 자신을 신랄하게 비판했기 때문이었다. 유숙이 조심스럽게 나서서 진언하였다.

"직언을 구하시고서, 직언한 자에게 성을 내신다면 과연 그것이 옳은 일이겠사옵니까?"

공민왕은 대답하지 못했다. 이런 왕의 태도에 대간들 또한 충언을 올리는 것을 주저하게 되었다.

더욱이 공민왕은 과거의 훈공을 대대적으로 녹훈하면서 대간의 관리에게 자기 앞에서 임명장에 서명하라고 독촉까지 하고 나왔다. 왕의 폐인들을 임명하기 위해서였다. 왕의 그런 모습에 폐인들은 더욱 의기양양해서는 위협적인 말도 서슴지 않았다.

"대간에서 우리들의 임명장에 서명하지 않는 일이 비일비재했는데, 지금도 그리할 건가? 끝까지 그리 나온다면 전쟁터로 보내 버릴 것이야."

이런 협박까지 받게 되니 뜻있는 신하라 한들 임금의 교서만 믿고 감히 나설 수는 없을 것이었다. 왕 자신이 스스로 원칙을 어기고는 신료들에게만 충직하라고 요구하는 격이었다. 처음부터 실행되기가 어려웠다. 그럼에도 교서를 발표한 것은 그 행위 자체가 왕의 권위와 안위를 지켜주는 차원으로 작용하기 때문이었다.

최영은 공민왕의 영특함에 놀라지 않을 수 없었다. 안타까운 건 그런 지혜를 진실로 고려를 다시 부흥시켜 단군조선과 고구려의 옛 영화를 되찾는데 사용하기보다는 단지 왕위의 안위에만 이용한다는 점이었다. 최영으로선 공민왕의 행동을 유심히 지켜보는 수밖에 없었다.

공민왕은 백관들의 개경 순찰을 중지시키며 신속히 국정을 정상화시키고자 하였다. 허나 공민왕의 그런 일련의 노력은 물거품이 되었다. 원의 사신 이가노가 고려왕을 교체한다는 황제의 조서를 받들고서 파견되어 왔다는 소식이 전달된 것이었다.

왕위의 안위와 관련된지라 공민왕은 즉시 밀직부사 우제를 접반사로 보내 사신 일행을 저지하게 하면서 사행의 목적이 무엇인지 파악해 오라고 지시하였다. 또 지밀직사사 정찬을 서북면 도안무사로 임명해 각 령 및 관청의 군사들을 검열하게 하였다. 만약의 사태에 대비하기 위함이었다.

원의 요구가 무엇인지부터 파악하는 것이 우선 시급했다. 통역관 이득춘이 원으로부터 돌아왔다는 소식을 듣고서 공민왕은 그를 불러들였다. 이득춘은 자신이 들은 바의 소문을 그대로 전해 올렸다.

"황제가 덕흥군을 국왕으로 임명하고서 기황후의 친족인 기삼보노를 세자로 삼았습니다. 최유는 스스로 좌정승이 되고, 이공

322

수를 우정승, 김용을 판삼사사로 삼았습니다. 원에 있는 고려인들을 모두 위관으로 임명하고 요양의 군대로 하여금 그들을 호위하도록 하였사옵니다.”

공민왕은 머리가 띵해 왔다. 그토록 왕위를 보전하기 위해 원에 사신을 보내 예물을 바치고 진정을 호소하였건만 이 모든 것이 도로 아미타불이었다. 허나 여기서 주저앉을 수는 없었다. 왕위만 뺏기는 것이 아니라 비참한 말로가 기다리고 있음이었다. 자기 형인 충혜왕과 아버지 충숙왕, 할아버지 충선왕이 어떻게 처참하게 당하며 죽어갔는가를 어느 누구보다 잘 알고 있는 그였다. 왕위의 안전을 무엇보다 우선시하고 안간힘을 쓰는 것도 그때문이었다. 공민왕은 입술을 지그시 깨물었다. 그리고는 이득춘을 향해 물었다.

“원에서는 무슨 벼슬을 하였는가?”

이득춘이 강지연과 함께 원에 갔을 때, 덕흥군은 그에게 기꺼이 호군의 벼슬을 내려주었다. 이득춘은 그 사실을 그대로 공민왕에게 말해주었다. 공민왕이 고개를 끄덕이고는 목소리는 낮지만 단호한 어조로 말을 이었다.

“대호군의 벼슬을 내려 주겠다. 나를 잘 도와주면 재상도 어렵지 않을 것이다. 허나 딴마음을 품는다면 아무도 모르게 화를 당할 것이다. 무슨 뜻인지 잘 알아들을 것으로 믿는다.”

공민왕은 이득춘을 을러 보낸 뒤 재추들의 의견을 물었다.

“밀직상의 홍순에게 고려의 자세한 사정을 원에 통보하게 했으니 일단 군사를 동원해 수비하면서 황제의 지시가 올 때까지 기다려야 할 것이옵니다."

공민왕은 각 장수들에게 명을 내려 방어조치를 취할 것을 지시했다. 경천흥을 서북면 도원수로서 안주에, 안우경을 도지휘사로서 의주에, 이구수를 도순찰사로서 인주에, 이순을 도체찰사로서 이성에, 홍선을 도병마사로서 정주에, 우제와 박춘을 도병마사로서 강계와 독로강에, 전공판서 지용수를 순무사로서 용주에 각각 진을 치게 하고 모두 도원수 경천흥의 지휘를 받아 서북지역을 방어하게 하였다. 또 이인임은 평양윤으로 삼아 병사의 식량을 조달하게 하고, 밀직부사 정찬을 서북면 도안무사로 임명하여 한휘와 함께 유격군을 거느리고 병영 사이를 오가며 군사 정세의 동정을 살피게 하였다. 아울러 한방신을 동북면 도지휘사, 김귀를 도병마사로 임명해 화주에 주둔하여 동북지역을 방어하게 하였다.

마침내 공민왕은 이공수를 파직시키고 유탁을 좌시중으로 임명하였다. 이것은 이득춘이 최유가 이공수를 끌어들이기 위해 낸 소문을 듣고 공민왕에게 그대로 전했기 때문이었다.

이공수는 원으로 가는 도중 서경에 도착하자, 태조의 원묘에 배알하고 명세한 사람이었다.

"우리 임금을 복위시키지 못하면 신은 죽어도 돌아오지 않겠사옵니다."

기황후는 원에 도착한 이공수를 보고 성심을 다해 자기 어머님을 보살펴 준 것에 대해 친오라버니로 대하겠다며 환대했다. 그런 기황후에게 이공수는 단호하게 말했다.

"지금 왕께서는 홍건적을 격멸하여 나라에 큰 공훈을 세웠으니, 마땅히 사방에 밝게 드러나도록 큰 상을 내려주어 장수들을 격려시켜야 할 것인데, 어찌하여 사사로운 감정으로 공의를 폐하려고 하십니까? 병신년(1356년)의 화는 우리 집안의 세력이 극히 왕성함에도 만족할 줄 몰라 그리된 소치이지 왕의 죄는 아니었습니다. 그런데 어찌 스스로의 허물을 알지 못하고 공이 있는 군주를 폐하려고 하십니까? 언젠가는 반드시 천하의 웃음거리가 될 것이니 그만 중단하심이 마땅할 것입니다."

기황후는 옳은 말인지를 알았지만 공민왕에 대한 분노를 참을 수 없었다. 그래서 이공수에게 덕흥군을 받들고 고려로 가라고 요구하였다. 이공수는 기황후의 요구를 피하기 위해 병을 핑계 삼아 연경에 머물기를 청하였다. 그런 이공수의 태도를 보고 최유가 덕흥군에게 얘기하고 나섰다.

"기황후의 이종 오라버니인 이공수가 연경에 있으니, 그 마음을 헤아리기 어렵습니다. 혹시 일이 중간에 잘못되어 후회하게 된들 무슨 소용이 있겠습니까?"

최유는 독로첩목아와 박불화에게 뇌물을 바쳐 이공수를 반드시 데려 가려고 획책하였다. 이공수는 서장관 임박에게 자신의 뜻을 분명하게 밝혔다.

"나는 이미 부모도 돌아가셨고, 자식도 없네. 벼슬도 이미 극에 달했으니, 어찌 털끝만큼이라도 몸을 돌볼 뜻이 있겠는가? 머리를 깎고 산중에 들어갈지언정 저들을 따르지는 않을 것이네."

이공수와 임박은 덕흥군의 옹립을 끝까지 반대하며 협력하지 않았다. 하지만 사신으로 파견되어 원에 머물러 있었던 유인우나 황순, 그리고 강지연, 김첨수 등은 최유와 덕흥군의 회유에 넘어가 그들과 합류하였다. 사실 확인이 분명치 않았지만 원과 일전을 불사해야 하는 상황에서 함께한다는 소문이 들리는데 정승으로 계속 등용할 수는 없는 일이었다.

허나 무엇보다 중요한 것은 군사 징발이었다. 무력의 뒷받침이 없이는 원의 압력을 막아낼 수 없었다. 그런데 홍건적의 침입 후과는 너무도 컸다. 신료들은 더욱더 움직이려 하지 않았고 백성들 또한 징집에 잘 응하려 하지 않았다. 게다가 해마다 전란을 겪은 식이 되다 보니 내탕고의 재물은 바닥이 난 상태였다. 판밀직사 오인택과 밀직부사 김달상이 공민왕에게 긴급하게 건의하였다.

"대간과 이부, 병부를 제외하고 동반의 3품 이하에서 6품 이상, 서반의 5품 이하의 관직은 더 인원을 추가하여 임명할 수 있도록 하시옵소서."

벼슬을 상으로 주어 군사 징집에 응하게 하려는 유인책이었다. 공민왕은 한숨을 내쉬었다. 대간에서 관직이 남발되어 기강이 문란해졌다고 수없이 성토해오고 있는 실정이었다. 이를 바로잡지는 못할망정 더 악화시키는 일이었다. 허나 왕위를 지키기 위해서는 다른 도리가 없었다. 이로 인해 전쟁터에 나가는 장수들은 직급을 뛰어넘어 제수되지 않는 자가 없었다.

이런 유인책을 내걸고는 공민왕은 안동, 동경, 상주, 진주, 전주, 나주, 광주, 부평, 홍주, 공주, 충주, 청주, 교주 등에 각각 병마사를 보내 군사를 징발하게 하였다. 사람들은 서로 종군하고자 난리법석이었다. 청탁과 뇌물이 공공연하게 오갔다. 적당히 때우고는 벼슬을 꿰찰 욕심이었다. 허나 이건 부유한 자들에게나 해당되었다. 가난한 백성들은 군사 징집이야말로 고통일 뿐이었다.

1363년 6월 각 주에서 징집된 군사들이 도성 동쪽 교외에 진을 쳤다. 그런데 그 중의 일부 군사가 야밤에 성문으로 들어가 반란을 일으켰다. 평택현의 군사 어량대 등이 전쟁터로 나가지 말자면서 군사들을 선동한 것이었다. 이들은 날이 밝아짐에 거사가 실패했다고 여기고 스스로 달아났다. 허나 왕위의 안위와 관련되는지라 그들을 끝까지 뒤쫓아 붙잡아서 순군옥에 가두고는 괴수 8인을 참수하였다. 이를 계기로 공민왕은 아직 목숨 붙어 있는 김용의 도당들이 덕흥군과 연계할 것을 두려워하며 그들을 유배지에서 전부 참살하라고 명을 내렸다.

왕위의 안위를 도모하기 위해 벌이는 공민왕의 행위에 간사한 신료들은 그에 덩달아 자기 맘에 안 든 자를 제거하려는 술책으로 이용하였다. 첩자라는 죄목은 쉽게 빠져나올 수 없는 그물망이었다. 강직하고 여러 번 공까지 세운 밀직부사 주사충은 덕흥군과 내응했다는 죄목으로 처형되었다. 죽을 때 주사충은 너무나 억울했는지 큰소리로 외쳤다.

"내가 아무 죄가 없다는 것은 하늘이 알고 땅이 알 것인데, 아무 공로도 없이 졸지에 고위 관직에 오른 권세가 두세 놈이 나를 이렇게 죽음으로 몰아가는구나."

울분에 찬 주사충의 목소리에도 사람들은 애써 외면하였다. 비상시국이어서 말 한마디에 목이 날아갈 판이었다.

1363년 7월, 사람들의 눈은 개경에 도착한 원의 사신 이가노에 쏠렸다. 이가노 일행은 고려의 영토에 들어오자마자 고려 군사에 호위되어 개경으로 호송되었다. 백관들은 군대를 도열시켜 놓고 선의문 밖에서 이가노를 영접했다. 고려군의 위세를 과시하기 위함이었다. 허나 이미 원의 침입을 두려워하며 화친을 요청하는 마당에 그들에게 잘 보여야 했다. 조정에서는 이가노와 그 부사는 물론이고 그 종자들에게까지 푸짐하게 선물을 안겨주고 연회까지 베풀었다. 그리고는 고려의 진정성을 원에 잘 보고해 달라고 부탁했다. 허나 원의 실력자 기황후가 왕위를 교체하라고 내린 명인데 일개 사신이 대답할 수 있는 성질의 것이 아니었다.

"황제나 황태자께는 전달할 수 없지만 중서성에는 전달할 수 있소이다."

이가노는 원으로 떠날 때까지 특사 대접을 온전히 받고 떠나 갔다.

한편 북방의 방어에 나선 군사들 중 많은 수가 굶주림으로 죽어 가고 있다는 보고가 올라왔다. 내탕고도 바닥이 났는데 참으로 난감한 상황이었다. 공민왕은 자신이 먹는 반찬의 가짓수를 줄이는 것으로 대응하였다.

이가노로부터 별다른 성과도 얻어내지 못하고, 군사들은 굶주림에 시달리게 되니 고려의 전투 의지는 점점 약화되어 갔다. 심지어 일부 재상은 공민왕에게 남쪽으로의 피난을 권하기도 하였다. 소나기는 일단 피하고 보자는 생각에 공민왕도 그 말에 솔깃하였다. 허나 판밀직사 오인택이 강력하게 반대하고 나섰다.

"덕흥군은 홍건적과 다르옵니다. 어가가 한번 남쪽으로 떠나게 되면 도성 이북에서 누가 전하를 따르겠사옵니까? 오늘날의 계책은 친정이 상책이옵니다."

공민왕은 실책했음을 인정하고 다시금 마음을 가다듬었다. 우선 이인복을 군용을 점고하는 서북면 도찰군용사에 임명하여 병사들의 굶주림에 대처하도록 지시하였다. 또 신료들의 충성을 유도하고자 지난 시기 홍건적을 격퇴시키는 데에 공을 세운 사람들을 대대적으로 녹훈하였다.

마침내 1363년 12월 덕흥군은 요동에 진을 치고서는 척후 기병을 압록강으로 파견하기 시작했다. 터질 것이 터졌다고 여긴 조정과 백성들은 두려워하고 불안해하였다.

정국이 소란스럽게 돌아가는데도 최영은 한단 선사와 고군기에게 별다른 말을 하지 않았다. 분노해하거나 조급해하지도 않는 모습이었다. 최영의 색다른 모습에 고군기가 한마디 던졌다.

"형님께서 갑자기 세상을 초탈하신 것 같습니다."

"그렇게 보이는가? 허나 어쩌겠는가? 때가 되어야 하는 것을."

한단 선사와 고군기는 최영이 뭔가 결심하고 있음을 눈치 챘다. 그래서 최영의 얼굴을 지그시 바라보았다. 최영이 차분하게 말을 이었다.

"안타까운 현실이지만 지금 고려군은 전투를 벌여 이길 수 있는 상황이 아니네. 군졸들이 여름철에 떠났는데 겨울이 다 가도록 대체되지 못했으니 그런 옷차림으로 어떻게 추위를 견디겠는가? 군량마저 끊어져 굶주려 죽어가는 자가 수두룩하네. 오직 군관이나 관속만 버티는 정도라네. 살아남고자 요심 지방의 백성들을 약탈할 지경에까지 이르렀으니 그런 군사로 뭣을 하겠는가?"

최영이 한숨을 내쉬더니 다시 말을 이었다.

"어디 그뿐인 줄 아는가? 군사 지휘관이 병사들을 자기 뜻대로 움직일 수도 없네. 지난번 정세운과 안우, 김득배, 이방실 등의 사건이 일어난 것 때문에 또 변고가 일어날까 봐 의심하고선 군사 방략을 전부 중앙에서 지시하고 있는 형편이네. 군사 이동은 때가 있는 법인데, 그리한다면 실기할 수밖에 없지 않겠는가?"

고려군의 군사 지휘는 참으로 한심스런 지경이었다. 조정에서 직접 서북면 도원수 경천흥에게 서북 방면에 머물러 지키게 하고 안우경 등 여러 장수들에게 압록강을 건너가서 공격하라고 명을 내린 것이었다. 군사들의 기세와 처지로 봐서 불가항력이었다. 허나 그 명을 따르지 않았다가는 언제 목이 달아날지 알 수 없었다. 울며 겨자 먹기로 명을 따라야만 했다. 상황의 심각성을 이해한 이인임이 하을지를 불러 말했다.

"그대도 우리 군사들의 처지를 잘 알고 있지 않는가? 법이 무서워서 감히 행동하지 못하고 있지만 잘못하면 폭발하고 말 것일세. 도순찰 이구수가 군사를 이끌고 봉주에 이르렀을 때 그 군졸들이 반란을 일으키다가 복주되지 않았는가? 이런 상황에서 군사들에게 강을 건너 공격하게 하다니 이 얼마나 한심스런 짓인가? 그런데도 도원수는 임금의 눈치를 보느라 결단을 내리지 못할 것일세. 내 도원수에게 말해 그대를 주상께 보내고자 하니 이 서찰을 바치도록 하게."

이인임은 이구수의 군졸이 반란을 꾀한 사건의 내막을 기록한 서찰을 하을지에 건네주었다. 그리고는 다시 말을 덧붙였다.

"주상께서는 반드시 그대를 인견하실 것일세. 그러나 이 서찰만 올리고 그대는 삼가 딴 말을 하지는 말게. 주상께서는 사정을 알고 반드시 군사를 되돌릴 것일세."

그날로 하을지는 걸음을 재촉하여 개경에 도착한 즉시 공민왕께 글을 올렸다. 공민왕은 깜짝 놀라지 않을 수 없었다. 전투도

하기 전에 반란이 일어날 조짐이었다. 공민왕은 문첩도 갖추지 않고 허겁지겁 압록강 건너는 것을 파하라는 명을 내려 하을지를 떠나보냈다. 하을지가 명을 받아왔으나 교지가 없이 돌아오매 이인임은 난처하지 않을 수 없었다.

"장차 군사가 강을 건널 것인데, 도원수가 문첩이 없다며 망설이고 결정을 내리지 않으면 어찌한단 말인가? 내가 먼저 뵙고 이해시킨 다음에 그대가 들어오도록 하게."

이인임은 경천흥을 찾아서는 조심스럽게 입을 열었다.

"도원수께서는 일찍이 상주 목사를 역임하셨는데, 처음 부임할 때와 해관하고 떠날 때의 민심이 어떠하였습니까?"

"관직에서 물러나서 떠날 때의 민심은 처음과 사뭇 달랐소이다."

경천흥의 대답에 이인임이 맞장구치며 말했다.

"오늘날의 일도 이와 거의 비슷합니다. 주상은 옛 임금이시고 덕흥군은 새로 정한 임금이라, 어리석은 백성들이야 단지 편안하고 배부른 것이 좋은 걸로만 알지, 어찌 옳고 그름을 따져 갈라보려고 하겠습니까? 더군다나 우리 군사는 들판에서 비바람을 맞고 지낸 지 이미 오래되어 모두가 돌아갈 날만 생각하고 있습니다. 그런데 하루아침에 강을 건너게 하면 그 변고를 측량하기 어려울 수 있습니다. 군사를 거두어 군영으로 돌아가서 압록강을 굳게 지키면서 적의 도강을 막는 것이 상책일 것입니다."

"벌써 일은 그렇게 되지 못하고 있는데……. 하을지는 언제 돌아올 것인지? 허나 주상께서는 반드시 처분을 내려줄 것이오."

경천흥의 기색은 어두웠다. 그런데 잠시 후 하을지가 들어와 공민왕의 명을 전하였다. 경천흥은 이제야 살았다는 듯 즉시 장수들에게 군영으로 돌아가서 방어하라고 지시하였다.

총지휘관이 왕의 지시를 받아서야 움직일 정도였으니 현지 장수들의 군사 활동의 제약은 더 심할 수밖에 없었다. 그건 그만큼 전투에서 불리함을 노출시킬 것이었다.

고려군의 실태를 지적하는 최영의 말에 한단 선사와 고군기는 묵묵히 듣고만 있었다. 이런 상황에서는 그 어떤 방략도 무용지물이었다. 한단 선사와 고군기가 이를 모를 리 없었다. 최영의 말대로라면 이번 전쟁은 패할 수밖에 없을 것이었다. 그럼 어찌할 것인가? 그에 대답하듯 최영이 조심스러운 어조로 다시 입을 열었다.

"절박해지면 임금이 결정을 내리겠지요. 그건 누가 할 수 있는 것이 아니지 않습니까? 대의와 명분을 바로 세우고 군사의 사기를 올려야만 하는 것이니까요."

덕흥군과의 전쟁에서 고려는 명분에서 벌써 밀리고 있었다. 속마음이야 그게 아니겠지만 형식적으로는 원의 눈치를 보며 속국을 자처하는 마당에 그 원이 덕흥군을 왕으로 임명하겠다는데, 뭐라 따진다는 게 어불성설이었다. 군사들도 누가 왕이 되나 어차피 원의 속국이라면 애국 충정을 불태우며 싸울 이유가 마땅치 않았다. 적당히 대응하면 그만이었다. 이 상황을 전변시키지 않고서는 이 전쟁에서 이길 수가 없었다. 최영은 이 기회에 공민왕으로부터 이 문제를 정식으로 제기하고 풀어나가고자 그 결심을 굳힌 것이었다.

"형님 마음이야 잘 알겠는데, 똥 누러 갈 적과 올 적의 마음이 다르다고 하지 않습니까? 하긴 그건 나중 문제지요."

고군기가 다시 근심 어린 목소리로 말을 이었다.

"형님이 그리 나서시면 애매한 병사들만 다치게 생겼으니 그게 걱정입니다."

"내 그래서 동생에게 부탁하고자 하네. 내가 나서면 십중팔구, 아니 필히 그리될 것이니 그 뒤처리를 맡아 주게. 잘못은 조정이 해놓고 그 책임을 병사들에게 뒤집어씌우는 격이니 나도 가슴이 미어지는구먼. 허나 지엄한 군령을 세우기 위해서는 달리 방도가 없지 않는가?"

"형님께서 그리 결심하시고 칼을 뽑아들고자 하는데, 이 동생이 어찌하겠습니까? 병사들의 무고한 희생이 헛되지 않도록 해 주시구려."

최영은 한단 선사, 고군기와 헤어진 후 서북면의 정세를 주시했다.

1364년 정월에 최유는 덕흥군을 받들고 원의 군사 1만 명으로 압록강을 건너 의주를 공격하기 시작했다. 전쟁에서 이기면 좋겠지만 지금 고려 군사가 처한 형편에서 그걸 기대할 수는 없었다. 당시 군졸들은 추위와 굶주림에 극도로 시달리고 있었다. 도롱이를 걸치고 몸을 녹여야 했고, 배고픔을 견디지 못해 전투용 말을 쌀 1말과 바꾸어 먹었다. 굶어 죽은 시체가 줄을 이었고, 도망병이 길을 메우며 핏기 없는 초췌한 몰골로 음식을 구걸하는 형편이었다. 그런데도 임금의 질책이 무서워 이런 사실을 숨기고 알리지 않았다.

적들이 의주의 궁고문을 에워싸며 공격해오자 도지휘사 안우경은 일곱 차례나 전투를 벌여 물리쳤다. 허나 적들은 고려 군사가 많지 않고 후원이 없는 것을 이내 알아차렸다. 왕의 명령을 받아서야 고려 군사는 출동할 수 있었으니 그건 당연한 움직임이었다. 최유는 군사를 일곱 부대로 나뉘어 북을 치고 함성을 지르며 공격하게 하였다. 고려 군사가 문안으로 물러났고, 중랑장 최흑려가 말에서 내려 창을 잡고 문밖에 서 있으며 버티자 최유의 군사가 감히 앞으로 나오지 못했다. 허나 그것도 잠시였다. 지원군도 없는 상황에서 몰려드는 대군 앞에 고려 군사가 다시 나가 적들과 싸웠지만 도병마사 홍선까지 사로잡히면서 크게 패배하고 말았다. 고려군은 안주까지 퇴각하였고, 최유는 선주까지 점령하였다.

고려군의 패배 소식을 전해들은 공민왕은 초조하기 짝이 없었다. 이번 전쟁은 초반 전투에 의해 대세가 결정될 것이었다. 홍건적이야 반격해서 몰아낼 수 있었다지만 이번엔 그리할 수가 없었다. 대세에 따라 모두들 그쪽으로 따라붙을 것이었다. 초기에 이를 막아야 할 사람이 절실했다. 공민왕은 최영을 다급하게 찾았다. 그러면 충분히 해낼 것이라는 판단이었다.

"경이 출정을 해 주어야 하겠소?"

"알겠사옵니다. 그런데 청이 있사옵니다."

"그래요. 말씀해 보시구려."

공민왕은 최영이 그리 나올 것이라는 것을 이미 예측한 듯 선선히 대답했다.

"주상께서 대의와 명분을 바로 세우시옵소서. 언제까지 저 이빨 빠진 원 나라의 간섭을 받고 살아야 하옵니까? 이 고려는 저 대륙을 호령했던 단군조선과 고구려의 계승국가이옵니다. 기철 일당을 척결할 때 말씀하셨던 그 웅혼한 기상을 다시 보여주시옵소서. 그러면 군사들은 애국 충정의 기세로 그 길에 보답할 것이옵니다."

공민왕의 얼굴이 뻘겋게 변했다. 원의 아량을 바라며 왕좌를 유지하려고 한 자신의 모습을 정면으로 비판한 말이었다. 하지만 공민왕은 금세 평정을 되찾았다. 일전을 불사해야 하는 상황에서 계속 눈치 보며 속국을 자처할 수는 없었다. 싸울 명분이 서지 않았다. 더욱이 적들을 당장 막아내는 것이 급선무였다.

"장군의 마음을 어찌 모르겠소. 익히 잘 알고 있는 바이오. 또 다른 할 말은 없소이까?"

"그리 말씀하시오니 소신, 몸 둘 바를 모르겠사옵니다. 그러시오면 소신 한 가지 더 청하겠사옵니다. 소신에게 군사의 전권을 부여해 주시옵소서. 그러면 소신 이 길로 당장 나아가 적군을 격멸하고 돌아오겠사옵니다."

"장군의 말씀을 들으니 안심이 되는구려. 장군만 믿겠소이다."

전쟁에선 장수가 최고란 듯 공민왕이 최영을 장군이라 칭하며 그의 손을 굳게 잡았다. 꼭 막아 달라는 신신당부였다.

공민왕은 찬성사 최영을 도순위사로 임명해 각 부대를 통합 지휘하도록 부월을 내려주며 최유를 토벌하라고 명을 내렸다. 아울러 이성 도체찰사 이순과 도병마사 우제와 박춘, 그리고 동북면 병마사 이성계도 군사를 이끌고 즉시 안주로 합류하라고 지시하였다. 또 적에게 포로가 된 홍선을 대신하여 나세를 도병마사로 임명했다. 그러면서 친위 세력을 강화하기 위해 염제신을 영도첨의로, 홍언유와 김원명을 밀직부사로 임명했다. 홍언유는 김용 일당에게 살해된 홍언박의 동생이었고, 김원명은 김속명의 형이었다. 이들은 다 공민왕과 인척간이었다.

최영은 정예병을 거느리고 급히 안주로 말을 달렸다. 안주로 가는 도중에 최영은 정말 보지 않았으면 하는 꼴을 보고야 말았다. 군데군데 헐어서 터진 군복에 피골이 상접한 몰골을 하고서 군영을 이탈해 도망치는 병졸이었다. 이미 예상한 바였지만 가슴이 미어졌다. 허나 저 병사를 못 본 체 지나친다면 군령이 지엄하게 설 수 없었다. 군령이 시행되지 않는 군대는 쌓아놓은 모래알에 불과했다. 가슴이 찢어지는 듯 아파왔지만 그걸 내색해서는 안 되었다. 그러면 그 효과가 반감될 것이었다. 엄격한 형벌의 집행자가 되어야만 했다. 최영은 염라대왕 같은 무서운 얼굴 표정으로 도망병을 붙잡아 군사들 앞에 세워 놓게 하고서 소리쳤다.

"우리 고려는 대고구려를 계승한 자랑스러운 나라이니라. 일찍이 고구려는 상무정신을 숭앙하였으며 외적이 나라를 침입해오면 하나같이 나서서 목숨 바쳐 싸웠다. 결코 제 한 몸 건사하고자 도망치는 그런 비겁자는 없었다. 그런데 어찌 대고구려를 이어받는 대고려의 군대에서 이런 비겁자가 나올 수 있단 말이냐? 군령은 지엄하다. 이 자를 참수하도록 하라."

최영의 불같은 호령에 분위기는 순식간에 얼어붙었다. 군사들은 눈치를 보며 스스로 군대의 기율을 지키려고 들었다. 그렇지만 최영의 명을 받는 자는 차마 그 병사를 참하지 못하고 망설였다.

"무얼 꾸물대고 있는 거냐? 네 목숨을 내놓겠다는 거냐? 그렇지 않으려거든 바로 시행하라."

최영의 서슬 퍼런 명에 칼날이 피를 품었다. 적을 향해 베어야 칼을 자기 병사에게 먼저 휘둘러야 하는 건 비극이었다. 최영은 입술을 깨물며 다시 명을 내렸다.

"각 군영에 지금 당장 전하도록 하라. 군령은 지엄하다. 지금부

338

터 군령을 조금이라도 어긴 자가 있다면 한 치의 어김도 없이 엄격히 다스리겠다. 제 장수들에게도 전하라. 모두들 안주로 모이도록 하라. 만약 조금이라도 시간을 지체하여 어길 시 이 또한 준엄한 군법으로 다스릴 것이다."

전령을 보낸 다음 최영은 다시 진군을 재촉했다. 그는 마음속으로 죽인 병사에게 용서를 빌었다. 고군기가 그 뒷마무리를 해준다고는 하지만 사람의 목숨을 무엇으로 갚을 수 있단 말인가? 더 이상 도주하는 병사를 보지 않았으면 하는 마음뿐이었다. 허나 그런 간절한 마음에도 그는 한두 번 더 망나니짓을 해야 했다. 아픈 가슴은 썩어 문드러졌고 통증이 되어 찔러 왔다. 하지만 묵묵히 참아내야 했다. 너무 잔인한 인간이라고 해도 그 업보를 달게 받아야 했다.

최영의 인정사정 봐주지 않는 단호한 조치에 고려군의 군령은 갖춰가기 시작했다. 염라대왕보다도 더 무서운 사람이 최영이라는 말까지 나돌 정도였다. 제 장수들도 어김없이 시간을 지켰다. 최영은 제 장수들을 보고 입을 열었다.

"우리 고려는 단군조선과 고구려를 이어받은 나라입니다. 천손의 나라라는 것입니다. 그토록 큰소리쳤던 수와 당도 고구려 앞에 여지없이 깨졌으며, 우리 고려는 지난 시기 거란과 여진의 침략도 단호히 막아내었습니다. 그런데 그만 나라의 군력을 키우지 않아 원에 속박되었습니다. 지금껏 힘이 없어 온갖 수모를 다 받아왔는데, 언제까지 이런 참담한 불행을 겪고 살아야 하겠습니

339

까? 더는 그럴 수 없습니다."

최영의 단호한 목소리에 장내는 숨 쉬는 소리조차 없을 정도로 조용했다. 기백이 넘친 목소리에 장수들의 손에는 힘이 쥐어졌다. 최영이 다시 말을 이었다.

"이제 원은 이빨 빠진 호랑이에 불과하다는 것을 모두들 잘 알고 있을 것입니다. 그런데 뭐가 무서워 저들의 눈치를 봐야 합니까? 우리 분연히 일어납시다. 고려를 부흥시켜 옛 영화를 되찾아 봅시다. 대륙을 호령했던 단군조선과 고구려를 이은 정통 계승 국가, 고려의 위엄을 세상 만방에 떨쳐 보입시다. 그 시작이 바로 이 전쟁에 달려 있습니다. 모두 하나같이 애국 충정으로 나서서 이 나라를 구해냅시다. 감히 이 고려를 넘보고 간섭하려는 놈들을 하나도 남김없이 모조리 격멸해버립시다. 아시겠습니까?"

"알겠습니다."

카랑카랑하게 울려나오는 최영의 목소리에 장수들은 기세에 눌려 저절로 대답했다. 최영의 말이 공민왕의 진짜 의중인지 의심이 들지 않는 것은 아니었다. 원에 왕위를 보전받기 위해 화친을 청하는 공민왕의 모습과는 전혀 다른 주장이었기 때문이었다. 허나 일전을 불사해야 하는 상황에서 이리 해야만 했다. 공민왕의 뜻이 중요한 게 아니라 그런 주장을 들고 나와야 설득력이 있다는 것을 그들은 직감으로 이해했다. 그들 자신들부터가 자긍심이 생겨났다. 병사들에게도 애국 충정을 호소하며 기세를 드높일 수 있었다.

분위기가 점차 상기되면서 최영은 군대를 3개 부대로 편제했다. 좌익에는 안우경, 이구수, 지용수, 나세 등이, 우익에는 이순, 우제, 박춘, 이성계 등이 담당하게 하고, 중군은 최영이 직접 맡아 정주를 향해 진격하게 하였다.

제 장수들이 군영으로 돌아가는 속에 최영은 안우경과 이성계를 다시 만났다. 이 전투의 승패가 이 두 사람에게 달려 있다는 것이 최영의 타산이었다. 먼저 최영이 안우경을 보고 말했다.

"이번 전쟁의 승패는 기선 제압에 달려 있습니다. 적들은 고려가 홍건적에게 침공 당한 여파로 채 정비도 못한 상태에다가 원의 속국으로 알고 있기 때문에 황제가 덕흥군을 임명했으니 그저 군사들 몰고 내려오면 쉬이 항복할 것으로 여기고 있을 것입니다. 그걸 깨부숴야 합니다. 그렇지 않다는 것을 보여주어야 한다는 것이지요. 고려는 이제 고려의 길을 간다는 것을 명확히 보여주어야 한다는 것입니다."

안우경은 고개를 끄덕였다. 실상 안우경은 최유의 농간으로부터 비롯된 것이기에 잘못을 시정해주라는 청원에 한갓 기대를 걸고 있었다. 그런데 최영은 원의 눈치를 보는 것이 아니라 고려의 중흥을 떠올리고 있었다. 그 주장을 감히 대놓고 편다는 것에 경외감마저 들었다. 최영이 계속 말을 이었다.

"도지휘사께서는 적들과 교전도 치러봤고, 어느 누구보다 그들의 움직임을 잘 알고 있을 것입니다. 적의 선봉대를 격파하여 적들의 기세를 꺾어주십시오. 그리만 하신다면 이 전쟁을 곧 승리로 끝나게 될 것입니다."

"천하 절정의 무예로 이름 높은 장군께서 이토록 저를 인정해 주시니, 힘이 불끈 솟구칩니다. 그건 염려 마십시오."

안우경은 기꺼이 자기 임무를 완수해내겠다는 의지를 보이며 곧장 떠나갔다. 이번엔 최영이 이성계를 향해 말했다.

"내 이미 소문은 들었소. 원래 입바른 소리 하고 재주가 출중하면 남의 시기를 잘 받기 마련이오."

여러 장수들은 이성계를 꺼려했다. 이성계가 여러 장수들에게 패배한 이유가 겁을 내고 힘써 싸우지 않아서라고 주장했기 때문이었다. 그 말을 들은 장수들은 기분 나빠하며 혼자 싸우게 해 혼나 보라는 식으로 대응했다. 이성계는 내내 그것이 마음에 걸려했다. 그런데 최영이 그 마음을 알아준 것이었다.

"그리 말씀해주시니 황송합니다."

자신을 알아봐 주는 마음에 이성계는 절로 감사의 마음이 들었다. 그러면서 장수들의 시기로 혹시 잘못되지 않을까 하는 근심도 가뭇없이 사라졌다.

"그건 그렇고. 이 병마사의 책임이 막중하오. 적들의 대다수 군사는 몽골인이나 한인이고, 일부만이 고려인으로서 최유의 달콤한 꼬임에 속아 한탕 해 먹고자 여기 온 사람들이오. 그런 그들이 뭣 때문에 몸 바쳐 싸우겠소. 적들은 대오가 깨지면 모래알처럼 흩어지게 될 것이오. 바로 그 일을 이 병마사가 해주어야 하겠소."

"명을 받들겠습니다."

342

이성계는 힘 있는 목소리로 대답하고서 자신의 군영으로 향했다. 이제야 든든한 후원자가 생겼다는 것에 대한 믿음에 그의 가슴은 벅차올랐다.

최영의 단호한 행위에 힘입어 고려군의 기세는 하늘 드높이 치솟았다. 그 기세에 맞추어 안우경은 최유의 척후 기병이 정주에 이르자 기병 3백 명을 이끌고 습격하였다. 그 과정에서 적의 장수 송신길을 사로잡아 몸뚱이를 갈라 적들에게 내돌리니 적들은 두려움에 떨었다.

마침내 정주에 이른 고려군은 수주의 달천에 진을 치고 있는 적을 향해 총공격을 개시하였다. 이성계는 최영의 명에 따라 우익의 선봉으로 나섰다. 적병이 세 부대로 나누어서 오므로 이성계도 수하의 늙은 장수를 좌우로 삼아 앞으로 진격하였다. 헌데 그만 말이 진흙에 빠져 위험에 빠지게 되었다. 위급한 상황을 맞아 말이 세차게 뛰어오르게 하여 빠져나왔고, 곧바로 적장 두어 명을 활로 쏘아 죽였다. 적장이 쓰러지자 적들은 흐트러지면서 도주하기 시작했다. 우익이 무너지자 적들의 대오가 혼비백산하였고, 적들은 달아나기에 바빴다.

달천에서 패배한 이후 적들은 더 이상 싸울 엄두를 내지 못했다. 고려는 혼란에 휩싸여 있는데다가 원의 속국이니 그들이 진격하기만 하면 고려군은 싸우려고 하지 않고 도망갈 것이고, 이번 일이 성사되면 벼슬과 재산을 안겨준다고 하는 소리를 듣고 온 자들이었다. 그런데 혼란스럽기는커녕 고려의 길을 당당히 걸어가겠다고 하는 모습에다가 하나같이 분연히 나서서 싸우는지라 최유의 말이 다 거짓이라는 것을 깨닫게 되었다. 계속 전투를 치르다가는 살아남지 못할 것이라고 여긴 군사들은 스스로 도주했다. 살아남은 자들도 언제 고려군이 공격해올지 몰라 전전긍긍했다. 최유는 버티지 못하고 군영을 불태우고 강을 건너 달아나고자 했다. 고려군은 그들을 추격하였고, 최유는 붙잡지 못했으나 고려를 배반했던 유인우와 강지연, 안복종 등을 붙잡아 목을 베었다. 이 전쟁에서 병사로서 살아 돌아간 자는 17기(騎)에 불과하였다.

최영은 이성계의 공을 치하했다. 그러나 그를 붙잡고 있을 수는 없었다. 여진인들이 동북면의 홀면과 삼살을 침입했기 때문이었다. 최영은 곧장 이성계를 동북면으로 떠나보냈다. 여진인에게 그 땅을 내줄 수 없으니 다시 되찾으라는 지시였다. 또 동녕로만호 박바이에타이가 평북 연주를 침구해오자 휘하 장수를 보내 격퇴시키도록 하였다. 이로써 서북방 지역을 그토록 떠들썩하게 했던 덕흥군의 변란은 완전 진압되었다.

서북면 도원수 경천흥은 녹사 김남귀를 보내 공민왕에게 승전보를 전하게 하였다.

344